Berlitz®

Português

Berlitz Languages, Inc.
Princeton, NJ
USA

Illustrations
Brasilio Matsumoto

Cover Photo – Eric Jaquier
From Berlitz *Pocket Guide to Rio de Janeiro*
©Berlitz Publishing Company Ltd.

ISBN 2-8315-2168-8

9th printing
Printed in Switzerland – August 2004

Berlitz Languages, Inc.
400 Alexander Park
Princeton, NJ
USA

ÍNDICE

Capítulo 3

Capítulo 4

Capítulo 5

Capítulo 6

Capítulo 7

Capítulo 8

Capítulo 9

Capítulo 10

Capítulo 11

Capítulo 12

Capítulo 13

Capítulo 14

Capítulo 15

Capítulo 16

Capítulo 17

Capítulo 18

INTRODUÇÃO

De acordo com M.D. Berlitz, fundador das Escolas Berlitz, o Método Berlitz exige o "uso exclusivo da língua a ser ensinada, bem como a associação direta entre percepção e raciocínio no discurso do novo idioma.

"Os meios para que se atinja esse objetivo são:

- introdução dos conceitos concretos através da demonstração visual e dramatização;
- introdução dos conceitos abstratos por meio de associação de idéias;
- ensino da gramática através de analogia e exemplos.

"Rejeita-se a tradução quando se trata de aprender uma nova língua. Desde a primeira aula o aluno ouve e fala apenas o idioma que deseja assimilar. Tudo aquilo que não puder ser introduzido por meio de demonstração deve ser ensinado levando-se em consideração o seguinte princípio matemático: é possível deduzir o valor de uma incógnita *x* a partir de sua relação com os valores conhecidos de *a* e *b*." É esta a base do ensino por "construção em blocos", fundamental no Método Berlitz.

Português 1 foi projetado para alunos de nível básico a intermediário e é utilizado em conjunto com as aulas da Escola Berlitz. O objetivo primeiro do curso é trazer ao aluno fluência e praticidade na conversação num curto espaço de tempo.

Além do *Livro do Aluno*, o material do curso ainda inclui um conjunto de fitas cassete para revisão extra-aula. Também o *Manual do Professor* e o *Livro de Ilustrações* constituem parte do material, embora exclusivos do instrutor. O programa consiste de 24 capítulos e é publicado num único volume, acompanhado de seis fitas cassete de uma hora de duração.

À medida que avança em seus estudos, o aluno recebe do professor tarefas a serem executadas no *Livro do Aluno* e/ou com as fitas cassete.

Capítulo 1

BOM DIA!

Sérgio: Bom dia, Vera!

Vera: Bom dia, Sérgio! Como vai?

Sérgio: Tudo bem. Vera, o que é isto?

Vera: Isto?

Sérgio: Sim. É um rádio?

Vera: Não, não é um rádio. É um gravador.

Sérgio: Um gravador?

Vera: Sim. E isto é uma fita. É uma fita da Berlitz.

UM OU *UMA*?

Isto é **um** gravador.

Isto é **uma** fita.

Exercício 1

Exemplo: ___*um*___ gato

1. _____ carro
2. _____ cachorro
3. _____ bicicleta
4. _____ lápis
5. _____ caneta
6. _____ mesa
7. _____ calculadora
8. _____ avião
9. _____ papel
10. _____ porta
11. _____ cadeira
12. _____ livro
13. _____ rádio
14. _____ jornal
15. _____ chave
16. _____ revista
17. _____ pássaro
18. _____ telefone

O QUE É ISTO?

Isto é um jornal?
– Sim, é um jornal.

Isto é uma revista?
– Sim, é uma revista.

Isto é uma revista?
– Não, não é uma revista.

É um jornal?
– Não, não é um jornal.

O que é isto?
– É um livro.

Exercício 2

Exemplo: Isto é um livro?
Não, não é um livro.

1. Isto é um gravador?

2. O que é isto?

3. Isto é uma mesa ou uma cadeira?

4. Isto também é uma mesa?

5. O que é isto?

PRETO OU *PRETA*?

Isto é **um** carro.
O carro é pret**o**.

Isto é **uma** bicicleta.
A bicicleta é pret**a**.

O livro é ...	A caneta é ...
amarel**o**	amarel**a**
branc**o**	branc**a**
pret**o**	pret**a**
vermelh**o**	vermelh**a**

azul
cinza
marrom
verde

Exercício 3

Exemplo: gato / pret– ***Isto é um gato.***
O gato é preto.

1. mesa / branc– ______________________
____
2. telefone / vermelh– ______________________
____
3. lápis / marrom ______________________
____
4. avião / branc– ______________________
____
5. porta / azul ______________________
____

QUE COR É?

Exercício 4

Exemplo: Isto é uma caneta?
Não, não é uma caneta.

1. O que é isto?

2. Que cor é o livro?

3. Isto também é um livro?

4. É uma caneta ou um lápis?

5. O lápis é cinza?

6. O que é isto?

7. Que cor é a revista?

8. Isto é uma revista ou um jornal?

9. O jornal é amarelo?

10. Que cor é o jornal?

COMO É?

Isto é uma cidade.
Esta cidade é **grande**.

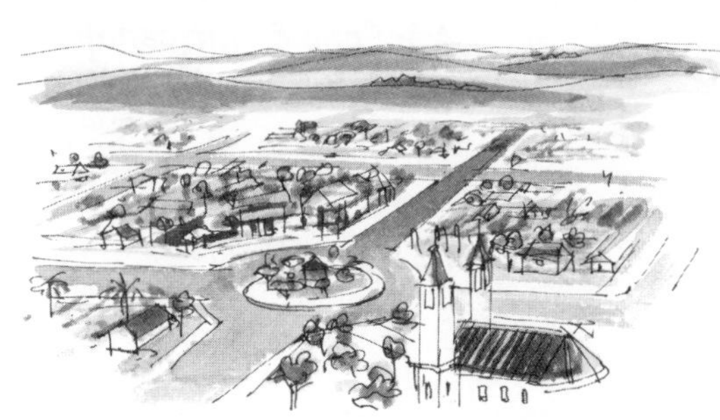

Isto também é uma cidade.
Esta cidade é **pequena**.

Isto é um rio ou um mapa?
– Isto não é nem um rio, nem um mapa.

O que é isto?
– É uma avenida.

A avenida é curta ou comprida?
– A avenida é comprida.

Isto também é uma avenida?
– Não, não é uma avenida.

É uma rua?
– Sim, é uma rua.

Como é a rua?
– A rua é curta.

QUE CARRO? / QUE BICICLETA?

Este carr**o** é italian**o**.

Este carr**o** é american**o**.

O carro italiano é pequeno.
O carro americano é grande.

Esta biciclet**a** é pret**a**.

Esta bicicleta é branc**a**.

A bicicleta preta é pequena.
A bicicleta branca é grande.

Exercício 5

Exemplo: lápis *(vermelh– / comprid–)*
Este lápis é vermelho.
O lápis vermelho é comprido.

1. avião *(branc– / grand–)*

2. rio *(brasileir– / comprid–)*

3. calculadora *(american– / pequen–)*

4. mapa *(grand– / branc– e pret–)*

5. cidade *(pequen– / frances–)*

Exercício 6

Exemplo: Qual carro é americano? *(grand–)*
O carro grande é americano.

1. Qual pássaro é grande? *(azul)*

2. Qual mapa é pequeno? *(portugu–)*

3. Qual gata é cinza e branca? *(grand–)*

4. Qual avião é brasileiro? *(pequen–)*

5. Qual cidade é muito grande? *(brasileir–)*

O MAPA DO BRASIL

Este é o mapa do Brasil.
O Brasil é um país da América do Sul.

São Paulo não é um país. São Paulo é uma cidade. É uma cidade grande. São Paulo fica no Brasil.

O Rio de Janeiro também é uma cidade brasileira grande.

O Amazonas não é nem um país, nem uma cidade. É um rio muito comprido. O rio Amazonas fica no Brasil.

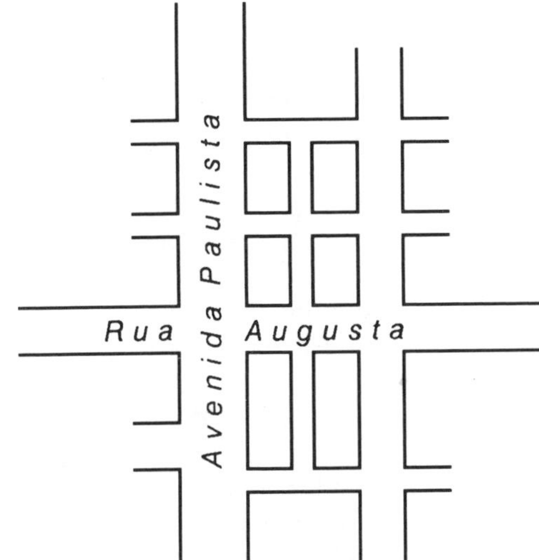

O MAPA DE SÃO PAULO

A Av. Paulista fica em São Paulo. É uma avenida muito comprida.

A Rua Augusta também é comprida e também fica em São Paulo.

A Av. Atlântica também fica no Brasil, mas não fica em São Paulo. A Av. Atlântica fica no Rio de Janeiro. É uma avenida muito comprida do Rio.

Cuidado!

(de + o) = **do**	o mapa **do** Brasil
(de + a) = **da**	o número **da** fita
(em + o) = **no**	Fica **no** Brasil.
(em + a) = **na**	Fica **na** Argentina.

EM QUE PAÍS? / EM QUE CIDADE?

Em que cidade fica a Rua Augusta?
– A Rua Augusta fica **em** São Paulo.

Em que país fica São Paulo?
– São Paulo fica **no** Brasil.

País		Cidade
a Alemanha	na Alemanha	em Berlim
a Argentina	na Argentina	em Buenos Aires
a Bélgica	na Bélgica	em Bruxelas
a Colômbia	na Colômbia	em Bogotá
a Espanha	na Espanha	em Madri
a França	na França	em Paris
a Inglaterra	na Inglaterra	em Londres
a Itália	na Itália	em Roma
o Canadá	no Canadá	em Montreal
o Chile	no Chile	em Santiago
o Japão	no Japão	em Tóquio
o Peru	no Peru	em Lima
o México	no México	na Cidade do México
o Panamá	no Panamá	na Cidade do Panamá
o Brasil	no Brasil	em São Paulo no Rio de Janeiro
os Estados Unidos	nos Estados Unidos	em Washington
Cuba	em Cuba	em Havana
Mônaco	em Mônaco	em Monte Carlo
Portugal	em Portugal	em Lisboa

O Brasil fica na América do Sul.
O Canadá fica na América do Norte.
Portugal fica na Europa.
O Japão fica na Ásia.

Exercício 7

Exemplo: Em que país fica Lima?
Lima fica no Peru.

1. Em que país fica Paris?
2. Onde fica Tóquio?
3. E Montreal?
4. Onde fica a Alemanha?
5. Em que país fica o rio Amazonas?

Exercício 8

Exemplo: Brasil / grand– / América do Sul
O Brasil é um país grande e fica na América do Sul.

1. Rio de Janeiro / grand– / Brasil
2. Rua Augusta / comprid– / São Paulo
3. Lisboa / pequen– / Portugal
4. Wall Street / curt– / Nova Iorque
5. Buenos Aires / grand– / Argentina

QUE NÚMERO É ESTE?

0 zero	1 um	2 dois
3 três	4 quatro	5 cinco
6 seis	7 sete	8 oito
9 nove	10 dez	11 onze
12 doze	13 treze	14 catorze / quatorze
15 quinze	16 dezesseis	17 dezessete
18 dezoito	19 dezenove	20 vinte

Exercício 9

Escreva os números.

Exemplo: ***12*** ___***doze***___

1. ***13*** ____________
2. ***2*** ____________
3. ***5*** ____________
4. ***15*** ____________
5. ***0*** ____________
6. ***8*** ____________
7. ***14*** ____________
8. ***18*** ____________
9. ***4*** ____________
10. ***17*** ____________

CAPÍTULO 1 — RECAPITULAÇÃO

O que é isto?
– É um livro.
um gravador
um jornal
um papel
um telefone
um gato
um telefone
um pássaro
um carro
um lápis
um rádio
um cachorro
um avião

uma caneta
uma porta
uma janela
uma bicicleta
uma chave
uma mesa
uma fita
uma calculadora
uma cadeira
uma revista

Que cor é o carro?
– *O* carro é pret*o*.
E a bicicleta?
– *A* bicicleta é vermelh*a*.

vermelho/a
branco/a
preto/a
amarelo/a

azul
verde
cinza
marrom

Qual livro é grande?
– *Este* livro é grande.
E qual livro é pequeno?
– *Aquele* livro é pequeno.

Que país é este?
– É Portugal.
o Brasil
a Alemanha
– São os Estados Unidos.
as Filipinas

Como é a rua ...?
– É curta.
E o rio Amazonas?
– É muito comprido.

Que cidade é esta?
– É São Paulo.
o Rio de Janeiro
a Cidade do México

Onde fica Buenos Aires?
– Fica na Argentina.
Onde fica Brasília?
– Fica no Brasil.
Onde fica Lisboa?
– Fica em Portugal.

Buenos Aires é a capital *da* Argentina.
Brasília é a capital *do* Brasil.
Lisboa é a capital *de* Portugal.

Portugal é um país grande?
– Portugal é um país, mas não é grande.

Que número é este?
– É o um, o dois ... o vinte.

Expressões:
Bom dia!
Boa tarde!
Boa noite!
Até logo! Tchau!
Como?
Como vai? / Tudo bem.
Tudo bem? / Mais ou menos.
Por favor ...
Pois não!

Capítulo 2

COMO VAI?

Sr. Guimarães: Bom dia, Vera. Como vai?

Vera: Tudo bem. Obrigada.

Sr. Guimarães: Vera, este é o Pierre Duchamps. Ele é professor.

Pierre: Muito prazer.

Vera: Igualmente. Pierre??? Você é francês?

Pierre: Não, Vera. Eu sou da Bélgica.
E você? Você também é professora?

Vera: Não, eu sou aluna.

Pierre: E de onde você é?

Vera: Eu sou brasileira. Sou de Belo Horizonte.

EU SOU A VERA

Eu sou a Vera.
Sou do Brasil.
Sou brasileira, de Porto Alegre.
E você?

a América do Sul	sul-americano/a	a Europa	europeu/éia
– a Argentina	*– argentino/a*	*– a Alemanha*	*– alemão/ã*
– o Brasil	*– brasileiro/a*	*– a Espanha*	*– espanhol/a*
– o Chile	*– chileno/a*	*– a França*	*– francês/esa*
– a Colômbia	*– colombiano/a*	*– a Inglaterra*	*– inglês/esa*
– o México	*– mexicano/a*	*– a Itália*	*– italiano/a*
– o Peru	*– peruano/a*	*– Portugal*	*– português/ esa*
– a Venezuela	*– venezuelano/a*		
a América do Norte	norte-americano/a	a Ásia	asiático/a
– o Canadá	*– canadense*	*– a China*	*– chinês/esa*
– os Estados Unidos	*– americano/a*	*– o Japão*	*– japonês/esa*

Exercício 10

Exemplo: O que é Lisboa?
É uma cidade portuguesa.

1. O que é Berlim?
2. O que é o *The Times*?
3. O que é um Toyota?
4. O que é a *Newsweek*?
5. O que é um Rolls Royce?
6. O que é Roma?
7. O que é *Dom Quixote*?
8. O que é o Porto?
9. O que é a *Paris Match*?
10. O que é São Paulo?

QUAL É A PERGUNTA?

Exercício 11

Exemplo: Isto não é **uma pergunta**.
O que é isto?

1. O Rio não fica **na Argentina**. *(Onde ...?)*

2. Este não é **o Sr. Guimarães**.

3. A Kioko não é **da Inglaterra**.

4. O Sr. Santos não é **brasileiro**.

5. A bicicleta não é **preta**.

6. O rio Amazonas não é **curto**.

7. A Vera não é **do Rio de Janeiro**.

8. O Big Ben não fica **em Paris**.

9. Sessenta mais quarenta não são **noventa e oito**.

10. A Iara não está **no banco**.

11. **O Sr. Guimarães** não é o meu professor.

12. **A Rua Augusta** não é curta.

ELE OU *ELA*?

A Blanca é argentina.

↙

Ela é argentina.

O Sr. Monteiro é brasileiro.

↙

Ele é brasileiro.

Exercício 12

Exemplo: A Sra. Monteiro é do Brasil.
Ela é brasileira.

1. O Sr. Rossi é da Itália.
2. A Júlia é do Brasil.
3. O Sr. Santos é de Portugal.
4. A Sra. Sato é do Japão.
5. O Sr. Morgan é dos Estados Unidos.
6. A Ingrid é da Alemanha.
7. O Sr. Rodriguez é da Espanha.
8. O Hans é da Alemanha.

ONDE ESTÁ? / DE ONDE É?

Este é o Sr. Sato. Ele é japonês. Ele é de Kyoto. Kyoto é uma cidade pequena no Japão. O Sr. Sato não está lá. Agora, ele está em Paris. Paris é uma cidade grande e fica na Europa.

Esta é a Sra. Rodriguez. Ela está em Londres. Londres é uma cidade grande e fica na Inglaterra. Mas a Sra. Rodriguez não é de Londres. Ela é de Madri. Madri também é uma cidade grande, mas não fica na Inglaterra. Madri fica na Espanha.

São Paulo **é** uma cidade.
O Sr. Monteiro **está** em São Paulo.
São Paulo **fica** no Brasil.

Exercício 13

*Complete com **é**, **está** ou **fica**.*

Belo Horizonte _____ uma cidade brasileira e _____ uma cidade grande. O Sr. Rossi _____ em Belo Horizonte, mas a Sra. Rossi não _____ no Brasil. Ela _____ em Roma. Roma não _____ uma cidade brasileira; _____ uma cidade italiana. A Itália _____ um país. Onde _____ a Itália?

O SENHOR DUCHAMPS

Quem é este senhor? **Ele** é professor? É brasileiro? Não, ele não é nem professor, nem brasileiro. Ele é francês.

Mas qual é o nome **dele**? Este é o Sr. Monteiro? É o Sérgio? Não, este não é o Sr. Monteiro e também não é o Sérgio. O nome **deste** senhor é Pierre Duchamps. É o Sr. Duchamps.

O Sr. Duchamps é francês, mas não está na França agora. Ele está em Nova Iorque.

Cuidado!

(de + ele) = **dele**	Qual é o nome **dele**?
(de + ela) = **dela**	Qual é o nome **dela**?
(de + este) = **deste**	o nome **deste** senhor
(de + esta) = **desta**	o número **desta** página

Exercício 14

Exemplo: Qual é o nome ***desta*** menina?

1. Esta é a Lúcia. Qual é o sobrenome _____?
2. O primeiro nome _____ menina é Júlia ou Marta?
3. O país _____ menino é o Brasil.
4. E a cidade _____ é São Paulo.
5. O primeiro nome _____ menino não é Luís. É André.

DE QUEM É?

– Este é o seu jornal?

– É.

– E esta é a sua revista?

– Não, não é a minha revista.
A minha revista está no meu carro.

– De quem é esta revista?

– É a revista do Sr. Monteiro.
O nome dele está aqui.

	jornal	*revista*
eu	***o meu***	***a minha***
você	***o seu***	***a sua***
ele	***o ... dele***	***a ... dele***
ela	***o ... dela***	***a ... dela***

Exercício 15

Exemplo: O nome daquela menina não é Marina.
Qual é o nome dela?

A carteira do Sr. Antunes não está aqui.
Onde está a carteira dele?

1. O meu sobrenome não é Dutra.

2. A sua revista não está em cima da mesa.

3. A minha bicicleta não é azul.

4. O pai do André não é o Sr. Ferraz.

EU SOU UM ALUNO DA BERLITZ

Oi! Eu sou Marcos Linhares. Eu sou um aluno da Berlitz, mas não estou na escola. Estou aqui no Restaurante Bragança. A minha esposa, Fernanda, também está aqui.

*Eu **sou** o Sr. Linhares.*
*Eu **estou** no restaurante.*

	ser	*estar*
eu	***sou***	***estou***
você	***é***	***está***
ele / ela	***é***	***está***

Exercício 16

*Complete com **sou, é, estou, está**.*

Exemplo: A minha esposa _*é*_ a Fernanda.

1. O meu isqueiro _____ na minha bolsa.
2. Eu _____ amigo do Sr. Andrade.
3. Você _____ em pé no corredor?
4. Quem _____ aquela senhora?
5. Eu não _____ no banco agora.
6. A fita de português _____ no gravador.

UM MOMENTO, POR FAVOR!

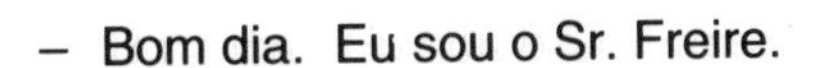

- Bom dia. Eu sou o Sr. Freire.
- Bom dia.
- Por favor, o Sr. Marques está?
- Um momento. Sente-se, por favor.
- Obrigado.

- Sr. Freire!
- Sim?
- Desculpe, mas o Sr. Marques não está aqui agora.
- Obrigado. Até logo.

MUITO PRAZER!

Exercício 17

Exemplo: Muito prazer! _b_

1. Como vai, Carlos? ___
2. Por favor, sente-se. ___
3. Desculpe! ___
4. O Sr. Monteiro está? ___
5. Muito obrigado! ___
6. Até logo! ___
7. O senhor me dá a chave, por favor? ___
8. Como vai o seu marido? ___

a. Obrigado!
b. Igualmente!
c. De nada!
d. Tchau!
e. Muito bem, obrigada.
f. Tudo bem, obrigado.
g. Pois não!
h. Um momento.
i. Não foi nada.

CAPÍTULO 2 — RECAPITULAÇÃO

O que é isto?
– É um cigarro. / fósforo / bolso / quadro / corredor
uma bolsa / caixa / pasta / sala / carteira

– É dinheiro.
o chão
um livro de português

Esta é a minha mão direita.
Este é o seu bolso esquerdo.

Onde está o seu isqueiro?
– Está em cima daquele livro.

E onde está o cinzeiro?
– Está embaixo daquela mesa.

Quem é este / esta?
– É um homem / uma mulher.
um menino / uma menina
um moço / uma moça
um senhor / uma senhora
– É a minha família.
marido / esposa
filho / filha
irmão / irmã
pai / mãe
amigo / amiga
namorado / namorada

Verbo *ser*:	Verbo *estar*:
eu sou	eu estou
você é	você está
ele é	ele está
ela é	ela está

Eu sou o professor.
Eu estou em pé.
Você é o aluno.
Você está sentado.

De quem é isto?
Este é o meu isqueiro.
o seu

Este é o isqueiro dele.
dela
do Sérgio

Esta é minha carteira.
a sua

Esta é a carteira dele.
dela
da Vera

De que país você é?
– Eu sou de Portugal.
Sou português.

De que nacionalidade é a sua esposa?
– Ela também é portuguesa.

Agora a sua esposa está no Brasil?
– Está.

Expressões:
Por favor, sente-se!
levante-se!
Este é o Sr. ...
Esta é a Sra. ...
Muito prazer!
O prazer é meu.
Igualmente.
Desculpe!
Não foi nada.
Como está a Sra. ...?
E você?
Muito obrigado.
O Sr. ... está?
Um momento, por favor.
Sinto muito.

Capítulo 3

A QUE HORAS O RESTAURANTE ABRE?

- Com licença?
- Pois não?
- O restaurante está aberto?
- Sinto muito, está fechado.
- Você sabe a que horas ele abre?
- Às sete e meia, mais ou menos.
- Você tem horas, por favor?
- São sete em ponto.
- Obrigado.

QUE HORAS SÃO?

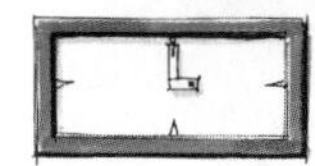

1h	**É** uma hora.	
2h	**São**	duas horas.
3h		três horas.
3h10min		três e dez.
3h15min		três e quinze.
3h25min		três e vinte e cinco.
3h30min		três e meia.
3h45min		três e quarenta e cinco.
3h55min		cinco para as quatro.

Que horas são?
- **É** uma hora.
- **São** duas horas.

A que horas abre o restaurante?
- Abre **às** treze horas.
- Abre **à** uma da tarde.

Exercício 18 – *Que horas são?*

1. ______________________________

2. ______________________________

3. ______________________________

4. ______________________________

5. ______________________________

O QUE A VERA FAZ?

A Vera **sai de casa** às 8h10min.
Ela vai para o trabalho a pé.
O que ela faz às 8h10min?

Ela **vai para o restaurante** às 12h30min.
Vai para o restaurante com a Maria.
O que ela faz às 12h30min?

Ela **entra em casa** às 18h45min.
Ela põe a bolsa na mesa.
O que ela faz às 18h45min?

Exercício 19

Exemplo: A que horas você entra na sala de aula? *(8h30min)*
Eu entro na sala de aula às oito e meia.

1. A que horas eu venho para a escola? *(7h30min)*

2. A que horas a secretária vai para o trabalho? *(8h45min)*

3. A que horas o restaurante fecha? *(11h30min)*

4. A que horas o banco abre? *(10h)*

5. A que horas o João sai de casa? *(9h20min)*

TABELA DE VERBOS

	eu	*você / ele / ela*	*Por favor, ...!*
entrar	entro	entra	entre
fechar	fecho	fecha	feche
gostar	gosto	gosta	—
pegar	pego	pega	pegue
escrever	escrevo	escreve	escreva
ler	leio	lê	leia
abrir	abro	abre	abra
fazer	faço	faz	faça
ir	vou	vai	vá
ver	vejo	vê	veja
vir	venho	vem	venha
pôr	ponho	põe	ponha
ter	tenho	tem	tenha
ser	sou	é	seja
estar	estou	está	esteja

Exercício 20

Exemplo: Eu **entro** na sala de aula às nove horas.

A Júlia ***entra*** na escola às sete e meia.

Você ***entra*** no seu carro às oito da manhã.

1. Eu **ponho** o meu dinheiro na carteira.

   O André _____ a fita no gravador.

   Por favor, _____ este jornal na minha pasta!

2. A Iara **vai** ao escritório de metrô.

   Eu _____ à escola a pé.

   Você _____ ao Rio de Janeiro de avião.

3. Você **abre** a gaveta.

   _____ a porta do carro, por favor.

   O banco _____ às dez.

4. O diretor **vem** para a Berlitz às nove da manhã.

   Eu _____ para a escola às três da tarde.

   A que horas você _____ para a escola?

5. Eu **leio** o jornal *O Dia*.

   Qual jornal o senhor _____?

   _____ isto, por favor.

QUE TAL ESTA MESA?

- Uma mesa, por favor.
- Para duas ou quatro pessoas?
- Duas pessoas. Você tem uma mesa ao lado da janela?
- Que tal esta mesa, senhor?
- Ótima!
- Vinho, senhor?
- Que tipos de vinho você tem?
- O restaurante tem vinho tinto e branco.
- Eu não gosto de vinho tinto. Que tipo de vinho branco você tem?
- Tenho um Riesling alemão muito bom e um vinho verde de Portugal ótimo!
- O vinho verde, por favor.

* * *

- Hummm ... Este vinho está muito bom!

	em	de
este	***neste***	***deste***
esta	***nesta***	***desta***
aquele	***naquele***	***daquele***
aquela	***naquela***	***daquela***

Em que gaveta você põe o seu relógio?
– Eu ponho o meu relógio **nesta** gaveta.

De quem é esta calculadora?
– É **daquele** senhor.

Exercício 21

Complete as frases.

Exemplo: **Este** restaurante é grande.
Eu entro ***neste*** restaurante ao meio-dia.
Qual é o nome ***deste*** restaurante?

1. **Aquele** banco é japonês.
O Sr. Sato sai _____ banco às quatro horas.
Agora são três e meia e ele está _____ banco.

2. Que tipo de vinho é **este**?
Branco. Eu gosto _____ tipo de vinho.
Ponha vinho _____ copo, por favor.

3. Que rua é **esta**?
Acho que o nome _____ rua é Ouvidor.
O Banco União fica _____ rua?

4. **Aquela** é a sala do Sr. Antunes.
Ele põe a pasta dele _____ sala.
Às 17h ele sai _____ sala e vem para cá.

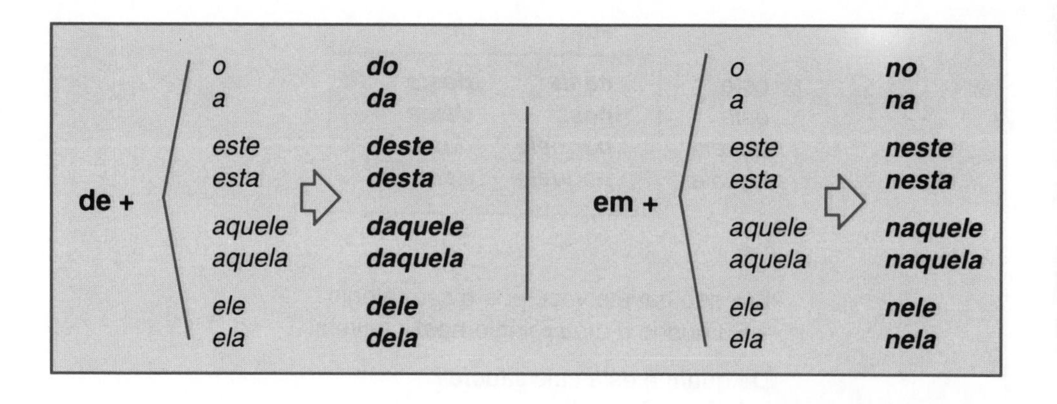

(a + o) = **ao**
(a + a) = **à**

Exercício 22

Exemplo: Este é o mapa _b_ Portugal.

a) do **b) de** c) no

1. Paris fica _____ França.
   a) na b) da c) no
2. Eu venho para a escola _____ metrô.
   a) em b) do c) de
3. O professor sai da escola _____ seis e meia.
   a) às b) à c) ao
4. O jornal está _____ pasta.
   a) aquela b) desta c) naquela
5. Eu vou para casa de carro. Não vou _____ pé.
   a) a b) de c) em
6. Ele entra na sala de aula às sete e meia _____ manhã.
   a) à b) de c) da
7. O nome _____ cidade é Santos.
   a) desta b) esta c) nesta
8. O Sr. Monteiro fica no trabalho _____ nove às seis.
   a) do b) das c) de

QUAL É O OPOSTO?

Exercício 23

Exemplo: São Paulo não é uma cidade **pequena**. É uma cidade *grande*.

1. O livro não está **em cima** da mesa. Está _____ da mesa.

2. Este café não está **com** açúcar. Está _____ açúcar.

3. O Hans não é **aluno**. Ele é _____.

4. **Este** vinho é tinto, mas _____ é branco.

5. O banco não está **fechado** agora. Está _____.

6. Por favor, **sente-se**! E agora, por favor, _____!

7. O rio Nilo não é **curto**. É _____.

8. Doze **mais** dez são vinte e dois. Vinte _____ sete são treze.

9. Ponha o mapa **aqui** e o quadro _____.

10. O André está **nesta** bicicleta e a Júlia está _____.

11. Eu **entro** no trabalho às nove e _____ às seis da tarde.

12. Esta não é a minha mão **esquerda**; é a minha mão _____.

NÚMEROS

10 – *dez*	60 – *sessenta*	200 – *duzentos*	700 – *setecentos*
20 – *vinte*	70 – *setenta*	300 – *trezentos*	800 – *oitocentos*
30 – *trinta*	80 – *oitenta*	400 – *quatrocentos*	900 – *novecentos*
40 – *quarenta*	90 – *noventa*	500 – *quinhentos*	1000 – *mil*
50 – *cinqüenta*	100 – *cem*	600 – *seiscentos*	1001 – *mil e um*

Exercício 24

Escreva os números.

Exemplo: ***658 seiscentos e cinqüenta e oito***

1. ***898*** ____________________

2. ***989*** ____________________

3. ***677*** ____________________

4. ***263*** ____________________

5. ***418*** ____________________

6. ***355*** ____________________

7. ***141*** ____________________

8. ***502*** ____________________

CAPÍTULO 3 — RECAPITULAÇÃO

O que é isto?
– É café.
– É uma xícara de café.
uma garrafa de água
uma taça de vinho
uma lata de cerveja
um copo de leite

Eu gosto de café *sem* açúcar.
Você gosta de chá *com* limão.

O que você faz?
– Eu abro a porta.
fecho a gaveta
pego o relógio
ponho açúcar no chá
saio do táxi
entro no trem
vou para o trabalho
venho de casa
escrevo uma frase
leio o cardápio
vejo o meu cliente

Você / ele / ela abre ...
fecha — vai
pega — vem
põe — escreve
sai — lê
entra — vê

Eu tenho um carro.
Você também tem um carro?

Que horas são?
– É uma hora.
São duas horas.
três e quinze
dez para as quatro
cinco e meia
– É meio-dia.
meia-noite

A que horas você vem para cá?
– Eu venho às sete.
ao meio-dia
à meia-noite

Quando você vai para o trabalho?
– Eu vou de manhã.
saio à tarde / à noite

Quando você está no trabalho?
– Eu estou lá das oito às seis.

Como ela vai para o trabalho?
– Ela vai de carro.
ônibus
metrô
táxi
trem
– Eu vou a pé.

Como você escreve?
– Eu escrevo a lápis.
à caneta

O alfabeto português: A, B, C ... Z
Números: 101 ... 1000

Esta é a primeira página.
segunda / terceira
quarta / quinta

Expressões:
Muito obrigado/a.
Não há de quê.
Você tem horas?
Com licença?
Você sabe a que horas ...?
Eu não sei. Acho que ...
Tudo bem! *(= OK)*
Pois não?
Aceita ...?
Que tal um ...?
Boa idéia!

Capítulo 4

ALÔ! QUEM FALA?

- Alô!
- Por favor, é da casa da Márcia?
- É.
- Ela está?
- Um momento, por favor.

- Alô, Márcia?
- Sim.
- Que tal uma pizza esta noite?
- Hein?
- Uma pizza no Restaurante Capri.
- Quem fala?
- É o Alexandre.
- Alexandre???
- Você é a Márcia Souza, não é?
- Não! Sou Márcia Costa!

- Ah ... ah ... Desculpe!
- Não foi nada ... Ah ... Alexandre?
- Sim?
- A ... a pizza no Capri é boa?

SOU LEONARDO BATISTA

O meu nome é Leonardo, Leonardo Batista. Eu moro no Rio de Janeiro. Não moro numa casa. Moro num apartamento pequeno no sexto andar de um prédio em Ipanema. Eu sou solteiro e a minha irmã, Inês, também mora no apartamento.

Eu não trabalho em Ipanema. Trabalho na Tijuca, numa empresa brasileira. O meu escritório fica no andar térreo. Mas agora não estou no meu escritório; estou em casa.

Agora eu escrevo um cartão postal para a Rita, minha amiga. A Rita mora em Porto Alegre com a família.

Exercício 25

1. O Leonardo mora em Porto Alegre?

2. Em que cidade do Brasil ele mora?

3. Com quem ele mora?

4. Como é o apartamento dele?

5. Em que andar fica o apartamento dele?

6. Ele mora na Tijuca?

7. O que ele faz na Tijuca?

8. Ele trabalha num banco?

9. Onde ele trabalha?

10. O que ele faz em casa agora?

11. Quem é a Rita?

12. Qual é o endereço dela?

PALAVRAS CRUZADAS

Exercício 26

→ HORIZONTAIS →

1. A casa da ___ Monteiro fica em São Paulo.
5. A Sra. Monteiro ___ o *Jornal do Brasil.*
7. O André tem um cachorro e a Júlia tem um ___.
9. Este é o ___ livro e aquele é o seu.
10. O Restaurante Rodeio fica na ___ Augusta.
11. O Nilo é um ___.
13. O André ___ é casado. Ele é solteiro.
14. Eu estou no escritório das nove ___ cinco.
15. O Sr. Monteiro tem um filho ___ uma filha.
16. Eu tenho um carro e você ___ uma bicicleta.
19. Eu não gosto de café, eu gosto de ___.
21. Eu vou ao restaurante para ___.
22. ___ avenidas de São Paulo são compridas.

1		2		3		4	■
	■		■		■	5	6
7			8	■	9		
	■	10			■		■
11	12		■	■	13		
14		■	■	15	■		■
■	16	17	18	■	19		20
21					■	22	

↓ VERTICAIS ↓

1. Eu vejo a família Monteiro na ___ da página quatro.
2. A Rita não vai para o trabalho nem de ônibus, nem de táxi. Ela vai de ___.
3. O livro está aqui e o lápis está ___.
4. Frankfurt é uma cidade grande na ___.
6. ___ sou um aluno da Berlitz.
8. A *Veja* é um jornal ___ uma revista?
12. O que é ___?
17. Eu estou ___ casa.
18. Por favor, dê-___ o livro.
20. A minha secretária entra no trabalho ___ oito horas.

ONDE ESTÁ?

Exercício 27

Responda com ***em cima de, em, embaixo de, atrás de, ao lado de, na frente de.***

Exemplo: Onde está o Sr. Pereira?
Ele está embaixo do carro.

1. Onde a Sra. Pereira está sentada?

2. Onde está o menino?

3. Onde está o cachorro?

4. Onde está a caixa grande?

5. Onde está a menina?

EU SOU O PROFESSOR

Bom dia! Eu sou o professor de português desta escola. Esta é a minha sala de aula.

Quem você vê aqui? Você vê um homem nesta sala comigo? Quem está sentado na cadeira? É o diretor? É a secretária? Não, não é nem o diretor, nem a secretária. É o meu aluno, o Sr. Porter. O Sr. Porter está sentado na minha frente; eu estou em pé, na frente dele.

O que você vê nesta sala? É o mapa da Europa? Onde está o mapa? Ele está na parede. Ele está ao lado do relógio, atrás de mim e na frente do Sr. Porter.

Que horas são no relógio da sala? Agora são nove e vinte e cinco. O Sr. Porter vem à escola às nove horas. Ele vem para cá para aprender português e, na sala, fala português comigo. Ele tem um livro de português e lê o livro em casa.

Exercício 28

1. Você vê uma mesa ou uma janela na figura?

2. Você também vê uma caneta?

3. Onde está a mesa?

4. O professor está sentado à mesa?

5. Como ele está?

6. Quem está sentado?

7. Ele está sentado atrás do professor?

8. Onde está o livro?

9. O que está embaixo da mesa?

10. Onde está o relógio, em cima ou ao lado do mapa?

11. Você trabalha na Escola Berlitz?

12. Que idioma você aprende na Berlitz?

eu	*você / ele / ela*	*Por favor, ...*	*Para ...*
compro	compra	Compre!	comprar
escuto	escuta	Escute!	escutar
espero	espera	Espere!	esperar
falo	fala	Fale!	falar
moro	mora	(More!)	morar
pego	pega	Pegue!	pegar
trabalho	trabalha	Trabalhe!	trabalhar
uso	usa	Use!	usar
aprendo	aprende	Aprenda!	aprender
como	come	Coma!	comer
assisto	assiste	Assista!	assistir

Exercício 29

Exemplo: Eu abro o livro.

fechar Eu ***fecho*** o livro.

caixa Eu fecho ***a caixa***.

João ***O João*** fecha a caixa.

1. *jornal* *(O João fecha ...)*
2. *pegar*
3. *por favor*
4. *eu*
5. *uma carta*
6. *ler*
7. *minha esposa*
8. *escreve*
9. *com a caneta*
10. *usar*
11. *para escrever*
12. *ele também*

1.	Eu **não falo** chinês em casa.	Você ____________________.
		A Júlia ____________________.
		Quem ____________________?
2.	O José **pega** um ônibus.	Eu ____________________.
		Você ____________________.
		A Ana ____________________.
3.	Você **abre** a porta.	Por favor, ____________________!
		Eu ____________________.
		Uso uma chave para ____________.
4.	O Sr. Rossi **vem** para cá.	Eu ____________________.
		Por favor, ____________________!
		A Sra. Monteiro ______________.
5.	Eu **assisto** a este filme.	Você ____________________.
		A Iara ____________________.
		Por favor, ____________________!
6.	O Sr. Ferraz **vai** ao banco.	Por favor, ____________________.
		Eu ____________________.
		Você ____________________.
7.	Você **faz** o seu exercício.	Eu ____________________.
		A aluna ____________________.
		Por favor, ____________________!

Eu vou à banca de jornal. Eu **compro** uma revista.

Eu vou à banca de jornal para ***comprar*** uma revista.

Exercício 31

Exemplo: Você vem à Berlitz. Você aprende português.
Você vem à Berlitz para aprender português.

1. Eu pego a chave. Eu **abro** a porta.

2. A Iara vai ao cinema. Ela **assiste** a um filme alemão.

3. O Sérgio compra o jornal. Ele **lê** o jornal.

4. Eu uso um gravador. Eu **escuto** uma fita de português.

5. O Sr. Monteiro vai ao aeroporto. Ele **pega** um avião.

6. Você espera na estação. Você **pega** o trem.

7. Eu vou à banca de jornal. Eu **compro** o *Jornal do Brasil.*

8. O Sr. Rossi vai a um restaurante brasileiro. Ele **come** uma feijoada.

CAPÍTULO 4 — RECAPITULAÇÃO

Para quem é isto?
– Esta carta é para mim.
Este cartão é para você.
Este pacote é para ele.

Qual é o endereço do seu escritório?
– É Av. Paulista, n.º 50 – 4.º andar.

Qual é o telefone do diretor?
– É 277–9966.

Com quem você mora?
– Eu moro com a minha irmã.
A minha irmã mora comigo.

Você mora numa casa?
– Não. Eu moro num apartamento.

Que idioma você fala em casa?
– Eu falo italiano em casa.

Você também fala italiano no trabalho?
– Não. No trabalho eu falo português.
Eu falo português com a secretária.

Onde fica o seu prédio?
– Fica atrás da estação de trem.
na frente da estação do metrô
O ponto de ônibus fica ao lado da banca de jornal.
O ponto de táxi fica na frente do cinema.

Para que você usa óculos?
– Eu uso óculos para ler.

Eu pego a xícara para tomar café.
Você vai até a porta para sair.
A Iara vai ao restaurante para comer.
Eu venho à Berlitz para aprender português.

para aprender um idioma
falar português
escutar música
tomar cerveja
pegar o avião
ir a Portugal
esperar o ônibus
assistir a uma peça

Aonde você vai para assistir a um filme?
– Eu vou ao cinema.
Eu assisto a um filme *quando* vou ao cinema.

Você sabe onde o Sr. Monteiro mora?
– Não, eu não sei onde ele mora.
– Mas eu sei onde ele trabalha.

Expressões:
Alô!
É da casa da Vera?
Um momento, por favor.
Que legal!

Capítulo 5

COMO ESTÃO AS COISAS?

O Sr. Ferraz trabalha na Fermont com o Sr. Monteiro. Agora eles conversam na sala do Sr. Monteiro.

Monteiro: Bom dia, Ferraz. Como vai?

Ferraz: Tudo bem, obrigado. E você?

Monteiro: Tudo bem.

Ferraz: Monteiro, os Srs. Hans e Karl Weber estão aqui na empresa.

Monteiro: Weber ...? Quem são eles?

Ferraz: São da Companhia Weber-Tronik.

Monteiro: De onde eles são? Da Alemanha?

Ferraz: Não. São da Áustria. São clientes muito bons da Fermont!

Monteiro: Ah!

Toc! Toc! Toc!

Iara: Com licença, Sr. Monteiro? Estes são ...

Monteiro: Ah, sim, Hans! Karl! Bom dia! Como estão as coisas na Weber-Tronik?

O PLURAL

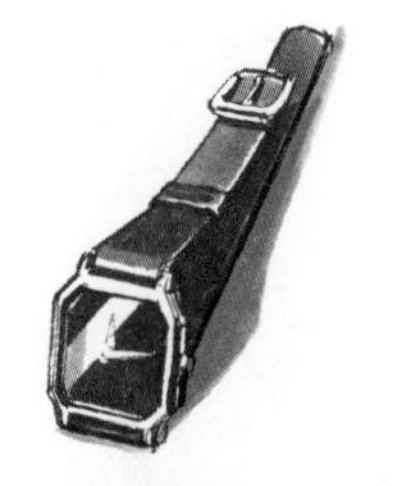

Est**e** relógio é pret**o**.

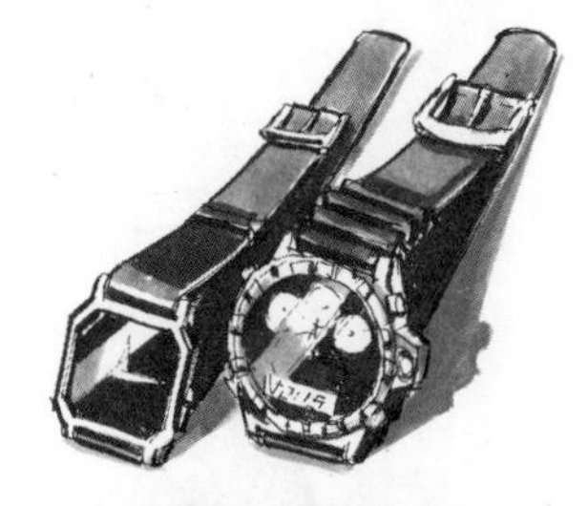

Est**es** relógios **são** pret**os**.

Est**a** pasta é pret**a**.

Est**as** pastas **são** pret**as**.

Exercício 32

Exemplo: Esta calculadora é boa.
Estas calculadoras são boas.

1. Este aeroporto é pequeno.
2. A secretária está no primeiro andar.
3. Aquele homem é solteiro.
4. O isqueiro japonês está aqui.
5. É uma cidade portuguesa.
6. O meu maço de cigarros está em cima da mesa.
7. Há uma casa muito grande naquela rua.
8. Eu tenho dinheiro na minha mão.

ESTES PLURAIS SÃO IRREGULARES

l → **is**		m → **ns**	
jorn**al**	*jorn**ais***	hom**em**	*hom**ens***
pap**el**	*pap**éis***	garç**om**	*garç**ons***
espanh**ol**	*espanh**óis***	marr**om**	*marr**ons***
az**ul**	*az**uis***	tr**em**	*tr**ens***
ão → **ões**		s → **s**	
avi**ão**	*avi**ões***	**lápis**	***lápis***
cart**ão**	*cart**ões***	**ônibus**	***ônibus***

Exercício 33

Exemplo: Este jornal é brasileiro.
Estes jornais são brasileiros.

1. Este papel é azul.

2. Há um jornal japonês nesta banca.

3. O ônibus vermelho é grande.

4. Este álbum é espanhol.

5. Aquele lápis é marrom.

O QUE VOCÊ VÊ?

Veja a figura acima.

Há duas caixas de charutos em cima da mesa. Elas são grandes, não é? Há muitos charutos dentro de uma delas, mas não há nada na outra. Também há uma caixa de charutos em cima da cadeira, mas ela é pequena.

Você vê uma caixa de fósforos em cima da mesa? Há muitos fósforos dentro dela, mas dois deles não estão na caixa. Na cadeira também há uma caixa de fósforos e todos os fósforos estão dentro dela.

E os lápis? Há três lápis em cima da mesa: um deles é comprido e os outros são curtos. Na cadeira também há lápis e os dois são compridos.

Também há cigarros na figura. Há muitos cigarros em cima da mesa, mas só há um cigarro na cadeira.

Exercício 34

1. Há fósforos em cima da cadeira?

2. Todos os fósforos estão dentro da caixa?

3. Quantos lápis há em cima da mesa?

4. Quantos lápis em cima da mesa são compridos?

5. Onde você vê caixas grandes?

6. Há alguma coisa embaixo delas?

Exercício 35 – *Qual é a pergunta?*

Exemplo: Não há **nada** embaixo da mesa.
O que há embaixo da mesa?

1. Há **duas secretárias** na sala.

2. **Só uma** pessoa está em pé.

3. **Os meus professores** estão no primeiro andar.

4. Há **mais ou menos 24** bombons nesta caixa.

5. O André vai **à escola**.

NA LOJA DE ROUPAS

A Sra. Ferraz vai à loja de roupas Bom Tom para comprar um vestido. A loja fica na Rua Armando Queirós. Ela entra na loja e fala com uma vendedora.

Vendedora: Pois não?

Sra. Ferraz: Eu gostaria de ver vestidos, por favor.

Vendedora: De que cor a senhora gostaria?

Sra. Ferraz: Você tem um vestido vermelho?

Vendedora: Pois não! Que tal este?

Sra. Ferraz: É muito bonito. Qual é o preço dele?

Vendedora: Este não custa muito caro. É duzentos e oitenta reais.

Sra. Ferraz: Duzentos e oitenta? Puxa! Tudo isso?! É muito caro!

Vendedora: Mas é muito bonito, não é?

Sra. Ferraz: É ... é muito bonito. Bom ... Tudo bem, eu vou levar.

Vendedora: Mais alguma coisa?

Sra. Ferraz: Não. Só isso, obrigada. Aqui estão trezentos.

Vendedora: E aqui está o seu troco: vinte reais.

Sra. Ferraz: Obrigada!

Vendedora: Não há de quê.

A Sra. Ferraz sai da Bom Tom e vai para o ponto de táxi. Ela espera mais ou menos cinco minutos, pega um táxi e vai para casa.

VEJA ESTES PREÇOS!

Exercício 36 – *Quanto custa?*

1. Quanto custa o par de sapatos?

2. Qual é o preço da camisa?

3. O que custa mais do que o terno?

4. O par de sapatos custa menos do que a camisa?

5. Quanto custam duas gravatas?

6. O que é mais caro do que o relógio?

QUANTO É, POR FAVOR?

– O senhor vende jornais em inglês?

– Eu só tenho o *Herald Tribune*.

– Muito bem. Vou levar. E revistas?

– Sim, tenho *Time* e o *Economist*.

– Vou levar as duas. E ... o senhor tem cigarros americanos?

– Não, todos estes são brasileiros.

– OK! Três maços de Coronado, por favor.

– Mais alguma coisa?

– Só isso, obrigado. Quanto é?

– Um jornal ... duas revistas ... três maços de cigarros ... São vinte reais e cinqüenta centavos, senhor.

– Muito obrigado.

– Não há de quê.

Exercício 37

Complete com o verbo correto.

eu	*você / ele / ela*	*nós*	*Para ...*
ponho	***põe***	______	______
______	está	______	______
______	______	temos	______
______	______	______	contar
______	______	compramos	______
______	vende	______	______
______	______	______	ir
sou	______	______	______
______	vem	______	______
______	______	______	ver
uso	______	______	______
______	______	gostamos	______
______	sai	______	______
______	______	lemos	______
______	______	______	assistir

MAIS OPOSTOS

Exercício 38

Exemplo: A fita não está embaixo do gravador. Está ***em cima*** dele.

1. O cinema fica **atrás** da estação de metrô, mas a banca de jornais fica _____ dela.

2. Esta carta é **para o** Sr. Monteiro. Ela é _____ Sra. Gonçalves.

3. Uma caneta Montblanc é _____, mas estas canetas BIC são **baratas**.

4. Este homem **vende** revistas na banca e a Iara _____ revistas lá.

5. O Sr. Monteiro é **casado**, mas o filho dele é _____.

6. Uma gravata é mais _____ do que um par de sapatos. Os sapatos são mais **caros**.

7. O Sr. Monteiro pega um ônibus quando **vem** para cá, mas pega um avião quando _____ a Porto Alegre.

8. No Brasil, há **muitos** italianos, mas há _____ australianos.

9. Eu tenho um jornal na mão **direita** e um cigarro na _____.

10. Uma gravata custa **mais do que** um par de meias e _____ um paletó.

11. Vou ao cinema para assistir a um **filme** e ao teatro para assistir a uma _____.

12. O Sr. Monteiro usa terno e gravata **no trabalho**. _____, ele usa camiseta.

CAPÍTULO 5 — RECAPITULAÇÃO

O que é isto?
– É um livro de exercícios.
um maço de cigarros
uma caixa de fósforos
uma caixa de bombons

É um livro / uma revista.
São dois livros.
São duas revistas.

– São quadros, pacotes, papé*is*,
jorn*ais*, estaç*ões*. tre*ns*,
lápis, ônibus.

Estes livros são grandes.
Aqueles jornais são brasileiros.

Onde estão os cigarros?
– (Eles) estão no maço.

Quanto custa esta camisa?
– Custa quarenta reais.
– O preço está na etiqueta.

E quanto custam estes ternos?
– Custam muito dinheiro.

Onde você compra roupas?
– Compro roupas numa loja.

Que roupas você compra?
– Compro ...

uma camisa	um vestido
uma calça	uma saia
uma gravaita	um paletó
uma blusa	um terno
uma camiseta	um suéter

um par de sapatos
meias

Esta gravata custa mais (do) que aquela camiseta.

Há duas camisas na minha mão.
– Uma é bonita, a outra é feia.

Há muitos ternos na loja.
– Um deles é muito caro,
os outros são baratos.

Quanto dinheiro há na carteira?
– Há uma nota de cinqüenta reais.
Há duas notas de dez reais.
Há muito dinheiro na carteira?
– Não. Há pouco.

Quantos vendedores há na loja?
– Há muitos clientes na loja.
Mas há poucos vendedores!

Há alguém na sala?
– Sim, há alguém na sala.
Mas não há ninguém no corredor.

Há alguma coisa na caixa?
– Sim, há alguma coisa na caixa.
Mas não há nada na gaveta.

Quem são vocês?
– Nós somos os professores.
Nós trabalhamos aqui.

Expressões:
(Eu) gostaria de ver um terno.
Como estão as coisas no trabalho?
Tudo isso?!
Mais alguma coisa?
Só isso.
(Aqui está) o seu troco.
Vou levar.
Puxa!

Capítulo 6

NÓS E *ELES*

Nós somos do Brasil, mas eles não são.

Nós somos de um país grande e eles são de um país pequeno. Mas nós moramos em cidades grandes e eles também.

Nós vamos para o trabalho de carro; eles vão de metrô ou de trem.

Nós tomamos café; eles tomam chá. Nós gostamos de caipirinha[1] e eles gostam mais de saquê.

Nós compramos os videocassetes deles e eles compram o nosso café.

Nós falamos "obrigado" e eles falam "arigatô".

Mas todos nós vamos à Berlitz para aprender idiomas!

---

[1] *caipirinha: drinque brasileiro*

NÓS, VOCÊS, ELES, ELAS

nós	*vocês / eles / elas*	*Para ...*
compr**amos**	compr**am**	comprar
conversamos	conversam	conversar
(custamos)	custam	custar
escutamos	escutam	escutar
falamos	falam	falar
gostamos	gostam	gostar
levamos	levam	levar
moramos	moram	morar
pegamos	pegam	pegar
tomamos	tomam	tomar
trabalhamos	trabalham	trabalhar
usamos	usam	usar
aprend**emos**	aprend**em**	aprender
comemos	comem	comer
escrevemos	escrevem	escrever
lemos	lêem	ler
trazemos	trazem	trazer
assist**imos**	assist**em**	assistir
abrimos	abrem	abrir
saímos	saem	sair
vemos	vêem	ver
vimos	vêm	vir
estamos	estão	estar
vamos	vão	ir
pomos	põem	pôr
somos	são	ser
temos	têm	ter

Exercício 39

Exemplo: Eu estou em casa agora.

Nós ***estamos*** em casa também.

Eles ***estão*** no trabalho.

1. Eu trabalho com a Iara.

   Vocês _____ no Banco União.

   Quem _____ com você no escritório?

2. Eu e minha irmã moramos em São Paulo.

   Os nossos pais _____ em Campinas.

   Você sabe onde a minha outra irmã _____?

3. O meu vizinho estuda italiano na Berlitz.

   Eu também _____ lá com dois amigos.

   Mas nós _____ francês.

4. Eu vou para o trabalho de carro.

   As minhas secretárias _____ para o trabalho de ônibus.

   Ao meio-dia nós _____ ao restaurante para almoçar.

5. Que idioma você fala em casa?

   Em casa, eu _____ inglês.

   Mas, no trabalho, todos nós _____ português.

6. D. Cláudia põe o dinheiro na carteira.

   Eu também _____ o meu dinheiro na carteira.

   O Sr. Paulo e o Sr. Mário _____ o dinheiro no bolso.

Eu pego **o livro**.
Eu **o** coloco na mesa.

Você lê muitos **livros**.
Você **os** lê em casa.

O João pega **a carteira**.
Ele **a** coloca no bolso.

Nós trabalhamos com duas **secretárias**.
Nós **as** vemos de manhã.

O Sr. Monteiro tira o dinheiro da carteira. Ele ***o*** *coloca na mesa.*

Exercício 40

Exemplo: Quando D. Cláudia vê o diretor? *(quando vai à escola)*
Ela o vê quando vai à escola.

1. Onde vocês lêem o cardápio? *(restaurante)*
2. Quando o Sr. Paulo fecha a porta? *(quando sai do carro)*
3. Em qual gaveta vocês põem os cigarros? *(naquela)*
4. Quando D. Cláudia pega os filhos na escola? *(à tarde)*
5. De onde o Sr. Ferraz tira os papéis e as canetas? *(pasta)*
6. Com quem a Vera compra as roupas dela? *(uma amiga)*
7. Onde vocês escutam as suas fitas de música brasileira? *(no carro)*
8. Para que as meninas usam essas caixas? *(para pôr bombons)*

	eu	você	nós	
o	**meu**	**seu**	**nosso**	*livro*
a	**minha**	**sua**	**nossa**	*revista*

	ele	ela	eles	elas
o livro *a revista*	**dele**	**dela**	**deles**	**delas**

Exercício 41

Exemplo: Eu pego o meu livro.
cigarros **Eu pego os meus cigarros.**
revistas **Eu pego as minhas revistas.**

1. *Eles* **Eles ...** ____________________
2. *fechar* ____________________
3. *livros* ____________________
4. *jornal* ____________________
5. *Você* ____________________
6. *lê* ____________________
7. *Nós* ____________________
8. *pôr ... na mesa* ____________________
9. *xícaras* ____________________
10. *Você* ____________________

OS MEUS PROFESSORES

Algumas pessoas na Berlitz são alunos e outras são professores. Aqui há duas professoras de português. Ambas são do Brasil, mas nenhuma mora lá. Uma delas é paulista[1] e a outra é carioca[2].

Eu tenho aulas de português com elas: umas com a professora paulista, outras com a professora carioca. E também tenho aulas com o Sr. Lima. Ele não é nem paulista, nem carioca — é mineiro[3].

Os meus professores não falam só português; falam outros idiomas também. Todos falam inglês, alguns falam francês ou alemão mas, na sala de aula, todos falam português.

---

[1] *paulista: de São Paulo*
[2] *carioca: do Rio de Janeiro*
[3] *mineiro: de Minas Gerais*

Exercício 42

1. Todas as pessoas da Berlitz são alunos?

2. Quantas professoras de português há na escola?

3. Elas são de algum país da Europa?

4. De onde elas são?

5. Quantas moram no Brasil?

6. Eu tenho aulas de português com uma delas ou com ambas?

7. O professor de português é paulista ou carioca?

8. De onde ele é?

9. Os professores de português falam outros idiomas?

10. Quantos professores falam inglês na sala de aula?

11. Que idioma todos falam na sala de aula?

12. E você e o seu professor?

MAIS OU *MENOS*?

Exercício 43

Exemplo: Há muitas pessoas na rua de manhã.
Há poucas pessoas na rua à noite.

Há mais pessoas na rua de manhã do que à noite.
Há menos pessoas na rua à noite do que de manhã.

1. Eu tenho R$ 1.000,00 no banco.
   Eu tenho R$ 50,00 na carteira.

2. O Sr. Ferraz tem quatro filhos.
   O Sr. Monteiro tem dois filhos.

3. Eu conheço poucos espanhóis.
   Eu conheço muitos brasileiros.

4. Esta loja vende um tipo de vinho.
   Aquela loja vende três tipos de vinho.

5. No Brasil, as pessoas compram muito café.
   No Brasil, as pessoas compram pouco chá.

6. Há poucos carros japoneses no Peru.
   Há muitos carros japoneses no Brasil.

AONDE A GENTE VAI?

- Aonde vocês vão?
- A gente vai ao cinema. Vocês vêm com a gente?
- Para ver que filme?
- "Amarcord". É um filme do Fellini — a gente gosta muito dele. E você?
- Eu também. A qual cinema a gente vai?
- Ao Luxor.
- Ao Luxor? Mas fica longe demais! Por que a gente não vai ao Arte Cine?
- Mas o Luxor fica mais perto do que o Arte Cine!

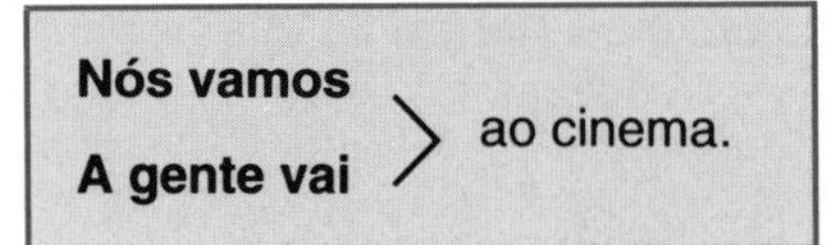

Exercício 44

O Luxor fica **mais perto do que** o Arte Cine.
O Arte Cine fica **mais longe do que** o Luxor.

Exemplo: A Rua Costa é mais **curta** do que a Rua Augusta.
A Rua Augusta é mais comprida do que a Rua Costa.

1. Um Rolex é mais **caro** do que um Seiko.

2. O meu carro é mais **bonito** do que o do meu vizinho.

3. Chinês é muito mais **difícil** do que italiano.

4. Um trem é mais **rápido** do que um carro.

5. O rio Amazonas é mais **comprido** do que o rio Tejo.

6. São Paulo é mais **perto** de Caracas do que de Nova Iorque.

7. Estes cigarros custam mais **barato** do que os seus.

8. Os trens brasileiros são mais **lentos** do que o TGV francês.

lento
fácil
comprido
longe
barato
caro
curto
feio
rápido

CAPÍTULO 6 — RECAPITULAÇÃO

Isso é um livro.
Aquilo é um jornal.

De quem são esses lápis?
– O vermelho é meu e o azul é seu.

Onde estão os mapas?
– Estão dentro da gaveta.
fora

Os mapas *que* estão dentro da gaveta são meus.

O que *é que* você coloca nas gavetas?
Onde *é que* ele vai agora?
Quando *é que* você tira dinheiro do banco?

O *nosso* país é grande.
O país *deles* também é grande.
E o *delas*?

Eu abro a porta.
– Eu *a* abro.
Você pega o dinheiro.
– Você *o* pega.
Nós vemos os diretores.
– Nós *os* vemos.
Eles fecham as gavetas.
– Eles *as* fecham.

Escreva o seu nome, mas não o escreva a lápis.

Há duas vendedoras na loja.
– *Tem* duas vendedoras na loja.

Há alguns livros franceses na minha casa, mas não há nenhum livro espanhol.

Há algumas escolas na minha rua, mas não há nenhum banco.

O que vocês / eles fazem na aula?
– perguntam
repetem
respondem
estudam, *etc.*

É difícil falar português?
– Não! É fácil falar português.

Você sabe falar bem algum idioma?
– Eu sei falar português muito bem.

O seu idioma é mais difícil do que o meu.

Nós falamos português na aula.
– *A gente* fala português na aula.

Que tamanho de camisa você usa?
– Eu uso tamanho pequeno.
médio
grande

Nós usamos tamanhos iguais.
o mesmo tamanho

Essa camisa é grande demais para eu usar.

Qual é a distância daqui até a sua cidade?
– Não sei, mas acho que são 100 quilômetros mais ou menos.

E qual é a população da sua cidade?
– A cidade tem por volta de 5 milhões de habitantes.

Expressão:
por gentileza

Capítulo 7

A MINHA SEMANA

Todos os dias, às sete e quinze, eu tomo um bom café da manhã e saio de casa para ir ao escritório. Há uma estação de metrô que fica perto da minha casa. Eu nunca espero o metrô durante mais de cinco minutos.

No metrô, eu geralmente leio o jornal. Às vezes, quando eu e o meu vizinho pegamos o metrô juntos, vamos conversando até o trabalho.

Eu fico no meu escritório das nove horas até o meio-dia e meia, quando eu saio para almoçar. Eu não almoço em casa; vou com meus amigos a um restaurante perto do prédio da empresa. Depois do almoço, todos nós tomamos um cafezinho juntos.

Eu trabalho quase até as sete horas da noite. A essa hora, eu saio do escritório para pegar o metrô de novo. Eu janto às nove horas com a minha família, e geralmente assisto ao noticiário na televisão ou leio uma revista antes do jantar.

Exercício 45

1. A que horas eu tomo o café da manhã?
2. O que eu faço depois do café da manhã?
3. Como eu vou ao trabalho?
4. Quando eu espero o metrô durante dez minutos?
5. O que eu faço no metrô?
6. Eu sempre vou ao trabalho sozinho?
7. A que horas eu almoço?
8. Eu almoço em casa?
9. Onde eu almoço?
10. Com quem eu vou ao restaurante?
11. O que eu e os meus amigos fazemos depois do almoço?
12. Até que horas eu trabalho?
13. Eu janto com meus amigos ou com a minha família?
14. O que eu geralmente faço antes do jantar?

Exercício 46

Exemplo: Eu almoço no Restaurante Jacarandá.
Eu ***gosto de almoçar*** lá com a minha família.

1. Os brasileiros escutam MPB[1].

   Eles _____ MPB no rádio.

2. A Marta assiste ao noticiário.

   Ela _____ à televisão.

3. Os meninos fazem um lanche às quatro horas.

   Eles _____ um lanche em casa.

4. Nós saímos no fim de semana.

   Nós _____ todos os fins de semana.

5. Você lê o jornal em casa.

   Você _____ *O Globo.*

6. A Iara e a Márcia almoçam juntas.

   Elas _____ num restaurante.

7. O Sr. José Carlos mora em Cotia.

   Ele _____ numa cidade pequena.

8. Eu estudo português e espanhol.

   Eu _____ idiomas.

9. Nós tomamos suco de laranja no jantar.

   Nós _____ suco de frutas quando comemos.

10. Eu não vou ao cinema aos sábados.

    Eu _____ ao cinema nos fins de semana.

---

[1] *MPB: Música Popular Brasileira*

Exercício 47

Exemplo: Eu geralmente saio de casa depois _a_ almoço.

a) do b) de c) da

1. O jantar neste restaurante é muito mais caro _____ que naquele outro.

   a) de b) do c) no

2. _____ domingos, eu e a minha família almoçamos fora.

   a) Os b) Aos c) Dos

3. _____ vezes, eu e o meu vizinho pegamos o metrô juntos.

   a) A b) Nas c) Às

4. Eu gosto de ler o jornal depois do café _____ manhã.

   a) de b) da c) na

5. Eu tomo o ônibus perto _____ meu prédio.

   a) do b) para o c) no

6. Há uma loja _____ roupas atrás daquela casa.

   a) com b) de c) das

7. Você estuda _____ segundas ou terças?

   a) as b) das c) às

8. Eu moro _____ lado de uma escola de música.

   a) no b) ao c) de

9. Eu nunca vou ao banco mais de duas vezes _____ semana.

   a) para b) de c) por

10. No escritório, duas pessoas se sentam atrás _____ mim.

    a) do b) em c) de

Exercício 48

Exemplo: ___**Todos**___ os dias eu acordo às sete horas.

sozinho
às vezes
quase
antes
durante
semana
nunca
entre
todos
depois
amanhã

1. Eu não vou ao trabalho _____ o fim de semana.

2. Hoje é segunda-feira e _____ é terça.

3. Nós almoçamos juntos, mas o Macedo sempre almoça _____.

4. Geralmente a Iara vai ao cinema, mas, _____, ela também vai ao teatro.

5. Há sete dias numa _____.

6. O Sr. Ferraz sai de casa às 7h55min. Ele sai de casa _____ às 8h.

7. _____ o almoço e o jantar, o André e a Júlia fazem um lanche.

8. Eu tomo um cafezinho _____ da aula, quando entro na escola.

9. Os brasileiros gostam de tomar café _____ do almoço e do jantar.

10. Eu não gosto daquele restaurante: _____ almoço lá.

O DIA DA IARA

Iara Coutinho é uma secretária. Ela trabalha na empresa Fermont e mora sozinha num apartamento pequeno no quinto andar de um prédio na Rua Pinheiros.

A Iara se levanta às sete horas da manhã. Ela só toma café e come frutas no café da manhã e sai do apartamento por volta das oito horas. Ela vai até a banca, compra um jornal e espera o ônibus que vai até a Avenida Paulista.

No ônibus, ela prefere se sentar, mas, muitas vezes, ela vai em pé. Sempre há muitas pessoas nos ônibus: algumas vão sentadas, outras vão em pé. Às vezes, a Iara espera um ônibus com menos pessoas.

A Fermont fica num prédio muito bonito da Avenida Paulista. Iara é a secretária do Sr. Paulo Monteiro. Ela trabalha das nove às seis e, ao meio-dia, almoça com as outras secretárias num restaurante no andar térreo. Às vezes, quando a Iara tem muito trabalho, ela prefere almoçar só um sanduíche e uma fruta no escritório.

Ela sai do trabalho às seis da tarde, pega um ônibus e volta para casa. Quase sempre ela está em casa antes das sete.

Quando não está cansada, Iara sai com os amigos. Mas geralmente, durante a semana, ela prefere assistir à televisão em casa. Toma um banho, janta, lê e vai dormir antes da meia-noite.

Exercício 49

1. A Iara Coutinho é uma secretária ou uma professora?

2. Ela mora com a família?

3. Onde ela mora?

4. A que horas ela se levanta?

5. Ela come sanduíches no café da manhã?

6. O que ela come no café da manhã?

7. O que ela compra antes de ir ao ponto de ônibus?

8. Que ônibus ela pega?

9. Ela sempre se senta no ônibus?

10. Com quem a Iara costuma almoçar?

11. Onde fica o restaurante?

12. Como ela volta para casa?

13. O que ela faz à noite, quando não está cansada?

14. Durante a semana, ela prefere assistir à televisão ou ir ao cinema?

15. Ela costuma ir dormir antes ou depois da meia-noite?

ANTES OU *DEPOIS*?

Exercício 50

7:00	Ele se levanta.
7:05	Ele toma um banho.
7:20	Ele se veste.
7:27	Ele se penteia.
7:30	Ele toma o café da manhã.
7:50	Ele lê o jornal.
8:05	Ele escova os dentes.
8:10	Ele sai de casa.

Exemplos: *(se veste / toma o café da manhã)*
Ele se veste antes de tomar o café da manhã.

(sai de casa / toma o café da manhã)
Ele sai de casa depois de tomar o café da manhã.

1. *(se veste / se penteia)*

2. *(lê o jornal / toma o café da manhã)*

3. *(toma um banho / sai de casa)*

4. *(escova os dentes / toma o café da manhã)*

5. *(se veste / toma um banho)*

TODOS OS DIAS ...

Exercício 51

Todos os dias o Sr. Monteiro **se levanta** às 7h30min. Depois de **se levantar**, ele **escova** os dentes. Antes de **tomar** um banho, ele **se barbeia**. Depois do banho, ele **se penteia** e **se veste**.

Às 8h30min ele **vai** para o escritório.

E você?

Todos os dias eu _____ às 7h30min. Depois de _____, eu

_____ os dentes. Antes de _____ um banho, eu _____. Depois

do banho, eu _____ e _____. Às 8h30min eu _____ para o

escritório.

Exercício 52 – *O que você gosta de comer?*

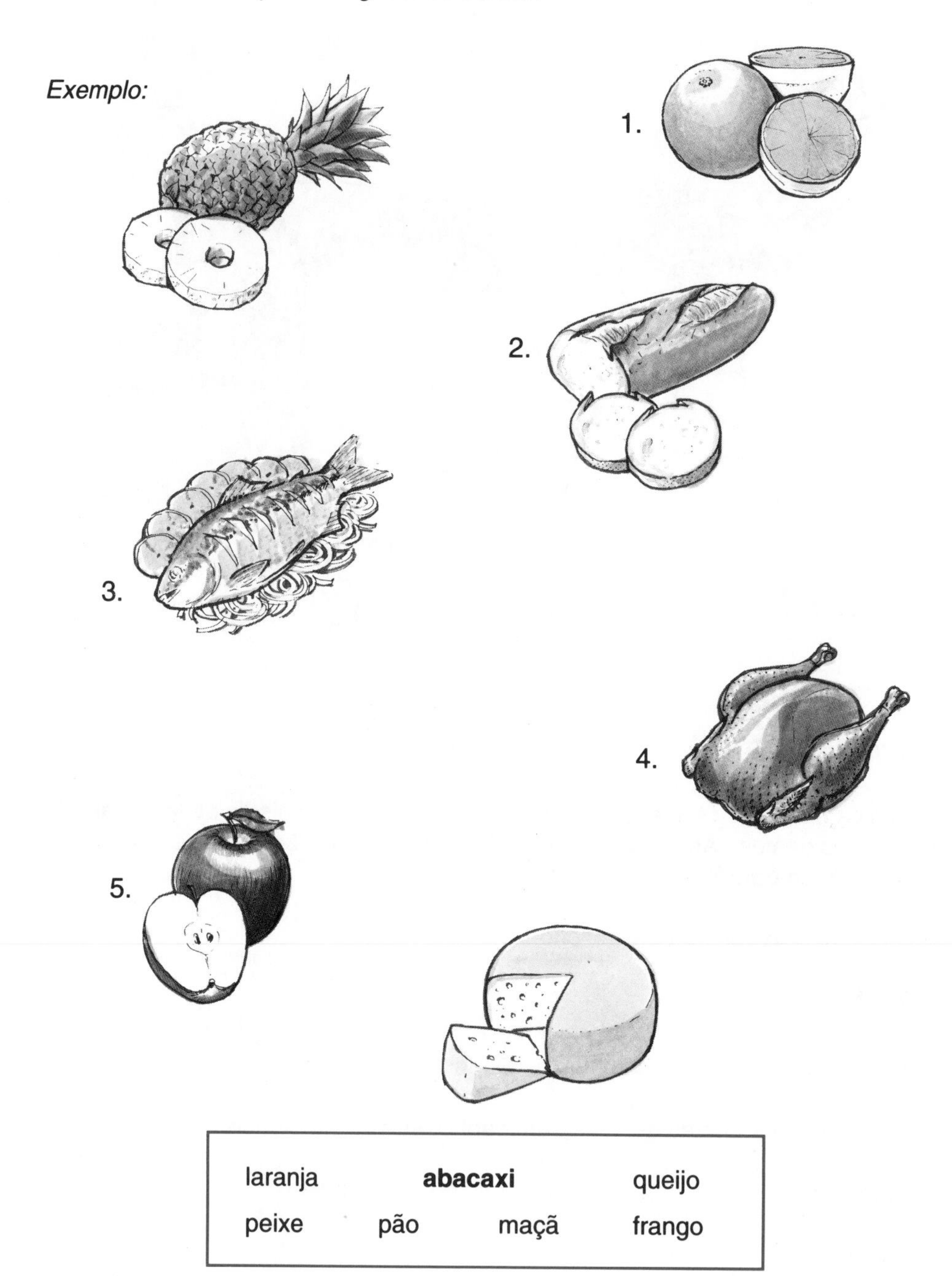

laranja		**abacaxi**	queijo
peixe	pão	maçã	frango

CAPÍTULO 7 — RECAPITULAÇÃO

Quantas horas tem um dia?
– Um dia tem 24 horas.
– E um mês tem 30 ou 31 dias.

Que dia é hoje?
– Hoje é segunda (-feira).
terça (-feira) sexta (-feira)
quarta (-feira) sábado
quinta (-feira) domingo

Quando você janta fora?
– Geralmente às sextas (-feiras) e aos sábados.
Eu janto fora duas vezes por semana.

Quando você almoça em casa?
– Todos os dias, exceto aos domingos.
Aos domingos, eu quase sempre vou a um restaurante.

O que ele faz todas as manhãs?
– Ele se levanta cedo.
toma um banho
se barbeia
escova os dentes
se penteia

O que ele costuma tomar no café da manhã?
– Depois de tomar um suco de frutas, ele costuma tomar café com leite.

Você e a sua esposa almoçam juntos?
– Não. Eu almoço sozinho.

O que você prefere comer no almoço?
– Prefiro comer uma salada.
um sanduíche
frango
carne
peixe
– Prefiro tomar (uma) sopa.

Qual é a sua fruta predileta?
– É maçã.
laranja
banana
abacaxi

Expressões:
Bom fim de semana!
Para você também!
Vamos ...?
Não vai dar.

Capítulo 8

AS MINHAS AULAS NA BERLITZ

O Roberto e a Vera conversam num restaurante durante o almoço.
Ela estuda inglês na Berlitz.

Roberto: Vera, quando você tem aulas?

Vera: Eu estudo às terças e quintas, à noite.

Roberto: Onde você estuda?

Vera: Na Berlitz, na Avenida Pacaembu.

Roberto: E qual é o horário das suas aulas?

Vera: Elas começam às sete e meia e terminam às nove.

Roberto: E quem dá aula para você?

Vera: Às vezes, professores ingleses; outras vezes, americanos.

Roberto: O que eles ensinam?

Vera: Eles ensinam a gente a conversar em inglês.

Roberto: Mas vocês não falam nada em português?

Vera: Nunca! Os professores dizem que é importante falar só em inglês.

Roberto: Mas você tem um livro, não é?

Vera: Tenho.

Roberto: E você faz exercícios durante a aula?

Vera: Eu faço exercícios, mas não os faço na sala de aula. Durante a aula, nós só falamos. O professor me faz perguntas e eu as respondo em inglês.

Roberto: Puxa, que legal! Essa escola é diferente!

O professor faz perguntas **para mim**.
Ele **me** faz perguntas em português.

O professor dá o livro **para você**.
Ele **lhe** dá o livro de português.

Exercício 53

Exemplo: O meu amigo de Portugal escreve cartas **para mim**.
O meu amigo de Portugal me escreve cartas.

1. Traga o cartão postal **para mim**, por favor!

2. O vendedor diz o endereço da outra loja **para você**.

3. Que palavras o professor ensinou **a você**?

4. Você nunca mostra a lição de casa **para mim**.

5. Eu dou o meu número de telefone **a você**.

6. Este senhor vende uma camisa **para mim**.

7. O garçom traz a conta **para mim**.

8. O que o Sr. Garcia pergunta **a você**?

9. Quando a Sra. Ferraz vai a Gramado, ela compra chocolates **para mim**.

10. Todas as semanas eu escrevo uma carta **para você**.

É IMPORTANTE ESTUDAR!

Exercício 54

Exemplo: A gente lê o jornal todos os dias.
É importante ler o jornal todos os dias.

1. Eu trago o meu livro para a escola.

2. Você diz obrigado quando lhe dão alguma coisa.

3. Nós nunca chegamos tarde ao teatro.

4. Ele sempre tem dinheiro na carteira.

5. Eu nunca falo outro idioma na aula de português.

6. A gente se levanta na hora todos os dias.

7. Eu sempre faço a lição de casa e escuto as fitas.

8. Ela conhece todos os vizinhos.

9. Eu repito as frases do professor durante a aula.

10. Eu não saio de casa sem dinheiro.

O QUE A GENTE DIZ ...?

Exercício 55

1. O que a gente diz quando chega ao escritório de manhã?

   a) Tchau! b) Bom dia! c) Prazer!

2. O que você diz quando uma pessoa lhe dá uma caixa de bombons?

   a) Obrigado! b) Não há de quê! c) Mais alguma coisa?

3. O que você diz quando sai do escritório na sexta-feira à tarde?

   a) Com licença. b) Boa tarde. c) Bom fim de semana.

4. O que eu digo quando me perguntam "Como vai?"

   a) Para você também. b) Tudo bem. c) Igualmente.

5. O que você responde quando alguém lhe diz "obrigado"?

   a) De nada. b) Igualmente. c) Prazer.

6. O que a vendedora diz quando um cliente entra na loja?

   a) Pois não? b) Desculpe. c) Com licença.

7. O que as pessoas dizem quando chegam atrasadas à escola?

   a) Boa tarde. b) Sinto muito. c) Não vai dar.

8. O que você diz quando uma pessoa lhe diz que o russo é um idioma difícil?

   a) Eu concordo. b) Igualmente. c) Não vai dar.

9. O que você diz quando eu lhe digo "Abra a porta, por favor."?

   a) Ótimo. b) Pois não. c) Muito prazer.

10. O que eu digo quando o vendedor pergunta "Mais alguma coisa?"

    a) Só isso. b) Tudo isso. c) Não vai dar.

Exercício 56

Exemplo: Eu leio *O Jornal do Brasil* todos os dias.

Nós ***lemos O Jornal do Brasil todos os dias***.

Por favor, ***leia O Jornal do Brasil todos os dias***!

1. Ele prefere peixe a frango.

   Eu _____.

   Nós _____.

2. Ele ouve a fita depois de fazer os exercícios.

   Por favor, _____!

   Eu _____.

3. A Júlia e o André, às vezes, fazem um lanche no McDonald's.

   Eu _____.

   Você _____.

4. Eu dou uma caixa de bombons para a minha esposa.

   Nós _____.

   Eles _____.

5. O André sempre vai dormir às dez horas.

   A gente _____.

   Eu _____.

6. O Sr. Monteiro sempre se barbeia de manhã.

   Eu _____.

   Nós _____.

MAIS COMIDA!

Eu sou Giovanna Bianchini. Moro num grande apartamento na Via Castelli. Trabalho num banco brasileiro em Roma, mas hoje é sábado e eu não estou trabalhando. Estou sentada num restaurante na Via Pierogini, uma rua muito bonita daqui de Roma.

O garçom está me mostrando o cardápio e me oferecendo um peixe.

Agora eu estou comendo o meu peixe predileto e tomando um suco de laranja.

O garçom está voltando. Ele está me trazendo comida ... mais comida!

Exercício 57

1. Quem sou eu?

2. Onde eu trabalho?

3. Eu estou trabalhando agora?

4. Onde estou e o que estou fazendo?

5. O garçom está trazendo a conta ou mais comida?

QUAL É O OPOSTO?

Exercício 58

Exemplo: Eu **aprendo** português na Berlitz, mas você ***ensina*** português.

1. Durante a aula você _____ e eu **respondo**.

2. Você **dá** aulas para mim, mas eu também _____ aulas com outros professores.

3. Nossas aulas _____ às nove horas e **terminam** às dez e meia.

4. Quando vou ao escritório, costumo chegar **adiantado**. Quase nunca chego _____.

5. Eu geralmente almoço **sozinho**, mas janto _____ com a minha família.

6. O Sr. Monteiro sempre **entra** no escritório às nove, mas não tem horário para _____.

7. O Sr. Monteiro geralmente **se levanta** antes das oito da manhã, mas nunca _____ antes da meia-noite.

8. Eu sempre **tiro** minha carteira da pasta para ir almoçar, mas às vezes não a _____ na pasta de novo.

O GERÚNDIO

*"Agora eu **estou comendo** peixe."*

tomar	tom**ando**
comer	com**endo**
sair	sa**indo**
pôr	p**ondo**

Todos os dias ...	**Agora ...**
Ela **toma** o café da manhã.	Ela **está tomando** o café da manhã.
Ela **come** uma fruta.	Ela **está comendo** uma fruta.
Ela **sai** de casa às 8h05min.	Ela **está saindo** de casa.
Ela **vai** para o trabalho de táxi.	Ela **está indo** para o trabalho.
Ela **põe** a bolsa embaixo da mesa.	Ela **está pondo** a bolsa embaixo da mesa.

Exercício 59

O que o Sr. Monteiro **faz** todos os dias?	O que ele **está fazendo** agora?
1. Às sete e meia o Sr. Monteiro **toma** o café da manhã e **conversa** com a esposa.	1. São sete e meia. O Sr. Monteiro _____ o café da manhã e _____ com a esposa.
2. Às oito ele **sai** de casa. Ele **pega** o metrô.	2. São oito horas agora. Ele _____ de casa. Ele _____ o metrô.
3. No metrô, ele sempre **lê** o jornal, mas não **fuma**.	3. Ele está no metrô agora, ele _____ o jornal, mas não _____.
4. Por volta das dez horas, o Sr. Monteiro **fala** com muitas pessoas ao telefone. A secretária dele geralmente **entra** no seu escritório. Ela lhe **traz** algumas cartas.	4. Agora são mais ou menos dez horas. O Sr. Monteiro _____ ao telefone. A secretária dele _____ no seu escritório. Ela _____ algumas cartas.
5. Às seis o Sr. Monteiro **sai** do escritório. Ele **volta** para casa.	5. São seis horas. O Sr. Monteiro _____ do escritório. Ele _____ para casa.
6. À noite, depois do jantar, ele **assiste** à televisão e **faz** um lanche.	6. O Sr. Monteiro está em casa agora. Ele _____ à televisão e _____ um lanche.

A TARDE DO ANDRÉ E DA JÚLIA

Exercício 60

1. São quase cinco horas agora, e o André ***está fazendo*** *(fazer)* a lição de casa. Ele sempre _____ *(fazer)* a lição antes do jantar.

2. Veja! O André _____ *(estar)* perto da janela. Ele _____ *(ler)* um livro de inglês e _____ *(fazer)* alguns exercícios do livro.

3. O André não _____ *(assistir)* à televisão agora. Ele também não _____ *(escutar)* fitas. Ele geralmente _____ *(escutar)* as fitas depois de _____ *(fazer)* os exercícios.

4. E onde está a Júlia? Lá está ela, sentada. Ela _____ *(assistir)* à televisão e _____ *(comer)* uma maçã. Ela sempre _____ *(fazer)* um lanche à tarde.

CAPÍTULO 8 — RECAPITULAÇÃO

Você tem aulas na Berlitz?
– Eu tenho aulas 2 vezes por semana.

Qual é o horário das suas aulas?
– Elas começam às sete e meia e terminam às nove horas.

Quanto tempo duram as suas aulas?
– Duram uma hora e meia.

O que você faz durante o intervalo?
– Eu tomo um cafezinho.

A que horas você chega à Berlitz?
– Eu chego lá às sete e vinte.

Você chega atrasado?
– Não! Eu sempre chego adiantado.
É importante começar a aula na hora.

E o que você faz na aula?
– Eu escuto o professor.
respondo às perguntas dele
faço perguntas
repito frases

Na Berlitz é importante ...
– não chegar atrasado
– fazer perguntas em português
– fazer a lição de casa
– ouvir as fitas

O que o professor faz durante a aula?
– Ele me mostra figuras.
me faz perguntas
me ensina a falar português

Para quem aquele professor dá aulas?
– Ele dá aulas para mim.

Ele *lhe* faz muitas perguntas?
– Sim, ele *me* faz muitas perguntas.
Ele *lhe* ensina português?
– Sim, ele *me* ensina português.

O que ele está fazendo?
– Ele está fal*ando* português.
com*endo* uma fruta
ouv*indo* música
p*ondo* dinheiro no bolso

Expressões:
Dizem que o Rio é muito bonito.
O que você acha?
(Eu) concordo.
Ouvi dizer que português é fácil.
(Não) é verdade.
Telefone para você!
Já estou indo.
Tenha a bondade de entrar.

Capítulo 9

NA AGÊNCIA DE VIAGENS

Um executivo vai a uma agência de viagens para comprar passagens. Ele pretende viajar para a América do Norte e também para a Europa. Agora ele e uma das funcionárias estão conversando:

– Por favor, eu gostaria de comprar uma passagem para Toronto.

– Pois não. Quando o senhor pretende viajar?

– Daqui a duas semanas. Classe executiva, por favor.

– Tudo bem. Mais alguma coisa?

– Vou ficar em Toronto durante três dias e depois vou para Londres a passeio.

– Uma passagem para Londres ... Classe executiva também?

– Não, não. Só viajo na classe executiva quando vou a negócios e a minha empresa paga a passagem.

Exercício 61

*Escreva **F** (falso) ou **V** (verdadeiro).*

Exemplo: Quando a gente pretende comprar uma passagem de navio, vai ao aeroporto. _*F*_

1. O executivo atende à funcionária da agência de viagens. ___

2. Ele pretende viajar de avião de Toronto a Londres. ___

3. Ele vai viajar a negócios para a América do Norte. ___

4. Ele sempre viaja na classe executiva. ___

5. Quando ele viaja a negócios, a empresa paga uma passagem de classe executiva. ___

6. Ele vai visitar clientes em Londres. ___

7. Quando ele viaja de Toronto a Londres, vai na classe econômica. ___

8. A empresa vai pagar a passagem dele para a Inglaterra. ___

9. Uma passagem de classe executiva custa mais barato que uma de classe econômica. ___

10. Uma viagem de avião geralmente dura mais do que uma viagem de navio. ___

Exercício 62

Exemplo: O Sr. Monteiro assiste ao noticiário.
Ele ***sempre*** assiste ao noticiário à noite.

nunca
raramente
às vezes
freqüentemente
sempre
às
aos
quase
todas

1. A Vera quase nunca manda cartas para os amigos. Ela _____ escreve cartas.

2. Quando eu viajo para Brasília, sempre fico na casa de amigos. _____ fico num hotel.

3. O chefe do Sérgio almoça naquele restaurante quase todos os dias. Ele almoça naquele restaurante _____.

4. A Iara costuma ir para o trabalho de ônibus, mas, _____, pega um táxi para chegar mais cedo.

5. Eu não trabalho nos fins de semana. _____ sábados e domingos, fico em casa, descansando.

6. Eles jantam fora _____ todos os sábados.

7. O Sr. Antonioni tem aulas de português duas vezes por semana. Ele vai à escola _____ terças e quintas.

8. _____ as manhãs D. Cláudia leva os filhos à escola.

Exercício 63

Exemplo: Eu não tenho aulas hoje.
Mas, na segunda-feira, ***eu vou ter aulas*** .

1. O André não está fazendo os exercícios agora.
   Mas, daqui a dez minutos, _____.

2. D. Cláudia janta às oito horas. Agora são sete e meia.
   Daqui a meia hora, _____.

3. As secretárias não estão datilografando muitas cartas hoje.
   Mas amanhã, _____.

4. Você costuma atender o Sr. Vieira depois das dez.
   Mas hoje, _____ às nove e meia.

5. Os meninos sempre assistem à televisão depois do jantar.
   Hoje, depois do jantar, _____.

6. Nós estamos usando terno hoje.
   Mas, neste fim de semana, _____.

7. Hoje é domingo e eu não estou assistindo a uma reunião.
   Mas, amanhã, _____.

8. Agora, de manhã, os executivos da Fermont estão livres.
   Mas, à tarde, _____.

9. A Vera pretende ler o jornal depois do almoço.
   Daqui a pouco, _____.

10. Hoje é dia 23 e a minha viagem para Recife é no dia 24.
    Amanhã _____.

Exercício 64

O Sr. Monteiro é um _____ importante da Fermont e é um homem

muito ocupado. Ele trabalha em São Paulo e

freqüentemente faz _____ de negócios a outras

cidades do país. Ele sempre tem muitos _____

e os escreve na _____.

Amanhã ele vai _____ para Campinas para

assistir a uma _____ com executivos da

Brasfrutas. Depois da reunião, ele vai _____

lá para o almoço e _____ voltar para São Paulo

antes das duas.

cliente
viajar
agenda
livre
compromissos
viagens
reunião
ficar
marcando
hora
funcionário
executivo
daqui a
pretende

Agora ele está falando ao telefone, _____ uma hora com o Sr.

Fagundes. O Sr. Fagundes não é um _____ da Fermont; é um

_____ muito importante da empresa. Nesta semana, o Sr. Fagundes

está ocupado, mas _____ cinco dias ele vai estar _____. É

difícil marcar uma _____ com ele!

VOCÊ ME CONHECE, NÃO É?

Oi! Eu sou a Iara. Você me conhece, não é? Eu trabalho na empresa Fermont e o Sr. Paulo Monteiro é o meu chefe — eu sou a secretária dele. Também trabalho com o Sr. Ferraz (o outro diretor da Fermont), a Márcia, o Jurandir e muitas outras pessoas.

Eu tenho uma sala, mas ela não é muito grande. Fica na frente da sala do Sr. Monteiro. Na minha sala, há um computador, um fax e uma copiadora. Eu também tenho uma máquina de escrever, mas costumo usar o meu computador para digitar cartas e memorandos para o meu chefe.

Eu tenho muitas funções aqui na Fermont. Agora eu estou datilografando um relatório; depois vou mandar um fax a um cliente nosso. E eu também sempre atendo ao telefone.

Todos os dias eu saio de casa cedo e começo a trabalhar às nove horas. Eu termino de trabalhar às seis horas da tarde. E que horas são agora? Puxa, é tarde: seis e quinze! Agora eu vou embora. Até logo!

Exercício 65

1. Qual é o nome da secretária do Sr. Monteiro?

2. Onde ela trabalha?

3. O chefe dela é o Sr. Monteiro ou o Sr. Ferraz?

4. Onde fica a sala dela?

5. O que há na sala da Iara?

6. Agora ela está datilografando ou digitando um relatório?

7. O que ela costuma usar para digitar cartas?

8. Quais são as funções dela?

9. Para quem ela vai mandar um fax?

10. A que horas ela começa a trabalhar?

11. A que horas ela sai do trabalho?

12. O que ela vai fazer agora?

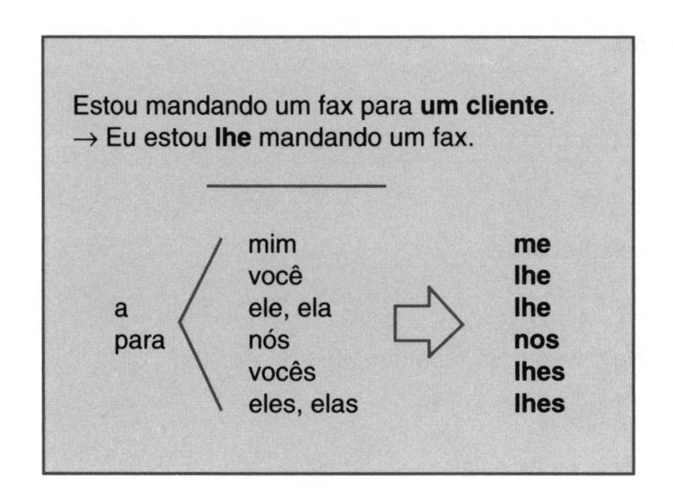

Exercício 66

Exemplo: Aquela senhora pergunta alguma coisa ao menino.
Ela ***lhe*** pergunta as horas.

1. A minha secretária sempre deixa recados para mim.
   Ela costuma _____ deixar recados em cima da mesa.

2. O professor ensina palavras a mim e a você.
   Ele _____ ensina muitas palavras em português.

3. Amanhã eu vou assistir à sua reunião.
   Eu vou _____ fazer algumas perguntas.

4. O garçom vê as duas senhoras sentadas à mesa.
   Ele _____ dá o cardápio.

5. O Sr. e a Sra. Monteiro sempre compram alguma coisa para os filhos quando viajam. Quando vão a Gramado, sempre _____ trazem chocolate.

6. A secretária está vindo à nossa sala para _____ mostrar os relatórios.

CUIDADO COM OS IMPERATIVOS!

Dê-me ...! Diga-lhe ...! Traga-nos ...!	*mas*	**Não me dê ...!** **Não lhe diga ...!** **Não nos traga ...!**

Exercício 67

Exemplo: Traga-me um cafezinho, por favor.
Não ***me traga*** o cafezinho com açúcar!

1. Ligue-me amanhã à tarde, por favor.
   Mas não _____ antes das duas horas!

2. Diga-lhe onde fica a agência de viagens, por favor.
   Mas não _____ agora!

3. Dê-nos uma agenda, por favor.
   Não _____ uma agenda de 1985.

4. Mande-me um fax com os nomes de todos os clientes.
   Não _____ os endereços deles!

5. Deixe-lhes um recado depois da reunião.
   Não _____ o recado depois das cinco.

6. Mostre-nos a sua sala.
   Não _____ as outras salas.

7. Pague-me amanhã.
   Não _____ em dólares, por favor.

8. Escreva-nos lá de Coimbra.
   Não _____ depois de muito tempo!

Exercício 68

Exemplo: A minha secretária _b_ o relatório no computador.

a) datilografa **b) digita** c) manda

1. Eu _____ os clientes importantes no meu escritório.

   a) recebo b) ligo c) mando

2. Mandamos _____ para o nosso escritório em Caracas todos os dias.

   a) uma copiadora b) um computador c) um fax

3. A minha secretária prefere _____ os relatórios naquela máquina de escrever.

   a) digitar b) datilografar c) escrever

4. Datilografar é uma _____ da secretária.

   a) função b) profissão c) ligação

5. A Iara é secretária e o Sr. Monteiro é o _____ dela.

   a) executivo b) homem de negócios c) chefe

6. Todos os dias a Iara _____ muitas ligações.

   a) assiste b) faz c) manda

7. O Sr. Monteiro é engenheiro. É essa a _____ dele.

   a) profissão b) função c) trabalho

8. Muitos clientes falam com a Iara ao telefone e deixam _____ para o Sr. Monteiro.

   a) recados b) ligações c) fax

CAPÍTULO 9 — RECAPITULAÇÃO

É fácil marcar uma hora com o Sr. Monteiro?
– Não. Ele é um executivo muito ocupado.

Ele tem muitos compromissos?
– Tem. E ele os anota na agenda.

Qual é a profissão dele?
– Ele é (um) engenheiro.
advogado
médico
dentista

O que há no escritório?
– Há um computador.
uma máquina de escrever

O que a secretária faz?
– Ela datilografa memorandos.
digita relatórios
faz / recebe ligações
atende os clientes
liga para os clientes
– Ela fica lá das oito às seis.

O que você mandou para o Sr. Silva?
– Eu *lhe* mandei um fax.
E para os outros clientes?
– Eu *lhes* mandei uma carta.
Os clientes *nos* enviaram outra carta.

Quem digitou a carta?
– Eu mesmo a digitei.
Ela mesma a digitou.
Nós mesmos a digitamos.
Eles mesmos a digitaram.

O que ele vai fazer na sexta-feira?
– Ele vai viajar a negócios.

Daqui a quanto tempo ele vai comprar a passagem?
– Ele vai comprar a passagem amanhã.
Para onde ele vai?
– Ele vai para Brasília.

O que você vai fazer amanhã?
– Eu vou trabalhar.
Você / Ele > vai viajar.
Nós vamos estudar.
Vocês / Eles > vão ao teatro.

Eu não sei usar o computador.
– Ela digita as cartas para mim.
para você

Expressões:
Boa viagem!
Um abraço para o seu irmão!
Até segunda!
Alô! ... falando.
De onde falam?
Quem deseja falar?
Eu gostaria de falar com o Sr. Monteiro.
De onde?
Que pena!

Capítulo 10

QUE TAL UM GUARANÁ[1]?

Marcelo está no parque Ibirapuera e vê uma menina muito bonita na frente da lanchonete. Ele começa a conversar com ela.

– Oi, tudo bem? Eu sou o Marcelo. E você?

– Marta.

– Que tal uma cerveja aqui na lanchonete, Marta?

– Não, obrigada. Não posso tomar bebidas alcoólicas.

– Então, você não quer tomar uma coca-cola?

– Obrigada. Eu só gosto de guaraná.

– Ótimo! Que tal um guaraná e um sanduíche? O misto-quente[2] deles é delicioso!

– Desculpe, mas não como carne.

– Puxa, mas você não está com fome, nem com sede?!

– Não.

– Então ... o que você está fazendo aqui na lanchonete?

– Esperando o Jorge.

– Ah ... e quem é o Jorge?

– É o meu marido.

– Ah ... bom, acho que eu tenho que ir embora ...

---

1 *guaraná: refrigerante brasileiro*

2 *misto-quente: sanduíche quente, com presunto e queijo*

Exercício 69

*Complete com uma das frases do quadro usando **tem que**.*

Exemplo: O meu vizinho quer ver o Cristo Redentor.
Então, ele ***tem que viajar para o Rio***.

1. Ana quer tirar um visto.
   Então, ela _____.
2. Nós queremos entrar no cinema.
   Então, vocês _____.
3. Eu quero comer um cachorro-quente.
   Então, você _____.
4. Eles precisam comprar pão.
   Então, eles _____.
5. O João vai pegar o avião para Frankfurt.
   Então, ele _____.
6. Nós queremos trabalhar em Tóquio.
   Então, vocês _____.
7. Eu quero digitar um relatório.
   Então, você _____.
8. A Vera quer ir ao dentista.
   Então, ela _____.
9. Os meus pais querem viajar para outro país.
   Então, eles _____.
10. Eu gostaria de fazer um sanduíche.
    Então, você _____.

marcar uma hora com ele
ter um passaporte
viajar para o Rio
levar o passaporte ao consulado
ir a uma lanchonete
comprar pão
ir a uma padaria
usar o computador
ir ao aeroporto
comprar as entradas
aprender japonês

Exercício 70

Exemplo: *(pode / tem que)*
O Sr. Pereira **pode** entrar nos Estados Unidos. Ele tem um visto de três meses.

1. *(não pode / quer)*
Marina está com sede. Ela _____ beber uma cerveja.

2. *(tenho que / pode)*
Eu gostaria de conhecer o Louvre. A que cidade eu _____ ir?

3. *(podemos / não queremos)*
Nós _____ mandar este fax daqui ou do nosso escritório.

4. *(tem que / quer)*
O Sr. Martins não está. A senhora não _____ deixar um recado?

5. *(não tenho que / posso)*
Eu _____ ter um passaporte para viajar para a Argentina porque sou brasileiro.

6. *(gostamos de / podemos)*
Estamos muito ocupados. Nós não _____ atender ao telefone agora.

7. *(Gosto de / Tenho que)*
Eu quero fazer um misto-quente. _____ comprar queijo e presunto.

8. *(pode / tem que)*
Com licença, eu não sou do Rio. Você _____ me dizer que ônibus vai para Copacabana?

9. *(tenho que / quero)*
Aonde eu _____ ir para comprar uma copiadora?

10. *(posso / tenho que)*
São seis e meia e eu estou datilografando este relatório porque _____ terminar o meu trabalho hoje.

Exercício 71

Exemplo: Aqui os bancos **abrem** às dez e meia. Agora são dez horas e o Banco União não está ***aberto***.

1. A Bom Tom **vende** roupas muito bonitas. É uma loja grande, com muitos funcionários: tem mais de trinta _____.

2. Eu **ligo** para os meus clientes todos os dias. Faço as _____ do meu escritório.

3. O Sr. Monteiro vai **viajar** para Belo Horizonte daqui a três dias. Ele vai fazer uma _____ de negócios.

4. Datilografar memorandos é uma das **funções** da Iara. Ela é uma _____ da empresa Fermont.

5. Ele nunca **come** naquele restaurante porque lá a _____ é muito cara.

6. Durante a semana eu costumo **almoçar** ao meio-dia e meia e o meu _____ dura uma hora.

7. Eu e a Andréia **jantamos** juntos todos os sábados. Durante o _____, nós conversamos muito.

8. Eu sempre **respondo** em português, mas, às vezes, tenho que repetir as minhas _____.

QUEM DIZ ...?

Exercício 72

Exemplo: "Posso ver a sua passagem, por favor?" _e_

1. "Gostaria de ver mais alguma coisa?" ___
2. "Aceita um cafezinho?" ___
3. "Eu gostaria de comprar uma passagem." ___
4. "A conta, por favor." ___
5. "Diga a frase de novo, por favor." ___
6. "Primeira classe ou classe executiva?" ___
7. "Você tem ternos cinza?" ___
8. "O professor está esperando o senhor na sala 8." ___
9. "As suas entradas, por favor." ___
10. "Fermont, bom dia. Carla falando." ___
11. "Sinto muito. O Dr. Vidal está ocupado esta tarde." ___
12. "Podemos marcar uma reunião para amanhã?" ___

a) professor na aula
b) vendedor na loja
c) secretária ao telefone
d) cliente na loja
e) **funcionário do aeroporto**
f) cliente no restaurante
g) funcionário da agência de viagens
h) secretária do médico
i) executivo ao telefone
j) cliente na agência de viagens
l) secretária na escola
m) funcionário do teatro
n) garçom

JURANDIR VAI AO BANCO!

O Jurandir trabalha na Fermont. Algumas das funções dele são: ir ao banco para os diretores, fazer depósitos, sacar dinheiro, etc.

– Iara, o Jurandir pode vir aqui?

– Pois não, Sr. Ferraz.

* * *

– Jurandir, você pode ir ao banco para mim?

– Claro, Sr. Ferraz. O que eu tenho que fazer?

– Aqui está o meu cartão magnético para você verificar o saldo da minha conta corrente. Ah! E o da minha poupança também.

– Tudo bem.

– Eu também estou sem talão de cheques. Por favor, pegue dois para mim.

– Pois não ...

– Preencha este papel e faça este depósito na conta da minha esposa.

– O.K. ...

– Ah, leve a sua carteira de identidade, porque você vai descontar este cheque do Monteiro. A sua assinatura tem que ser igual à da sua carteira.

– Então ... eu vou ao banco para tirar dinheiro da poupança da sua esposa, verificar o saldo do Sr. Monteiro e mostrar a minha carteira de identidade para pegar os seus talões de cheques, não é?

– Não, não ... acho que ... tudo bem, Jurandir! Eu mesmo vou ao banco ...

Exercício 73

*Escreva **(F)** falso ou **(V)** verdadeiro.*

1. As pessoas precisam da carteira de identidade para sacar dinheiro no caixa automático. ___

2. Eu tenho que falar com o gerente do banco quando quero depositar um cheque. ___

3. Quando vão a outro país a passeio, as pessoas levam cheques de viagem. ___

4. Quando desconto um cheque em meu nome, tenho que mostrar a minha carteira de motorista. ___

5. Todos têm que assinar os cheques quando os preenchem. ___

6. Você precisa do seu cartão magnético para usar o caixa automático. ___

7. No Brasil, uma pessoa pode ter dinheiro de outro país na conta corrente. ___

8. Eu posso tirar dinheiro da minha conta corrente com um cheque de outro banco. ___

9. Você pode trocar dinheiro de outro país por cruzeiros em muitos hotéis brasileiros. ___

10. As carteiras de identidade trazem o número da conta da pessoa. ___

Exercício 74

Complete as frases.

Exemplo: Eu __digo__ "bom dia" aos meus funcionários. *(dizer)*

1. Por favor, _____ o seu livro amanhã! *(trazer)*

2. Os meninos sempre _____ ao cinema nos fins de semana e geralmente _____ muitos amigos lá. *(ir / ver)*

3. Por favor, onde eu _____ descontar este cheque? *(poder)*

4. Você sempre _____ a este restaurante? *(vir)*

5. O rádio está muito longe; eu não _____ nada! *(ouvir)*

6. Depois de usar o caixa automático, a Iara _____ o dinheiro no bolso. *(pôr)*

7. Eu _____ "por favor" quando _____ a conta. *(dizer / pedir)*

8. Quando recebemos um cheque, _____ ao banco e _____ um depósito. *(ir / fazer)*

9. Eu _____ viajar de avião porque é muito mais rápido. *(preferir)*

10. Os meus amigos sempre me _____ um cafezinho quando eu _____ à casa deles. *(dar / ir)*

11. Você _____ "hello" quando liga para Nova Iorque? *(dizer)*

12. Depois de terminar um capítulo, eu _____ os exercícios e _____ as respostas na última página do livro. *(fazer / ver)*

QUAL É A PERGUNTA?

Exercício 75

Exemplo: Não fumam no metrô **porque é proibido.**
Por que as pessoas não fumam no metrô?

para que
em quanto tempo
quais
por que
o que
quanto tempo
a que horas
de que tipo
daqui a quanto tempo

1. Eles não vão àquela loja **para comprar um paletó**.

2. Eu não gosto **deste tipo de comida**.

3. A minha secretária não digita um relatório **em dez minutos**.

4. O filme não dura **só uma hora**.

5. O avião não vai chegar **daqui a meia hora**.

6. Eu não digo "**bom dia**" quando vou embora.

7. **Estes** não são os documentos que eu tenho que levar ao banco.

8. Eu vou almoçar **ao meio-dia**.

Exercício 76

Escreva o oposto.

Exemplo: O Sr. Farias trabalha com livros. Ele os **compra** e depois os ***vende*** a outras pessoas.

1. Eu preciso ir ao banco para **depositar** alguns cheques e _____ dinheiro.

2. A Vera nunca **sai do** trabalho antes das seis. Ela sempre _____ escritório até as sete da noite.

3. O Sr. Monteiro raramente **faz ligações para** a Inglaterra. Ele geralmente _____ lá.

4. É **proibido** levar frutas para os Estados Unidos, mas é _____ entrar no país com livros.

5. O André **sai de** casa de manhã e _____ casa por volta do meio-dia.

6. Agora são seis e meia e nós não estamos **entrando no** escritório: estamos _____.

7. Todos os dias eu **mando** memorandos a outros funcionários e também _____ alguns.

8. Por que você sempre **traz** o jornal para cá e nunca o _____ para casa?

CAPÍTULO 10 — RECAPITULAÇÃO

Eu estou com fome.
– Você não quer ir a uma lanchonete (para) comer ...
  um sanduíche de queijo
  um cachorro quente
  um hambúrguer

Eu estou com sede.
– Vamos tomar um refrigerante?

Nós compramos ...
  pão numa padaria
  livros numa livraria
  canetas numa papelaria

Por que você não vai para outro país?
– *Porque* não tenho um passaporte.

Eu *preciso de* um passaporte para viajar.
Eu *preciso* ter um passaporte para viajar.

Não é permitido fumar aqui.
É proibido fumar aqui.

O que eu preciso fazer para abrir uma conta corrente?
– Você *tem que ...*
  falar com o gerente
  mostrar um documento
  preencher uma ficha
  fazer um depósito

Por que você vai ao banco?
Porque eu quero ...
  verificar o meu saldo
  pegar o meu cartão magnético
  abrir uma poupança
  sacar dinheiro
  trocar cheques de viagem
  descontar um cheque

"Posso usar o seu cartão?"
– Ele está (me) pedindo para usar o meu cartão.

"Onde fica a sala do gerente?"
– Ela está me perguntando onde fica a sala do gerente.

"A sala dele fica lá atrás."
– Ela está dizendo que a sala dele fica lá atrás.

Expressões:
  Então, ...
  Você não quer tomar um refrigerante?
  Você pode me dizer onde fica o Banco União?
  Posso entrar?

Capítulo 11

O SR. MONTEIRO FOI À LIVRARIA

O Sr. Paulo Monteiro foi a uma livraria na semana passada para comprar um livro para a esposa. Ele entrou na livraria e falou com a vendedora.

– Eu gostaria de ver alguns livros sobre o Japão.

– Pois não. Eu tenho muitos livros sobre o Japão. O que o senhor prefere: arte, cultura, história ...?

– Cultura, por favor.

– Pois não, falou a vendedora. Temos alguns livros muito interessantes sobre cultura japonesa que a livraria recebeu na semana passada. Por aqui, por favor.

Ela lhe mostrou vários livros. Ele gostou muito de um deles, com figuras muito bonitas de Kyoto.

– Vou levar este, falou.

Foi até o caixa e lá preencheu um cheque. Pouco depois, pegou o pacote e foi para casa.

ONTEM E HOJE

A secretária **fala**.

A secretária **falou**.

		Geralmente ... *Todos os dias ...*	*Ontem ...* *Na semana passada ...*
falar	*eu*	falo	fal***ei***
	você	fala	fal***ou***
	ele / ela	fala	fal***ou***
	nós	falamos	fal***amos***
	vocês	falam	fal***aram***
	eles / elas	falam	fal***aram***

escrever	*eu*	escrevo	escrev***i***
	você	escreve	escrev***eu***
	ele / ela	escreve	escrev***eu***
	nós	escrevemos	escrev***emos***
	vocês	escrevem	escrev***eram***
	eles / elas	escrevem	escrev***eram***

abrir	*eu*	abro	abr***i***
	você	abre	abr***iu***
	ele / ela	abre	abr***iu***
	nós	abrimos	abr***imos***
	vocês	abrem	abr***iram***
	eles / elas	abrem	abr***iram***

Exercício 77

Exemplo: Eu sempre **chego** à escola às sete horas.

Na semana passada ***eu cheguei às sete horas*** .

Ontem você ***chegou às sete horas*** .

Eu ***cheguei às sete horas*** .

1. Geralmente nós **falamos** português.

   Ontem você _____.

   Na semana passada eu _____.

   Ontem de manhã ela _____.

2. Eu **trabalho** durante a noite.

   Antes de ontem eu _____.

   Ontem você _____.

   No domingo, o Sr. Vidal não _____.

3. Hoje você **escreve** endereços na sua agenda.

   Ontem o Sérgio _____.

   Antes de ontem eu _____.

   Na semana passada ele não _____.

4. Às vezes, ela **lê** o jornal durante o café da manhã.

   No domingo passado eu _____.

   Ontem você _____.

   Na quinta-feira passada nós _____.

5. Todas as semanas a secretária me **dá** os relatórios.

   Ontem ela me _____.

   Quando você chegou, você me _____.

   Na segunda-feira passada eu lhe _____.

Exercício 78

Para ...	*eu*	*você*	*ele / ela*
falar	***falei***	______	______
______	comprei	______	______
______	______	perguntou	______
______	______	______	pagou
voltar	______	______	______
______	terminei	______	______
______	______	ligou	______
______	______	______	usou
chegar	______	______	______
______	trabalhei	______	______
______	______	respondeu	______
______	______	______	leu
escrever	______	______	______
______	atendi	______	______
______	______	comeu	______
______	______	______	bebeu

Cuidado!

	ir	*dar*
eu	***fui***	***dei***
você	***foi***	***deu***
ele / ela	***foi***	***deu***
nós	***fomos***	***demos***
vocês	***foram***	***deram***
eles / elas	***foram***	***deram***

Exercício 79

Exemplo: Na segunda-feira passada eu _b_ em casa antes das 6.

a) chego **b) cheguei** c) estou chegando

1. Para quem você _____ ontem à noite?

   a) liga b) ligue c) ligou

2. Eu nunca _____ um lápis para preencher um cheque.

   a) uso b) estou usando c) use

3. O Sr. Rocha não pode atender ao telefone. Ele está _____ a uma reunião.

   a) assiste b) assista c) assistindo

4. Quando o cliente _____ ao caixa, ele lhe mostrou a carteira de identidade.

   a) vai b) fui c) foi

5. A secretária chegou mais cedo para _____ um fax a Brasília.

   a) mandou b) manda c) mandar

6. O mês passado _____ março.

   a) foi b) vai c) é

7. Você _____ para a França? É proibido _____ no país sem um visto.

   a) foi / entrou b) está indo / para entrar c) vai / entrar

8. Ninguém precisa _____ depois do almoço: eu terminei todo o trabalho de manhã.

   a) voltar b) volta c) não voltar

VAI OU *NÃO VAI*?

Iara: Alô!

Márcia: Iara, é a Márcia. Tudo bem?

Iara: Tudo bem. E você?

Márcia: Tudo bem. O que você vai fazer esta noite?

Iara: Não sei. Por quê?

Márcia: Então, vamos sair?

Iara: Só nós duas?

Márcia: Não. O Carlos também vai com um conhecido dele.

Iara: Você sabe quem é?

Márcia: É um holandês que está no Brasil a negócios. O Carlos vai nos apresentar a ele.

Iara: Você sabe aonde vamos?

Márcia: Vamos a um restaurante vietnamita. Acho que você vai gostar de conhecer um restaurante diferente.

Iara: Um restaurante vietnamita?! Você sabe onde fica? É longe?

Márcia: Não. Fica perto do prédio da Rhodia.

Iara: Você sabe como ir lá?

Márcia: Eu não, mas o Carlos sabe.

Iara: Você sabe a que horas vamos voltar de lá?

Márcia: Puxa, Iara! Você vai ou não vai?

Iara: Hummm ... Vou, sim.

Márcia: Então, às nove horas a gente vai à sua casa.

Exercício 80

1. Você sabe com quem a Iara está conversando?
2. Você sabe aonde elas vão esta noite?
3. Você sabe o nome do restaurante?
4. A Iara sabe onde fica o restaurante?
5. Elas conhecem o amigo do Carlos?

VOCÊ SABE ...?

Exercício 81

A. *Exemplo:* Eu escrevo em português.
Você sabe escrever em português?

A Maria escreve em chinês.
Ela sabe escrever em chinês?

1. Eu preencho cheques em inglês.

2. Os diretores desta empresa lêem jornais alemães.

3. O André e a Júlia fazem exercícios de inglês.

4. Alberto faz uma boa caipirinha.

5. Iara datilografa cartas.

B. *Exemplo:* Eu moro **em Brasília.**
Você sabe onde eu moro?

com quem
por que
a que horas
quanto custa
quem
onde

1. Nós vamos sair **às oito e meia**.
Você sabe ...

2. Este par de sapatos custa **R$ 90,00**.

3. A Márcia está conversando **com o André**.

4. **A Sra. Ferraz** sempre compra roupas nesta loja.

5. Ele não fala japonês **porque é muito difícil.**

A AGENDA DA CRISTINA

JUNHO

1 sábado festa do Júlio - depois das 9
2 domingo
3 segunda dentista às 15h
4 terça
5 quarta
6 quinta
7 sexta
8 sábado
9 domingo
10 segunda Amilton vem de Curitiba
11 terça
12 quarta Depósito na poupança
13 quinta
14 sexta
15 sábado
16 domingo

JUNHO

17 segunda
18 terça ligar: André ← HOJE
19 quarta primeira aula de música
20 quinta
21 sexta
22 sábado
23 domingo
24 segunda convidar amigos para reunião em casa no dia 29
25 terça
26 quarta
27 quinta datilografar carta para o diretor da escola.
28 sexta
29 sábado
30 domingo

12 de Junho
Dia dos Namorados

CRISTINA
VOCÊ AINDA ESTÁ COM O ANDRÉ?
TE AMO, AMILTON

Exercício 82

1. O que a Cristina vai fazer hoje?
2. Há quanto tempo ela foi à festa do Júlio?
3. Quando ela vai dar uma reunião em casa?
4. Ela foi ao banco em junho? Em que data ela foi ao banco?
5. Há quantas semanas o Amilton veio de Curitiba?
6. Em que data a Cristina viu o dentista?
7. O que ela fez antes de ir ao dentista?
8. O que ela vai fazer daqui a uma semana e dois dias?

UM DIA DE TRABALHO

Exercício 83

abrir	datilografar	tirar	**chegar**	ir	falar	ligar

Exemplo: O Sr. Monteiro ***chegou*** cedo ao escritório ontem.

1. Ele _____ a agenda da pasta.
2. _____ a agenda e _____ com a Iara.
3. A Iara _____ para três clientes.
4. Depois, a Iara foi para a mesa dela e _____ duas cartas e um memorando.
5. O Sr. Monteiro _____ a uma reunião com um cliente na Av. Paulista.

terminar	sacar	começar	ir	depositar	pegar

6. A reunião _____ por volta da uma e meia.
7. A reunião _____ antes das três.
8. Depois, o Sr. Monteiro _____ ao banco no prédio ao lado da Fermont.
9. Ele _____ um cheque e _____ o outro.
10. Ele também _____ dois talões de cheques.

voltar	almoçar	levar	chegar	visitar	ir	mostrar

11. Ele _____ o dinheiro do banco para o escritório.

12. Ao meio-dia, a Sra. Monteiro _____ ao escritório e _____ com o marido.

13. Ela lhe _____ a bolsa que comprou.

14. O Sr. Monteiro _____ para o escritório a pé; a esposa dele _____ embora para casa de táxi.

15. Às quatro da tarde, ele _____ um cliente espanhol, o Sr. Perez.

gostar	fazer	conversar	mostrar	apresentar

16. O Sr. Monteiro _____ o Sr. Perez ao Sr. Ferraz.

17. Ele _____ com o cliente até as sete horas.

18. O Sr. Perez _____ muitas perguntas.

19. O Sr. Ferraz lhe _____ um relatório do trabalho da Fermont deste ano.

20. O cliente _____ muito da reunião.

CAPÍTULO 11 — RECAPITULAÇÃO

Em que mês nós estamos?
– Nós estamos em ...

janeiro	julho
fevereiro	agosto
março	setembro
abril	outubro
maio	novembro
junho	dezembro

Qual é a data de hoje?
– Hoje é dia 15 de abril.
Ontem foi 14 de abril.

Em que data você chegou?
– Eu cheguei há uma semana.
Estou aqui há uma semana.

Eu sempre falo com o gerente.
Ontem eu fal*ei* com o gerente.
você / ele > fal*ou*

Eu sempre como frutas.
Ontem eu *comi* uma fruta.
você / ele > com*eu*

Eu sempre assisto a reuniões.
Ontem eu *assisti* a uma reunião.
você / ele > assist*iu*

Irregulares:
dar: eu dei, você / ele deu
ir: eu fui; você / ele foi

Ontem eu fui à casa de ...
um amigo meu
uma conhecida sua
um vizinho nosso

Como você se chama?
– Eu me chamo Luís.

Eu gostaria de apresentar-lhe o meu irmão.
Ele se chama João Carlos.

O Luís me convidou para uma festa.
Quando vai ser a festa?
– No sábado que vem.
próximo sábado

Quando foi a sua festa?
– Foi no domingo passado.
no último domingo

Expressões:
Eu gostaria de lhe apresentar ...
(Muito) Prazer em conhecê-lo.

Capítulo 12

E AGORA, O QUE EU FAÇO?

O Sr. Monteiro está descansando com a família num hotel na praia. O telefone toca.

Sr. Monteiro: Alô!

Ana: Alô! Tudo bem, Sr. Monteiro? Aqui é a Ana.

Sr. Monteiro: Tudo bem, Ana?

Ana: Mais ou menos. A Iara ligou e disse que não vai poder vir hoje. E eu tenho que fazer o trabalho dela!

Sr. Monteiro: Mas você sabe o que fazer, não é?

Ana: Sei. Mas eu tenho que digitar o relatório da sua reunião de ontem ...

Sr. Monteiro: Tudo bem. Pode digitá-lo no computador da Iara.

Ana: Sim, mas eu não sei usar o computador ...

Sr. Monteiro: Então, a Isabel pode digitá-lo.

Ana: E eu também tenho que mandar cópias do relatório da reunião, e não sei usar o fax ...

Sr. Monteiro: O Carvalho pode fazer isso.

Ana: Ah! E o Sr. Stuart vai ligar daqui a meia hora ...

Sr. Monteiro: Ótimo! Diga para ele chegar à reunião do dia doze às nove horas, e não às dez.

Ana: Sinto muito, mas eu não sei falar inglês ...

Sr. Monteiro: Tudo bem, Ana. Você só está na Fermont há dois dias. A outra secretária vai receber a ligação ... Obrigado!

QUAL É A PERGUNTA?

Exercício 84

Exemplo: O Sr. Monteiro está **descansando com a família** numa praia.
O que ele está fazendo numa praia?

1. Ele viaja para a praia **duas** vezes por mês.

2. A Iara levou **um café** para o chefe.

3. O Jurandir vai ao banco **para verificar o saldo do Sr. Monteiro**.

4. Isabel digita um relatório **em vinte minutos**.

5. **D. Cláudia** foi à praia com o Sr. Monteiro.

6. Eles ficaram **num hotel**.

7. Meu irmão me trouxe este vinho branco **do Chile**.

8. O Sr. Paulo vai voltar para casa **com os filhos**.

9. Ana está na Fermont **há dois dias**.

10. Nós vamos começar a reunião **daqui a dez minutos**.

-LO, *-LA*, *-LOS* ou *-LAS*?

A Sra. Monteiro está saindo com o Pedro.
Ela vai levá-**lo** à casa de um amigo.

A Mariana está no cinema.
A Sra. Monteiro vai pegá-**la** às seis.

Depois, a Sra. Monteiro vai levá-**los** a uma lanchonete.

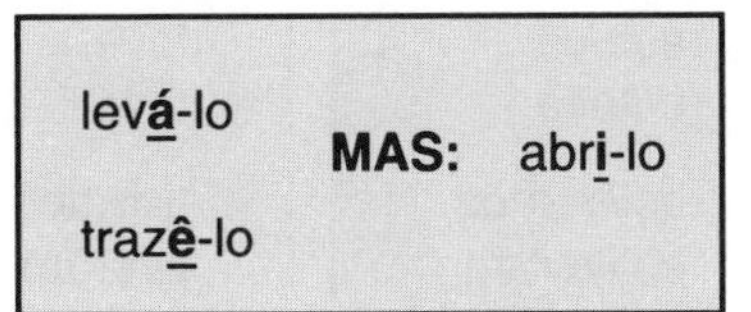

Exercício 85

Exemplo: O Sr. e a Sra. Monteiro vão ver um filme do Spielberg.
Eles vão ***vê-lo*** depois do jantar.

1. A Márcia vai trazer a carta para mim.
   Ela vai _____ de Santos.

2. Eu vou comprar dois pares de sapatos.
   Vou _____ neste fim de semana.

3. A Ana e a Márcia vão fechar o escritório às sete horas hoje.
   Elas vão _____ antes de ir para casa.

4. O Sr. Ferraz quer ver o Sr. e a Sra. Perez.
   Ele quer _____ hoje à noite.

5. Você vai trocar os seus dólares?
   Você tem que _____ por cruzeiros.

6. Você poderia digitar estas cartas?
   Use o meu computador para _____.

7. Eu gostaria de apresentar a Sandra ao Jorge.
   Eu vou _____ ao Jorge esta noite.

8. Não comemos nossa feijoada.
   Vamos _____ hoje à tarde.

	estar	*ter*	*ser*
eu	estive	tive	fui
você	esteve	teve	foi
ele / ela / a gente	esteve	teve	foi
nós	estivemos	tivemos	fomos
vocês	estiveram	tiveram	foram
eles / elas	estiveram	tiveram	foram

	pôr	*trazer*	*fazer*
eu	pus	trouxe	fiz
você	pôs	trouxe	fez
ele / ela / a gente	pôs	trouxe	fez
nós	pusemos	trouxemos	fizemos
vocês	puseram	trouxeram	fizeram
eles / elas	puseram	trouxeram	fizeram

	ver	*vir*	*dizer*
eu	vi	vim	disse
você	viu	veio	disse
ele / ela / a gente	viu	veio	disse
nós	vimos	viemos	dissemos
vocês	viram	vieram	disseram
eles / elas	viram	vieram	disseram

Exercício 86

Complete as frases.

1. Eu costumo **pôr** as minhas coisas dentro da gaveta.
   Eu sempre _____ a minha calculadora na gaveta.
   Ontem você _____ a sua dentro da gaveta também.
   Por que o Mauro nunca _____ as coisas dele na gaveta?

2. Onde você **está** às duas da tarde?
   Eu normalmente _____ no trabalho das nove às seis da tarde.
   Amanhã, eu _____ lá só de manhã.
   Na semana passada, eu _____ no nosso escritório no Rio.

3. Você poderia me **trazer** o fax que chegou de Paris?
   _____-me aquele fax, por favor!
   Na semana passada, a Iara me _____ todos os fax do mês.
   Às vezes, outros funcionários me _____ os fax.

4. O Sr. Monteiro **vê** os clientes a cada duas semanas.
   Nós geralmente _____ os nossos clientes às quartas-feiras.
   Na quarta-feira passada, eu não _____ nenhum cliente.
   Amanhã de manhã, eu _____ todos na reunião.

5. O Sr. Rossi **tem** aulas de português todas as semanas.
   Amanhã, o Sr. Rossi _____ aulas aqui.
   Agora eu _____ uma aula.
   Ontem eu _____ uma aula com o Prof. Maurício.

6. Nós sempre **dizemos** "bom dia" quando chegamos.
   Ontem nós _____ "tchau" quando saímos.
   A secretária nos _____ "até logo" antes de ir embora.
   Desculpe, não escutei o que você _____.

OS DIAS LIVRES DO SR. VIANA

O Sr. Viana foi a Porto Alegre a negócios. Agora ele está na recepção do hotel, conversando com o Sr. Cintra, gerente do hotel, que mora na cidade há mais de trinta anos.

- Hoje acabei as minhas reuniões com os clientes aqui em Porto Alegre e tenho dois dias livres antes de voltar para Brasília.
- Então, o senhor vai ficar aqui mais alguns dias ... Que bom!
- O que eu posso fazer nestes dois dias?
- Bem ... O senhor pode fazer uma pequena viagem até o campo. Perto daqui há duas cidades muito interessantes: Gramado e Canela. Elas ficam a mais ou menos cento e vinte quilômetros daqui.
- Humm ... não sei ... aonde mais eu poderia ir?
- O senhor gostaria de ir à praia?
- As praias daqui são bonitas?
- Tramandaí é uma praia muito bonita, a uma hora de Porto Alegre. Todas as pessoas que foram lá gostaram muito.
- É ... eu quero descansar um pouco. Há muito tempo que não faço isso!
- O senhor pode fazer compras também. Há alguns meses abriram várias lojas lá.
- Ótimo ... você conhece algum hotel lá?
- Há um hotel muito bom, o Belvedere. O senhor vai viajar com mais alguém?
- Não. Minha esposa trabalha e não vai poder vir para cá.
- Que pena! Boa viagem!
- Muito obrigado!

Exercício 87

1. Com quem o Sr. Viana está conversando?
2. Qual dos dois conhece Porto Alegre e outras cidades?
3. O Sr. Viana foi para Porto Alegre a negócios ou a passeio?
4. Quantos dias livres ele tem agora?
5. Para que cidade ele precisa voltar depois?
6. Sobre que cidades o gerente do hotel conversou com o Sr. Viana?
7. Há praias em Gramado?
8. O que é Tramandaí?
9. O que ele pode fazer em Tramandaí?
10. O que aconteceu lá há alguns meses?
11. Ele vai viajar à praia sozinho?
12. Por quê?

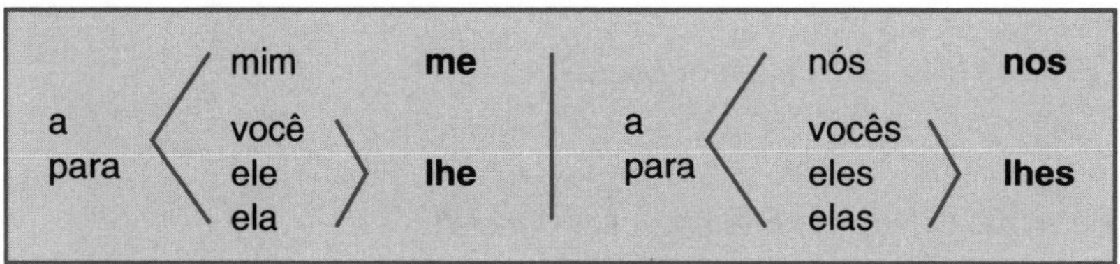

a / para	mim	**me**
a / para	você, ele, ela	**lhe**
a / para	nós	**nos**
a / para	vocês, eles, elas	**lhes**

Exercício 88

*Escreva **me, lhe, nos** ou **lhes**.*

1. O Sr. Lira diz "como vai?" para a secretária?
   Sim, ele _____ diz isso quando chega ao escritório.

2. E ela responde?
   Sim, ela _____ diz "tudo bem" quando o vê.

3. O que o caixa do banco deu a você?
   Ele _____ deu uma ficha de depósito.

4. O que você perguntou para aqueles senhores?
   Eu não _____ perguntei nada.

5. Vocês sabem alguma coisa sobre a Lígia?
   Ela está bem. Ela _____ mandou um postal de Fortaleza.

6. Você passou no meu escritório ontem?
   Passei e _____ deixei um recado na sua mesa.

eu	***me***	*nós*	***nos***
você	***o / a***	*vocês*	***os / as***
ele	***o***	*eles*	***os***
ela	***a***	*elas*	***as***

Exercício 89

*Complete as frases com **me**, **o**, **a**, **nos**, **os** ou **as**.*

1. Onde você comprou estes livros?
   Eu _____ comprei numa livraria de São Paulo.

2. A Vera anotou o seu endereço na agenda dela?
   Não, ela não _____ anotou.

3. Para quem elas trouxeram esta caixa de bombons?
   Elas _____ trouxeram para o professor.

4. Você vai embora com a sua esposa?
   Vou. Ela está _____ esperando.

5. A Ana viu vocês hoje?
   Ela _____ viu quando saiu de casa.

6. O que o senhor faz antes de mandar as suas cartas?
   Eu _____ leio todas.

O QUE VOCÊ FAZ QUANDO ...?

Exercício 90

Exemplo: ... quando quer viajar? __c__

1. ... quando não tem dinheiro no bolso? ___

2. ... quando tem que tirar um visto? ___

3. ... quando lhe perguntam como você se chama? ___

4. ... quando precisa fazer uma ligação? ___

a) Vou ao consulado.

b) Eu aceito.

c) Compro uma passagem.

d) Peço para usar o telefone.

e) Saco dinheiro no caixa automático.

f) Digo o meu nome.

g) Peço o cardápio.

h) Respondo “não vai dar”.

i) Dou o meu endereço.

5. ... quando alguém quer saber onde você mora? ___

6. ... quando lhe dizem “está servido”? ___

7. ... quando o convidam para uma festa e você não pode ir? ___

8. ... quando não sabe o que quer comer? ___

CAPÍTULO 12 — RECAPITULAÇÃO

O que você faz durante a semana?
- Eu tenho aulas na Berlitz a cada três dias.
- Eu normalmente vou ao cinema aos domingos.
- De vez em quando vou à casa de amigos meus.

Ontem eu *vi* um amigo meu.
- você viu / ele viu
- nós vimos / eles viram

Ontem eu *fiz* uma ligação.
- você fez / ele fez
- nós fizemos / eles fizeram

Ontem eu *tive* aulas.
- você teve / ele teve
- nós tivemos / eles tiveram

Ontem eu *trouxe* o meu filho para cá.
- você trouxe / ele trouxe
- nós trouxemos / eles trouxeram

Ontem eu *pus* açúcar no café.
- você pôs / ele pôs
- nós pusemos / eles puseram

Eu *estive* aqui ontem.
- você esteve / ele esteve
- nós estivemos / eles estiveram

O que aconteceu na empresa ontem?
- Nós discutimos negócios.
  Ele anotou os nossos compromissos.
  Eles compraram outra copiadora.
  Eu tirei cópias dos relatórios.

O que você vai fazer no próximo feriado?
- Acho que vou à praia.
  ao campo

O que mais você vai fazer?
- Vou fazer compras também.

Quem mais vai viajar?
Onde mais nós podemos fazer compras?
Aonde mais eles podem ir?

Você me viu quando chegou?
- Sim. Eu *o* vi.
  Eu *a* vi.

Ele os / as recebeu em casa ontem?
- Sim. Ele *nos* recebeu.

Quando ele vai trazer os livros?
- Ele vai trazê-*los* amanhã.

Onde ele vai comprar as revistas?
- Ele vai comprá-*las* numa banca.

Quem vai levar a Sra. Pereira para casa?
- Eu vou levá-*la*.

Para quem você vai mostrar o seu apartamento?
- Eu não vou mostrá-*lo* a ninguém.

Expressões:
Você poderia me trazer um café, por favor?
Está servido?
(Eu) aceito.

Capítulo 13

O JURANDIR TEM MUITO TRABALHO!

Você já conhece o Jurandir. Ele trabalha na Fermont há quase um ano e meio e tem dezessete anos. Ele tem várias funções na empresa: ir ao banco para os diretores, entregar memorandos, tirar cópias, etc. Agora ele e a secretária do Sr. Paulo, Iara, estão conversando sobre o trabalho do Jurandir desta manhã.

Iara: Jurandir, você precisa ir ao correio para o Sr. Paulo antes do almoço.

Jurandir: Já estou indo, Iara. Mas, antes disso, eu tenho que pôr estes selos nestas cartas e nestes cartões.

Iara: Tudo bem. Aqui estão as cartas para você pôr no correio.

Jurandir: Ôpa! Esta carta nunca vai chegar! Ninguém escreveu o CEP ...

Iara: É verdade! Você sabe qual é o CEP de Vila Olinda?

Jurandir: Sei. É 30.000. Iara ... quem é o remetente desta outra carta?

Iara: Ah, é o Sr. Fernando Duarte. Você poderia escrever no envelope, por favor?

Jurandir: Claro!

Iara: Também tem um telegrama para a mãe do Sr. Ferraz, em Recife. Você tem que levá-lo.

Jurandir: Tudo bem. Tchau!

Iara: Depois você volta aqui para pegar mais cartas que o Sr. Paulo ainda não assinou.

Jurandir: De novo?! Puxa, eu já fui ao correio três vezes hoje! Estou trabalhando mais do que os carteiros!

Exercício 91

1. Aonde o Jurandir precisa ir?

2. Ele já pôs os selos nas cartas e nos cartões?

3. Por que o Jurandir acha que a carta para Belo Horizonte não vai chegar?

4. Quem não sabe qual é o CEP de Belo Horizonte, a Iara ou o Jurandir?

5. O que o Sr. Fernando não escreveu no envelope?

6. O Jurandir também vai enviar um telegrama ou um pacote?

7. Para onde ele vai enviá-lo?

8. Há cartas que o Sr. Paulo ainda não assinou?

9. Quantas vezes o Jurandir já foi ao correio hoje?

10. Por que ele acha que está trabalhando mais do que os carteiro

JÁ OU *AINDA NÃO*?

A Selma, irmã da Iara, mora em Campinas, uma cidade que fica a quase 100km de São Paulo. Antes de ontem, a Iara comprou-lhe um livro e foi ao correio para enviar-lhe o presente, porque ela faz aniversário na primeira semana de outubro. O pacote chegou hoje à tarde e o carteiro o deixou na porta da casa da Selma, porque ela ainda está no trabalho.

Hoje é dia 30 de setembro.

São três horas da tarde.
O carteiro **já** entregou o pacote.
Mas a Selma **ainda não** o viu.

Exercício 92

1. A Selma já fez aniversário?

2. A Iara já lhe enviou o livro?

3. O pacote já chegou a Campinas?

4. O carteiro já o entregou na casa da Selma?

5. A Selma já voltou do trabalho?

6. Ela já viu o presente?

Exercício 93

Exemplo: A Júlia tem sete **anos**. O ***aniversário*** dela é daqui a poucos dias.

1. O funcionário do correio já **pesou** o nosso pacote. Não vai ser barato enviá-lo porque ele é um pouco _____.

2. As **cartas** da Alemanha ainda não chegaram. Hoje o _____ só nos entregou um postal e uma carta de São Paulo.

3. Os meus pais se **casaram** há 25 anos. Amanhã eles vão dar uma grande festa de aniversário de _____.

4. Não posso tirar as **cópias** que você me pediu. A secretária está usando a _____ agora.

5. Quando você vai assistir a uma ópera e **entra** no teatro, tem que entregar a _____ a um dos funcionários.

6. A Iara sempre carrega um **pente** na bolsa para poder se _____ durante o dia.

7. D. Cláudia comprou um **vestido** muito bonito na loja Bom Tom. Ela gosta de se _____ bem.

8. Vocês não querem **beber** alguma coisa? Há vários tipos de _____ naquela sala: vinho, champanhe, refrigerantes, etc.

9. Estou com fome e gostaria de comer um **lanche**. Você sabe onde há uma _____?

10. A minha esposa precisa **comprar** várias coisas. Amanhã vou fazer _____ com ela.

11. Quando fui para o Rio **conheci** muitas pessoas. Agora tenho vários _____ lá.

12. Vamos a uma **festa** no sábado? Um amigo meu vai _____ o aniversário dele.

QUINZE ANOS DE CASAMENTO!

Ontem foi dia 21 de janeiro. Esta é a data do aniversário de casamento do Sr. Paulo e de D. Cláudia. Eles se casaram há quinze anos e festejaram a data com uma grande festa.

Os pais de D. Cláudia moram numa casa muito grande perto de São Paulo e ofereceram-lhe a casa para a festa.

D. Cláudia e D. Letícia, uma amiga, demoraram três dias para fazer a comida para a festa. E o Sr. Ferraz foi com o Sr. Paulo a uma loja de bebidas. Lá compraram muitas caixas de vinho e champanhe e as levaram para a casa dos pais de D. Cláudia um dia antes da festa.

A festa foi ótima! Quase todos os amigos deles foram. As pessoas que não foram enviaram-lhes telegramas.

O Sr. Paulo e D. Cláudia ganharam muitos presentes. Juntos, os irmãos de D. Cláudia deram-lhe duas passagens de navio para Buenos Aires. Mas do que D. Cláudia mais gostou foi um relógio muito bonito de 1920, que ela ganhou do marido.

À meia-noite o Sr. Ferraz fez um brinde para o Sr. e a Sra. Monteiro: "Parabéns, amigos! Feliz aniversário de casamento!"

Exercício 94

*Escreva **F** (falso) ou **V** (verdadeiro).*

1. O Sr. Paulo e D. Cláudia casaram-se no dia 21 de janeiro. ___
2. Eles se casaram há mais de 15 anos. ___
3. Ontem eles festejaram o aniversário de D. Cláudia. ___
4. Eles deram um jantar para poucos amigos. ___
5. A festa foi na casa dos pais de D. Cláudia. ___
6. O Sr. Paulo e o Sr. Ferraz compraram as bebidas juntos. ___
7. Eles também fizeram a comida para a festa. ___
8. Na festa havia muita cerveja. ___
9. D. Letícia é a mãe de D. Claúdia. ___
10. D. Cláudia e D. Letícia não fizeram a comida na casa dos pais de D. Cláudia. ___
11. Os amigos que não foram à festa enviaram-lhes telegramas. ___
12. O Sr. Paulo deu um relógio à esposa. ___
13. O relógio é de 1902. ___
14. Ela gostou mais da viagem de navio a Buenos Aires, que os irmãos lhe deram. ___
15. O Sr. Ferraz fez um brinde aos amigos à meia-noite. ___

COMO SÃO ESTAS PESSOAS?

Exercício 95

Felipe

Ele se chama Felipe Campanati.

O cabelo dele é _____ e não

é nem muito _____, nem

muito comprido. Ele tem

_____ azuis e é um pouco

mais _____ que a Ana. Ele

_____ 78 quilos e _____

26 anos.

Ana

Ela _____ Ana Maria

Borges e não tem o

_____ curto. Os olhos

dela são _____. Ela

_____ menos de 60

quilos e é alta. Tem 26

_____, também.

Carolina

Chama-se Carolina Lagoa e tem o

cabelo _____. O cabelo dela não

é loiro; é _____. Não é mais

_____ do que a Ana; é mais baixa.

É mais jovem que Ana e Felipe: tem

24 _____.

PALAVRAS CRUZADAS

Exercício 96

→ **HORIZONTAIS** →

1. Você já ___ vestiu? Não quero chegar atrasado para o casamento!
3. É muito importante escrever o ___ da cidade no envelope.
6. Ontem eu ___ no jornal muitas coisas sobre o seu país.
7. Eu vou festejar o meu aniversário ___ sábado que vem.
8. Com licença! Você poderia ___ dizer onde fica o correio?
9. O pai ___ Júlia é o Sr. Monteiro.
11. Eu não entreguei o seu recado à Lúcia porque não a ___ ontem.
13. A minha irmã tem quase dois metros de altura. É uma mulher muito ___.

14. É difícil ___ o seu cabelo! Ele é muito comprido!
17. A cor do cabelo do meu pai é cinza. Ele tem cabelo ___.
19. Ontem eu vi uma camisa muito bonita naquela loja e vou comprá-___ hoje à tarde.
20. O que você ___ no domingo passado?
21. Eu não vou comprar este livro porque é muito velho. Prefiro este, que é mais ___.
22. Paulo, você quer ir àquele restaurante de novo?! Mas eu ___ levei lá ontem!
25. Até agora a minha secretária não trabalhou muito: datilografou ___ duas cartas.
26. Vocês levam o recado de D. Sílvia? Ela ___ deixou aqui, em cima da mesa.

↓ VERTICAIS ↓

2. Vocês receberam os postais que eu ___ de Madri?
4. ___ que andar o elevador parou?
5. É caro enviar um pacote ___ pelo correio?
6. Por favor, ___ as mãos antes de almoçar!
10. O seu ônibus demora muito ___ chegar?
12. Um homem que nasce na Inglaterra é ___.
14. Eu já ___ todas as cartas no correio.
15. O que a sua esposa ___ para você quando volta de viagem?
16. D. Estela leva as filhas à escola de manhã e ___ pega ao meio-dia.
18. Este dicionário não é ___. Pesa 6 quilos!
22. Todos ___ dias eu vou até o ponto de ônibus conversando com a minha vizinha.
23. ___ que você disse? Eu não entendi!
24. ___ quanto tempo vocês estão me esperando?

IARA PEGOU O ELEVADOR

Exercício 97

Complete as frases com uma das palavras abaixo.

desceu	parou	ficou	chamou	entrou	subiu

1. A Iara _____ o elevador para descer, mas o Jurandir preferiu descer pelas escadas.

2. O elevador _____ do segundo andar até o quinto. Quando o elevador _____ e a porta abriu, ela _____.

3. O elevador _____ até o térreo, mas a Iara não saiu.

4. Ela _____ no elevador e desceu até a garagem para pegar o carro.

CAPÍTULO 13 — RECAPITULAÇÃO

O que nós escrevemos num envelope?
– o endereço
o CEP
o remetente

O que você faz no correio?
– Eu compro selos.
peso a carta
envio pacotes
mando telegramas

Você já pôs as cartas no correio?
– Ainda não.

Vocês já receberam os pacotes pelo correio?
– Já.

Quanto tempo uma carta demora para chegar?
– Demora dois dias.
Quando a carta é urgente, o correio a entrega em um dia.

Por que você enviou um telegrama para o João Carlos?
– Porque hoje é aniversário dele.

E ele vai festejar?
– Vai. Ele vai dar uma festa.
Eu vou dar-lhe um presente.

Como é o João Carlos?
– Ele é moreno.
alto
jovem
Ele tem cabelo castanho.
olhos castanhos
Ele pesa 80 quilos.

Quantos anos você tem?
– Eu tenho 22 anos.
Fiz aniversário ontem.

Você mora num prédio?
– Eu moro num prédio de 15 andares.

Você pega o elevador para chegar ao seu apartamento?
– Normalmente eu pego o elevador.
Às vezes eu subo as escadas, porque moro no 1.º andar.

Quem foi Oswaldo Cruz?
– Foi um grande médico brasileiro.
Ele nasceu em 1872 e morreu em 1917.

Expressões:
Parabéns!

Capítulo 14

FRIO E CALOR NO FIM DE SEMANA

São seis horas da tarde e os funcionários da Fermont já estão indo embora. Alice, a secretária do Sr. Ferraz, vai falar com Iara.

Alice: Você não vai sair agora, Iara?

Iara: Não posso. Preciso terminar de digitar este relatório. Acho que vou sair por volta das sete hoje ...

Alice: Eu já estou saindo ...

Iara: Até amanhã, Alice.

Alice: Até segunda-feira!

Iara: Segunda-feira?! Mas hoje é quinta! Você não vem amanhã?

Alice: Não. Pedi um dia livre para visitar os meus pais no Rio e viajo hoje à noite.

Iara: Que bom! Mas eu ouvi dizer que o tempo no Rio está péssimo!

Alice: Não é verdade. Ontem eu telefonei para a minha mãe e perguntei sobre o tempo. O tempo está um pouco nublado, mas fez dezoito graus ontem e não chove há algumas semanas.

Iara: E você vai ficar lá até domingo?

Alice: No domingo pretendo vir para São Paulo e passar em Campos do Jordão. Você conhece?

Iara: Conheço. É uma cidade muito bonita, mas faz frio lá!

Alice: Tudo bem! Eu também gosto de frio ... por pouco tempo!

AS TEMPERATURAS NO MUNDO

Exercício 98

Amsterdã	nublado	4°C	**Madri**	nublado	2°C
Berlim	nublado	5°C	**Manágua**	claro	22°C
Bonn	nublado	6°C	**Moscou**	nevando	0°C
B. Aires	claro	18°C	**Nova Iorque**	nublado	-4°C
Caracas	claro	19°C	**Pequim**	claro	0°C
Frankfurt	chovendo	3°C	**Rio**	claro	23°C
Genebra	claro	4°C	**São Paulo**	nublado	18°C
Havana	claro	20°C	**Sidnei**	claro	20°C
Lisboa	claro	9°C	**Toronto**	nublado	-4°C
Londres	claro	8°C	**Viena**	nublado	5°C

1. O céu está claro em ___.
   a. Nova Iorque b. Pequim

2. Está chovendo e fazendo frio para os alemães de ___.
   a. Frankfurt b. Berlim

3. Não está fazendo sol em ___.
   a. Viena b. Sidnei

4. A temperatura está acima de 20°C na ___.
   a. Nicarágua b. Venezuela

5. Não é inverno em ___.
   a. Havana b. Nova Iorque

6. A temperatura está entre 6 e 10°C na capital ___.
   a. holandesa b. inglesa

7. Quando é verão na Inglaterra, é inverno no ___.
   a. Brasil b. Canadá

8. Está nevando na ___.
   a. Rússia b. Alemanha

Exercício 99

Exemplo: O tempo está **ótimo** no Rio, mas está ***horrível*** em São Paulo.

1. Ontem nevou em Moscou e fez 2 graus **abaixo** de zero. Na Holanda também fez frio: 2 graus _____ de zero, mas não nevou.

2. Em Nova Iorque, no verão, fica **claro** até as oito da noite; mas, no inverno, já está _____ às cinco da tarde.

3. No inverno, usamos _____ e, no verão, **roupas leves**.

4. No _____, os dias ficam mais compridos e, no **inverno**, mais curtos.

5. Eu saí com este suéter e fiquei com **calor**, mas, quando o tirei, fiquei com _____.

6. Na minha cidade o céu geralmente está **limpo**. Mas aqui o céu quase sempre está _____.

7. No verão **passado**, eu fui a Maceió. Mas, no _____ verão, acho que irei a Salvador.

8. Ontem **começou** a chover à noite e ainda não _____ de chover até agora.

Exercício 100

Exemplo: Onde estão as minhas luvas? Eu quero colocá-_*b*_ antes de sair.

a. me **b. las** c. as

1. Ainda não parou de chover e eles têm que ir embora. Você poderia ___ dar o seu guarda-chuva?

   a. lhe b. lhes c. los

2. Você pode ___ dizer qual é a temperatura? O termômetro está naquela parede.

   a. o b. me c. mim

3. As irmãs do Rogério vão à praia e ele vai levá-___ ao aeroporto amanhã de manhã.

   a. lhes b. as c. las

4. Gostei da sua capa de chuva. Onde você ___ comprou?

   a. a b. la c. me

5. Onde estão o André e a Júlia? Eu não ___ vi nem ontem, nem hoje.

   a. nos b. lhes c. os

6. Você pode ___ ensinar a usar esta calculadora?

   a. la b. me c. a

7. Vocês gostaram das roupas que eu ___ trouxe de Milão?

   a. os b. as c. lhes

8. Por que você não ___ mostra o casaco que o Armando ___ comprou?

   a. nos / o b. lhe / mim c. nos / lhe

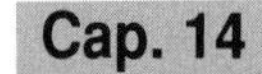

O TEMPO NO BRASIL

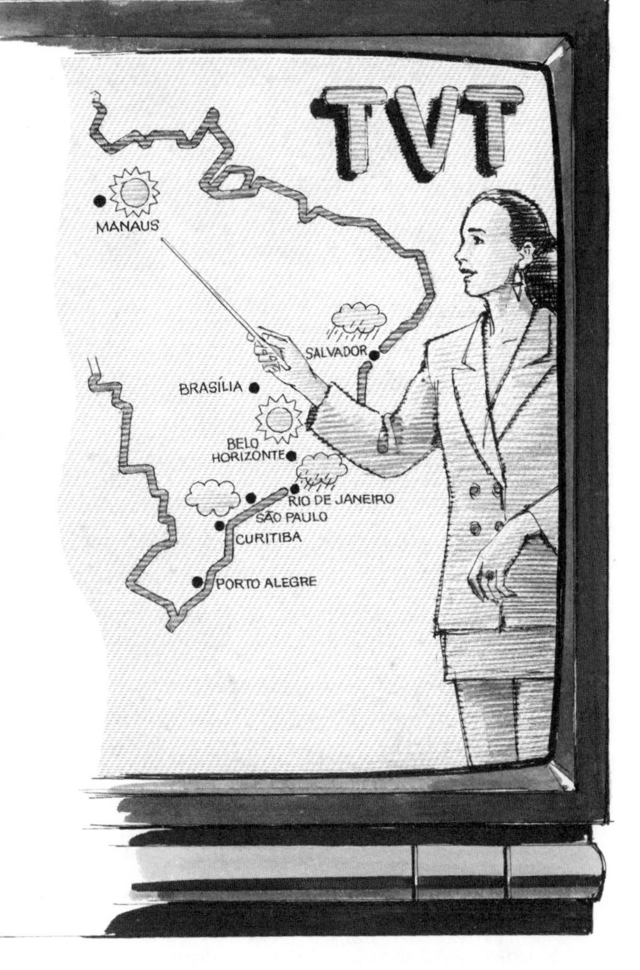

"E agora, o tempo em algumas cidades do Brasil. O inverno já começou no Rio Grande do Sul e em Santa Catarina — os termômetros mostram temperaturas entre 6°C e 10°C em Porto Alegre. E na cidade de Gramado a temperatura chegou abaixo de zero e nevou ontem à noite.

"Em São Paulo e no Paraná, o céu está nublado. A temperatura está entre 9°C e 12°C e está ventando muito — os paulistas já estão usando casacos e luvas. Está nublado e chovendo muito no Rio de Janeiro, mas a temperatura ainda está mais alta do que em São Paulo — entre 15°C e 20°C.

"Você pretende viajar para a Bahia amanhã? Então, leve o seu guarda-chuva, porque o tempo está péssimo! Na capital, Salvador, começou a chover na semana passada e ainda não parou.

"Em Brasília e Belo Horizonte, o tempo está agradável, com temperaturas que vão de 18°C a 27°C.

"No momento, o tempo está ótimo em Manaus. A temperatura é de 28°C e o céu está limpo."

SAÚDE!

Vera: A ... a ... atchim!

Sérgio: Saúde!

Vera: Obrigada. Ai, minha cabeça! ... Estou muito resfriada ... atchim!

Sérgio: Mas você está com febre?

Vera: Estou. Eu tomei a temperatura hoje de manhã — quase 39°C.

Sérgio: Vera, eu acho que você não está resfriada. Você pegou uma gripe! Por que você não vai ao médico?

Vera: Ir ao médico só com uma gripe? Ah, não! Vou à farmácia comprar um remédio e, depois ... atchim! ... ficar de cama ... atchim!

Sérgio: Você? Sair para comprar um remédio? Mas está chovendo! *Eu* vou até lá.

Vera: Por que você não leva o meu guarda-chuva?

Sérgio: Não ... a farmácia é perto daqui.

Vera: Ah, Sérgio, você é ótimo! Muito obrigada ... atchim!

Sérgio: Então, até logo!

(meia hora depois ...)

Sérgio: Aqui está, Vera. Já comprei aspirina para a sua dor de cabeça e este remédio para a gripe, que é ótimo! Amanhã você já vai estar se sentindo melhor ... atchim!

Vera: Por que você comprou duas caixas?

Sérgio: Porque agora ... atchim! ... eu peguei ... atchim! ... peguei um resfriado. Atchim!

Exercício 101

Exemplo: Estou com muita dor de cabeça! _c_

1. Por que o pai da Lúcia está no hospital há mais de uma semana? ___

2. Preciso comprar estes dois remédios. ___

3. Quando o seu vizinho vai sair do hospital? ___

4. Hoje eu comecei a espirrar e estou com tosse. ___

5. Estou me sentindo muito mal. Acho que não venho trabalhar amanhã. ___

a) Há uma farmácia na Rua Borges.

b) Acho que você pegou uma gripe.

c) Tome duas aspirinas.

d) Sim. Ele me receitou este remédio.

e) Pegue o termômetro na gaveta.

f) Ele tem uma doença grave.

g) Tudo bem. Vá para casa e fique de cama.

h) Ele já voltou para casa e está se sentindo melhor.

i) Mas eu acho que ele não está no consultório agora.

6. Vou ligar para o Dr. Rubens e marcar uma consulta. ___

7. Acho que estou com febre. Gostaria de tomar a minha temperatura. ___

8. O seu médico lhe deu algum remédio para as suas dores? ___

Exercício 102

Exemplo: Você ___c___ teve alguma doença grave?

a) só b) ainda **c) já**

1. A Júlia está com febre ___ dois dias.

   a) em b) há c) até

2. Quando alguém espirra, eu digo ___.

   a) "Saúde!" b) "Parabéns!" c) "Puxa!"

3. Tome este remédio. Você vai ___ melhor daqui a pouco.

   a) sentir b) se sentar c) se sentir

4. Quando eu tiro o meu casaco, eu ___.

   a) estou com frio b) fico com frio c) estou frio

5. Este ano o inverno não está muito frio. Hoje a temperatura é de 7 graus ___ de zero.

   a) em cima b) cima c) acima

6. Quantos graus ___ na sua cidade em dezembro?

   a) faz b) fazem c) estão

7. O diretor sentiu-se ___ durante a reunião e eu tive que levá-lo ao hospital.

   a) melhor b) bem c) mal

8. Eu prefiro ficar de cama e descansar ___ tomar muitos remédios quando estou com gripe.

   a) do que b) que c) a

9. Quando eu falo com um amigo que está doente, eu lhe digo ___.

   a) "Melhoras!" b) "Parabéns!" c) "Saúde!"

10. Agora a temperatura é ___ 21°C.

    a) de b) a c) até

Exercício 103

Exemplo: – Você poderia ir à farmácia e comprar um _c_, por favor?

a) aspirina b) consultório **c) remédio**

1. – Remédio ___ quê?

   a) em b) com c) para

2. – Para ___.

   a) gripe b) consulta c) temperatura

3. – É para você? Você na está se sentindo ___?

   a) bem b) boa c) bom

4. – É para mim, sim. Mas não é nada ___.

   a) agradável b) grave c) melhor

5. – O que você está ___?

   a) se sentindo b) sente c) sentindo

6. – ___ de cabeça. E me sinto muito cansado.

   a) Febre b) Dor c) Frio

7. – Já ___ a temperatura?

   a) fez b) ouviu c) tomou

8. – Já: trinta e nove ___.

   a) febre b) graus c) calor

O VERBO *FAZER*

Exercício 104

Exemplo: O Jurandir tem que ir ao banco para ***fazer um depósito***.

1. Eu não posso marcar uma consulta com a minha dentista porque ela _____ a Curitiba e ainda não voltou.

2. Leve seu casaco para Montreal porque ouvi dizer que _____ abaixo de zero lá!

3. Aos sábados, a Sara geralmente liga para o namorado e ambos vão à Rua Augusta para _____.

4. Para que você está levando estes suéteres na sua viagem? Você não vai usá-los em Manaus, porque lá nunca _____.

5. _____ que meu pai me enviou livros de Coimbra, mas eu ainda não os recebi!

6. Ontem, na festa de aniversário do gerente do banco, os caixas _____ e deram-lhe um presente.

7. Depois de terminar um capítulo, os alunos têm que _____ e escutar as fitas em casa.

8. Em janeiro eu tenho que comprar dois presentes, porque o meu pai e um amigo meu _____ no mesmo dia.

CAPÍTULO 14 — RECAPITULAÇÃO

Quais são as estações do ano?

primavera outono
verão inverno

Em que estação faz muito frio?
– Faz muito frio no inverno.

E no verão?
– No verão faz calor, principalmente em janeiro.

Quando é verão no Brasil?
– É verão de dezembro a fevereiro.

E agora, como está o tempo?
– Está horrível!
O céu está nublado.

O que você costuma usar quando chove?
– casaco
– capa de chuva

E no frio?
– roupas quentes
– luvas

Qual é a temperatura no momento?
– É 22 graus (centígrados).

Como é o clima do seu país?
– Faz calor durante quase todos os meses, exceto em junho e julho.

Quantos graus faz no verão?
– Geralmente faz 30 graus no verão.

Você está doente?
– Estou. Peguei uma gripe.

Como você está se sentindo?
– Estou me sentindo mal.
com febre
com dor de ...
espirrando / tossindo

Você já foi ao médico?
– Já.

O que o médico lhe receitou?
– Ele me deu um remédio.

Você precisa descansar!
– Eu sei. Vou tirar um dia de folga amanhã.

Você marcou outra consulta com o médico?
– Não. Ele disse que não é nada grave.

"Eu não costumo tomar remédios."
– Ele me *disse que* não costuma tomar remédios.

Expressões:

Isso mesmo!
(Mande) Lembranças para o João!
Saúde!
Melhoras!

Capítulo 15

A ESCOLA NO BRASIL

No Brasil as crianças geralmente começam o primeiro ano da escola com seis ou sete anos. Os alunos estudam durante oito anos no primeiro grau e depois mais três anos no segundo grau. As crianças podem ir à escola de manhã ou à tarde, e lá ficam de quatro a cinco horas. As aulas começam geralmente em março e quase sempre terminam em dezembro, com um mês de férias em julho (durante o inverno) e outros dois em janeiro e fevereiro. Estudam-se várias matérias: Português, Inglês, Matemática, História, etc.

Quando terminam o segundo grau, com mais ou menos dezessete anos, muitos alunos querem começar um curso na faculdade. Para entrar numa faculdade, os alunos têm que fazer provas de várias matérias, e isso se chama *vestibular*. Não é fácil entrar nas faculdades brasileiras: muitos alunos fazem o vestibular mais de uma vez.

As pessoas que moram muito longe das cidades onde há escolas podem estudar as matérias do primeiro e do segundo grau pela televisão. Quando terminam esses cursos, também é necessário fazer provas, diferentes do vestibular.

Há também cursos de inglês, francês e alemão pela TV, para as pessoas que se interessam por línguas.

PERGUNTAS SOBRE O TEXTO

Exercício 105

1. No Brasil as crianças começam a estudar ...

   a) por volta de seis ou sete anos.
   b) no segundo grau.
   c) pela TV.

2. Faz-se o vestibular para ...

   a) entrar no segundo grau.
   b) entrar na universidade.
   c) estudar línguas.

3. As férias de julho ...

   a) são no verão.
   b) duram um mês.
   c) são mais compridas do que as férias de verão.

4. No Brasil, as aulas começam em ...

   a) dezembro
   b) setembro
   c) março

5. No Brasil, os alunos estudam ... Depois, fazem o vestibular.

   a) oito anos no primeiro grau.
   b) oito anos no segundo grau.
   c) três anos no segundo grau.

6. Uma pessoa que faz o primeiro e o segundo graus pela televisão ...

   a) precisa ir a uma escola em outra cidade
   b) pode fazer o vestibular depois de fazer outras provas
   c) tem que fazer o vestibular

ENTÃO ...

Exercício 106

acho que você não vai passar de ano
pegue a lista telefônica e procure
procure o significado dela no dicionário
procure-o na minha agenda
é claro que ele vai passar de ano
por que você não faz um curso na faculdade
ele explicou tudo de novo

Exemplo: Eu não sei o telefone do Carlos.
Então, ***procure-o na minha agenda***.

1. Eu não sei o que esta palavra quer dizer.
   Então, _____.

2. Eu não tirei notas boas nas últimas provas.
   Então, _____.

3. Ninguém entendeu o que o professor disse.
   Então, _____.

4. Eu me interesso muito por História.
   Então, _____?

5. Eu não acho o número do telefone da agência de viagens.
   Então, _____.

6. O meu filho tirou mais do que 8 em todas as provas.
   Então, _____.

PARA e *POR*

para	O carteiro entregou a carta **para** o menino. Você poderia fazer este depósito **para** mim? Vamos ao teatro **para** assistir a uma ópera. Quando vocês viajam **para** o Brasil?
por	Eu já viajei de trem **por** Portugal. Onde eu posso trocar dólares **por** reais? Já procurei a chave **por** toda a parte!
por + **a** / **o** / **as** / **os**	Siga em frente **pela** Rua da Independência. Você gostaria de viajar de carro **pelo** Brasil? Não gosto de subir **pelas** escadas. As crianças se interessaram **pelos** livros.

Exercício 107

Complete as frases.

Exemplo: Muitas pessoas viajam do Rio _*para*_ São Paulo de avião.

1. Eu prefiro viajar _____ Europa de trem.
2. Este casaco é grande demais. Amanhã vou à loja _____ trocá-lo.
3. Há muitas pessoas no elevador! Vamos subir _____ escadas.
4. Eu não trouxe os meus óculos e não consigo ler. Você poderia ler isto _____ mim?
5. No ano passado, eu viajei _____ Portugal de carro _____ conhecer as praias.
6. _____ que vocês não vieram à festa?
7. Olhe _____ janela e veja como está o tempo, por favor.
8. Eu não sei _____ que se usa isto!

Quantas línguas **se falam** no Canadá?
Falam-se duas línguas no Canadá.
No Brasil **não se falam** duas línguas.
Fala-se uma língua lá?
Sim, **fala-se** só português.
Nesta loja **se fala** português.

Exercício 108

Exemplo: *(tomar)*

No Brasil ***toma-se*** muito café, mas não ***se toma*** muita tequila.

1. *(trocar)*

_____ ienes nos bancos de São Paulo.

Na minha cidade, não _____ dinheiro japonês.

2. *(escrever)*

Você sabe como _____ "Argentina"?

"Argentina" não _____ com "j". _____ com "g".

3. *(usar)*

Que tipo de roupa _____ no inverno?

_____ luvas e casacos nos meses frios.

4. *(vender)*

Você sabe onde _____ vinhos do Porto?

Nesta loja não _____ vinhos portugueses.

COMO EU CHEGO LÁ?

- Com licença?
- Pois não.
- O senhor sabe onde fica a Rua Medeiros?
- Sei, sim.
- Fica muito longe daqui?
- Não, só um pouco. É fácil chegar lá. O senhor pode ir a pé.
- O que eu faço para chegar lá?
- Siga em frente e vire na terceira à direita. A Rua Medeiros é a segunda à esquerda.
- Obrigado.
- Não há de quê.

Alguns minutos depois ...

- Aqui não é a Rua Medeiros?
- Não, senhor.
- Mas ... me deram estas informações ...
- Bom, acho que o senhor não entendeu bem. Mas é fácil ir até a Rua Medeiros: daqui o senhor vira à esquerda e segue em frente até o correio. Lá, o senhor vira à direita e já está na Rua Medeiros.
- Obrigado.
- De nada.

Meia hora depois ...

- Esta é a Rua Medeiros, não é?
- Sinto muito, mas eu não conheço essa rua. O senhor vai até a esquina e fala com o Sr. Joaquim — ele mora na primeira casa à direita. Ele conhece todas as ruas daqui, e só ele pode lhe explicar como chegar lá.
- Puxa! Muito obrigado.
- Não há de quê.

Um pouco depois ...

TUDO OU *TODOS*

No Brasil **todos** usam cruzeiros. Vende-se **tudo** em cruzeiros.

Exercício 109

Exemplo: *__Todos__* compraram *__tudo__* na mesma loja no Paraguai.

1. _____ comeram feijoada e o Marcos pagou _____.

2. Os meus pais venderam _____ e _____ fomos morar num outro país.

3. Não terminamos de fazer _____ antes das seis. Então, _____ teremos que trabalhar no sábado que vem.

4. _____ vieram de carro e trouxeram _____ para a festa.

5. _____ assistimos ao programa da TV italiana, mas só o Felipe entendeu _____.

Exercício 110

Exemplo:
Eu estou na escola. O que eu faço para chegar ao cinema?

Siga em frente pela Rua Sabiá um quarteirão. Vire à direita na Av. Pinheiros e depois vire na primeira à esquerda. O cinema fica naquele quarteirão.

1. Eu estou na faculdade. O que eu faço para chegar à farmácia?

   Depois de sair da faculdade, siga em frente pela ...

2. O Márcio está na esquina da Av. das Palmeiras com a Rua Tucano. Diga-lhe o que fazer para chegar ao correio.

   Depois de sair do hotel ...

3. D. Cristina me pediu uma informação dentro do prédio do correio. Ela quer saber o que tem que fazer para chegar ao hotel. O que eu posso responder?

____

____

____

____

____

4. Saindo do bar, como eu chego ao teatro?

____

____

____

____

____

5. Anita está na Rua Bem-te-vi, perto do bar. Ela precisa ver um amigo que a está esperando em frente à livraria. Como ela chega lá?

____

____

____

____

____

CAPÍTULO 15 — RECAPITULAÇÃO

Que língua se fala no Brasil?
– Fala-se português no Brasil.

Fala-se espanhol no Brasil?
– Não! Não se fala espanhol no Brasil.

Quantas línguas se falam no Canadá?
– Falam-se duas línguas no Canadá.

Para que se usa um dicionário?
– Usa-se um dicionário para entender o significado das palavras.

O que quer dizer "péssimo"?
– "Péssimo" quer dizer "muito ruim".

Você está fazendo algum curso?
– Estou fazendo o curso de português da Berlitz.

Por que assuntos você se interessa?
– Eu me interesso muito por História. Eu sempre fui muito bom nessa matéria na escola.

O que acontece na escola?
– Os professores explicam a matéria.
Os alunos tentam entender tudo.
fazem provas
passam de ano
repetem o ano

Você se esqueceu do meu nome?
– Sim. Não consigo me lembrar do seu nome!

Eu estou perdido.
– Você pode pedir informações a um guarda.

Eu me perdi. Como eu faço para chegar ao prédio da Berlitz?
– Você precisa ...
seguir em frente dois quarteirões
atravessar a rua
virar na primeira à direita
Fica a dois quarteirões daqui.

Expressões:
Boa sorte!
Como eu faço para chegar à Rua 7 de Setembro?

Capítulo 16

EU QUERO DESCANSAR!

Sr. Paulo: Iara, decidi tirar férias. Acho que preciso descansar um pouco.

Iara: Que bom! Quando o senhor sai de férias?

Sr. Paulo: A Cláudia e eu iremos para Salvador na semana que vem.

Iara: Vocês levarão as crianças, também?

Sr. Paulo: Não, não! Nós queremos descansar. Deixaremos o André e a Júlia com os meus pais.

Iara: Vocês ficarão em um hotel?

Sr. Paulo: Ficaremos. No Hotel Miramar.

Iara: Então, farei as reservas agora.

Sr. Paulo: Ficaremos uma semana, do dia doze ao dia dezoito. E, depois, passaremos três dias em Ilhéus.

(quinze minutos depois)

Iara: Já fiz as reservas de avião e dos hotéis, e as confirmarei no dia dez.

Sr. Paulo: Certo! Obrigado, Iara.

Iara: Sr. Paulo ... vocês irão à Ilha de Itaparica? Dizem que é linda!

Sr. Paulo: Não sei ... Não teremos muitos dias e há muitos lugares interessantes em Salvador.

Iara: A irmã do Sr. Ferraz mora em Salvador, não é?

Sr. Paulo: Mora. Jantaremos com ela uma noite.

Iara: O senhor ligará para o nosso advogado, o Dr. Marques, não é mesmo?

Sr. Paulo: O Marques? Não sei ... por que você ...?

Iara: E o Sr. e a Sra. Antunes? Eles gostarão de vê-los!

Sr. Paulo: Mas, Iara ...

Iara: E aquele cliente nosso, o Sr. ...

Sr. Paulo: Iara! Eu já lhe disse que quero *descansar* em Salvador! Você se esqueceu?

O FUTURO

Hoje eu *falo*.
→ Amanhã eu **falarei**.

Verbos regulares:

	*fal**ar***	*com**er***	*assist**ir***
eu	falar***ei***	comer***ei***	assistir***ei***
você	falar***á***	comer***á***	assistir***á***
ele / ela	falar***á***	comer***á***	assistir***á***
nós	falar***emos***	comer***emos***	assistir***emos***
vocês	falar***ão***	comer***ão***	assistir***ão***
eles / elas	falar***ão***	comer***ão***	assistir***ão***

Alguns verbos irregulares:

	*di**zer***	*fa**zer***	*tra**zer***
eu	dir***ei***	far***ei***	trar***ei***
você	dir***á***	far***á***	trar***á***
ele / ela	dir***á***	far***á***	trar***á***
nós	dir***emos***	far***emos***	trar***emos***
vocês	dir***ão***	far***ão***	trar***ão***
eles / elas	dir***ão***	far***ão***	trar***ão***

Exercício 111

Complete as frases.

As últimas férias

O Sr. Paulo **tirou** férias no mês passado. Ele e Dona Cláudia **foram** a Aracaju e **levaram** as crianças.

Eles **pegaram** o avião de manhã e **chegaram** a Aracaju um pouco antes de meio-dia.

Eles **passaram** dois dias lá e, depois, **foram** de carro até Maceió, conhecendo várias praias. Em Maceió, **ficaram** num hotel muito bom e **fizeram** compras quase todos os dias.

Eles **voltaram** para São Paulo de avião.

As próximas férias

O Sr. Paulo ***tirará*** férias no mês que vem. Ele e Dona Cláudia _____ a Salvador, mas não _____ as crianças.

Eles _____ o avião de manhã e _____ a Salvador um pouco antes de meio-dia.

Eles _____ dez dias lá e, depois, _____ de carro até Ilhéus, conhecendo várias praias. Em Salvador, _____ num hotel muito bom e _____ compras quase todos os dias.

Eles _____ para São Paulo de avião.

Exercício 112

Qual é o verbo correto?

Exemplo: É necessário **pesar** a bagagem antes de entrar no avião.

1. Para os brasileiros não é necessário _____ um passaporte para viajar por alguns países da América do Sul.

2. É necessário _____ na recepção do hotel antes de subir ao quarto.

3. Desculpe, senhor, mas não vai _____ possível cancelar as suas reservas.

4. Foi necessário _____ à esquerda e, depois, à direita para chegar aqui.

5. É impossível _____ as malas! Esqueci as chaves no táxi ...

6. É necessário avisar a recepção do hotel antes de descer para _____ a conta.

7. Com essas notas baixas, o seu filho vai _____ o ano!

8. Será possível _____ de férias na primeira semana de março?

9. Vai ser necessário _____ uma semana em São Paulo antes de começar o curso.

10. Decidimos viajar no dia 10, e não no dia 11. Você acha que ainda é possível _____ as reservas no hotel?

registrar-se
pesar
sair
virar
mudar
ter
ser
passar
desfazer
repetir
fechar

Exercício 113

Exemplo: *(sair)*
Amanhã a Vera ***sairá*** de férias.

1. *(pegar / chegar)*
   Ela _____ o avião às nove horas e _____ a Manaus por volta do meio-dia.

2. *(ir / deixar)*
   Depois, ela _____ para o hotel e _____ a bagagem no quarto.

3. *(fazer / conhecer)*
   À tarde, ela _____ compras na cidade e _____ o rio Negro e o rio Amazonas.

4. *(ficar / viajar)*
   A Vera _____ lá durante cinco dias e no domingo _____ para Natal.

5. *(conhecer)*
   Lá, ela _____ várias praias.

6. *(enviar)*
   E também _____ cartões postais aos amigos.

7. *(ir / ouvir)*
   À noite, ela _____ a um dos bares que ficam em frente à praia e _____ muita lambada[1].

8. *(voltar / trazer)*
   Ela _____ depois de cinco dias e _____ um cocar[2] do Amazonas para mim.

---

1 *lambada: tipo de música brasileira*

2 *cocar: alguns índios do Amazonas usam um cocar na cabeça*

FÉRIAS EM SALVADOR

A família Monteiro está passando alguns dias em Salvador, a capital da Bahia, a quase dois mil quilômetros de São Paulo. D. Cláudia escreveu uma carta à amiga Letícia.

Salvador, 20 de fevereiro

Letícia:

Tudo bem? Aqui em Salvador está tudo ótimo! Faz sol todos os dias e, às vezes, a temperatura chega a 35°C! Vamos à praia quase todas as manhãs e já comemos acarajé, vatapá* e um peixe delicioso (não consigo me lembrar do nome...) na praia de Amaralina.

A cidade é linda e muito interessante. Já aprendemos muitas coisas da história do Brasil. O Paulo e eu fizemos um passeio com um guia, que nos levou a vários lugares. O primeiro foi o Elevador Lacerda, que nós usamos para ir da Cidade Baixa à Cidade Alta. Depois, fomos à Igreja do Nosso Senhor do Bonfim (mostro-lhe as fotos em São Paulo) e comprei-lhe uma lembrança daqui. Passamos a tarde no Mercado Modelo com outros turistas.

Ainda não fomos nem ao Parque da Cidade, nem à praia da Barra, mas passaremos mais cinco dias aqui e visitaremos esses lugares.

Quinta-feira pretendemos ir a Ilhéus de carro.

Eu também gostaria de visitar Porto Seguro e ver o rio São Francisco, mas não teremos tempo. Que pena!

Escrevo-lhe de novo lá de Ilhéus.

Um grande abraço,

Cláudia

[1] *acarajé, vatapá: comidas da Bahia*

Exercício 114

Exemplo: A Márcia vai sair __*b*__ férias em julho e pretende ir à Bahia.
a) das **b) de** c) a

1. O Dr. Thiago pode passar um mês no México porque está _____ férias.
   a) em b) nas c) das
2. Você também pode mandar um telegrama _____ telefone.
   a) para b) ao c) pelo
3. Que remédio você costuma tomar quando está com dor _____ cabeça?
   a) da b) de c) à
4. Eu não gosto de ficar _____ cama.
   a) em b) de c) da
5. Eu estou _____ calor. E você?
   a) com b) no c) do
6. Faz uma semana que não pára _____ chover.
   a) por b) a c) de
7. A padaria *A Suíça* fica na esquina da Rua Pinheiros _____ a Rua Girassol.
   a) e b) com c) de
8. D. Cláudia chamou o médico porque Júlia está com mais de 39 graus _____ febre.
   a) da b) de c) do
9. Os escritórios da Fermont ficam _____ frente ao Banco União.
   a) na b) à c) em
10. Eu nunca fui muito bom _____ Matemática.
    a) em b) na c) para
11. Não se esqueça de virar _____ direita na próxima esquina.
    a) na b) à c) a
12. Agora os clientes do Banco União vão receber os talões de cheques _____ correio.
    a) no b) para c) pelo

AS FOTOS DE SALVADOR

Este é o Elevador Lacerda. Ele é um ponto turístico muito importante e um dos mais velhos em Salvador, na Bahia. Pega-se o Elevador na Cidade Alta para ir até a Cidade Baixa. Não é interessante?

Ontem, passamos a tarde na praia de Itapoã. Lá, assistimos a um show de capoeira[1]. Olhe para o homem que está usando uma camiseta. Ele tem um berimbau[2] nas mãos. Usa-se o berimbau para a música da capoeira. A música do berimbau é fascinante.

Depois, o guia nos levou até a Igreja do Nosso Senhor do Bonfim. Lá, tiramos muitas fotos das baianas[3] que vendem lembranças nas escadas da igreja. Todos os anos, há uma festa lá. Nesse dia, elas lavam as escadas. Foi um passeio muito bonito!

Depois, visitamos o Mercado Modelo. Tirei esta foto do Paulo, quando ele comprou uma lembrança para as crianças de uma baiana. Elas usam roupas muito diferentes. Esta cidade é muito bonita e já usamos vários filmes. Você não acha que as fotos ficaram ótimas?

---

1 *capoeira: dança típica da Bahia*

2 *berimbau: instrumento musical da Bahia*

3 *baiana: mulher com roupas típicas da Bahia*

Exercício 115

> Este vinho é **bom**.
> Mas aquele é **melhor** do que este.
>
> ———
>
> Este hotel é **ruim**.
> Mas aquele é **pior** do que este.

*Completar com **bom(ns)**, **ruim(ns)**, **melhor(es)** ou **pior(es)**.*

1. Por que você não usa o meu dicionário? Ele é _____ do que o seu.
2. Estes queijos são horríveis e este é mais barato porque é _____ do que os outros.
3. Amanhã iremos a outro restaurante. A comida daqui é muito _____.

Exercício 116

> O Rio é **grande**.
> Mas São Paulo é **maior** do que o Rio.
>
> ———
>
> A minha cidade é **pequena**.
> Mas a sua é **menor** do que a minha.

*Completar com **grande(s)**, **pequeno(s)**, **maior(es)** ou **menor(es)**.*

1. Eu vou festejar o meu aniversário na casa dos meus pais porque a casa deles é _____ do que a minha.
2. Estas frutas são mais baratas porque são _____ do que aquelas.
3. O Sr. Paulo prefere carros _____ para dar passeios com toda a família.

Exercício 117

caro	o carro **mais** caro **do** mundo
interessante	a cidade **menos** interessante **da** excursão

bom	**o melhor** vinho do mundo / **a melhor** peça do ano
ruim	**o pior** filme do ano / **a pior** casa da rua
grande	**o maior** país da Europa / **a maior** cidade do país
pequeno	**o menor** carro do mundo / **a menor** bicicleta da loja

Complete as frases.

1. A Rússia e a China são os dois _____ países do mundo. *(grande)*
2. O Nilo é o rio _____ _____ do mundo. *(comprido)*
3. Vamos ao *Neko San*: é o _____ restaurante japonês da cidade. *(bom)*
4. O chiuaua é um dos _____ cachorros do mundo. *(pequeno)*
5. Eu saí do cinema antes do filme terminar. Foi _____ _____ filme que eu já vi! *(ruim)*
6. Dizem que Paris é uma das cidades _____ _____ do mundo. *(bonita)*
7. O guia nos disse que o Elevador Lacerda é o _____ _____ da Bahia. *(velho)*
8. O passeio que fizemos a Itaparica foi um dos _____ _____ das nossas férias. *(agradável)*

CAPÍTULO 16 — RECAPITULAÇÃO

O que você faz antes de ir a um hotel?
– Eu faço as reservas.
confirmo as reservas
faço as malas

O que você faz quando chega ao hotel?
– Eu vou até a recepção.
falo com o recepcionista
me registro
preencho uma ficha
peço informações sobre tours
pego a chave do quarto
desfaço as malas no quarto

O que acontece quando você sai do hotel?
– Eu fecho a conta.
pago as diárias
os serviços do hotel
dou gorjeta ao porteiro

O que os turistas costumam fazer?
– Eles tiram fotos dos lugares.
vão a museus
visitam pontos turísticos
dão passeios
fazem um tour pela cidade
enviam postais
pedem informações ao guia

Este hotel é o melhor / pior da cidade.
Esta é a maior / menor cidade do país.
Este hotel é melhor / pior (do) que aquele.

São Paulo é maior (do) que o Rio.
O Rio é menor (do) que São Paulo.

Eu *passarei* as férias em Salvador.
você / ele / ela passará
nós passaremos
vocês / eles passarão

Eu *farei* as reservas com antecedência.
você / ele fará
nós faremos
vocês / eles farão

Eu *trarei* a minha família para cá.
você / ele trará
nós traremos
vocês / eles trarão

Eu *direi* o meu nome no hotel.
você / ele dirá
nós diremos
vocês / eles dirão

É necessário fechar a conta.
É possível fazer as reservas com antecedência.
É impossível cancelá-las no dia.

Expressões:
Certo!
Acho que houve um engano.
Até que horas vocês servem o café da manhã?

Capítulo 17

A NOVA SECRETÁRIA

Carla, a recepcionista da Fermont, recebeu uma promoção e ligou para Iara, a secretária do Sr. Monteiro.

Iara: Alô!

Carla: Alô! A Iara, por favor.

Iara: É ela mesma.

Carla: Oi, Iara! É a Carla. Tudo bem?

Iara: Tudo bem. E você?

Carla: Eu estou ótima! E, em pouco tempo, a Fermont terá uma nova secretária.

Iara: Não entendi ... uma nova secretária? Por que você está me dizendo isso? E por que você está ótima?

Carla: Porque essa secretária é uma pessoa que você já conhece ...

Iara: É? E quem é?

Carla: Eu mesma!

Iara: Puxa, parabéns! Que bom! E quem vai ser o seu chefe?

Carla: O Sr. Ferraz. Dizem que ele é um chefe muito bom.

Iara: Você já fez um curso de secretária, não é?

Carla: Já! Estudei à noite nos últimos dois anos.

Iara: E você já sabe o seu salário?

Carla: Já: recebi um bom aumento ... de 42 por cento! Mas ouvi dizer que, para trabalhar com o Sr. Ferraz, é muito importante ser eficiente. Ele me disse que é necessário que eu sempre chegue pontualmente.

Iara: É verdade. E, às vezes, você terá que fazer horas extras.

Carla: Eu sei. É um cargo de muita responsabilidade.

Iara: E quando você vai começar?

Carla: Vou falar com o Sr. Ferraz e ele me dará alguns dias para estudar as minhas funções. Acho que daqui a alguns dias já estarei trabalhando com ele.

Iara: Então, parabéns de novo! Mas a gente tem que festejar!

Carla: Claro! Esta noite, no Bar Gaivota. Que tal?

Iara: Gostei! Estarei lá por volta das nove.

Carla: Bom, agora tenho que voltar ao trabalho. Até a noite!

Iara: Tchau!

Exercício 118

Complete as frases.

Exemplo: *(organizar)*
Por favor, ***organize*** estes endereços no nosso arquivo de clientes.

1. *(tomar)*
   Um bom executivo precisa saber _____ decisões rápidas.

2. *(arquivar)*
   Eu ainda não _____ as cópias dos memorandos que enviei ontem.

3. *(receber)*
   No próximo mês, todos os funcionários _____ o salário antes do dia cinco.

4. *(fazer)*
   É importante que você diga ao seu chefe quantas horas extras você _____ na semana passada.

5. *(perder)*
   Ainda não entendi porque aquela secretária _____ o emprego depois de um mês!

6. *(dizer)*
   Quem lhe _____ que recebi uma promoção?

7. *(trazer)*
   Você poderia me _____ o fax que chegou de Londres hoje?

8. *(ganhar)*
   É importante que um funcionário _____ bem para que trabalhe bem.

9. *(trazer)*
   O presidente _____ o relatório mensal da empresa na próxima reunião.

10. *(ir)*
    É melhor que você _____ ao banco e fale com o gerente sobre a sua nova conta.

Exercício 119

Complete as frases.

Exemplo: A Iara trabalha **para** a Fermont há mais de um ano.

1. Ela trabalha _____ secretária.
2. A Carla ganhou o cargo _____ secretária do Sr. Ferraz.
3. Ela será responsável _____ organização de vários arquivos.
4. É necessário _____ ela aprenda muitas coisas novas.
5. A empresa vai lhe pagar um salário _____ mês.
6. A maioria _____ funcionários da Fermont recebe um salário mensal.
7. Todos os anos eles recebem aumento _____ salário.
8. Um funcionário da Fermont pode pedir _____ que a empresa lhe pague alguns dias antes.
9. Para isso, é preciso que ele escreva um memorando ao chefe _____ dez dias de antecedência.
10. A Carla trabalhará _____ as seis horas.
11. _____ vezes, ela precisará fazer algumas horas extras.
12. É bom _____ ela anote o número de horas extras que trabalhou.
13. A Carla é uma boa funcionária e sempre se interessou _____ funções de uma secretária.
14. Ela fez um curso à noite _____ dois anos.
15. Ontem ela conversou com a Iara _____ a promoção.

O PRESENTE DO SUBJUNTIVO
(singular)

A Iara sempre *chega* pontualmente.
→ É necessário que ela **chegue** pontualmente.

Verbos irregulares:

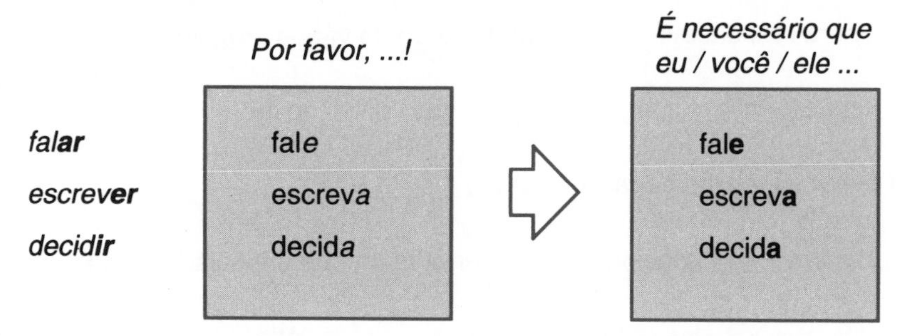

	Por favor, ...!		*É necessário que eu / você / ele ...*
*fal**ar***	fal*e*	⇨	fal**e**
*escrev**er***	escrev*a*		escrev**a**
*decid**ir***	decid*a*		decid**a**

Alguns verbos irregulares:

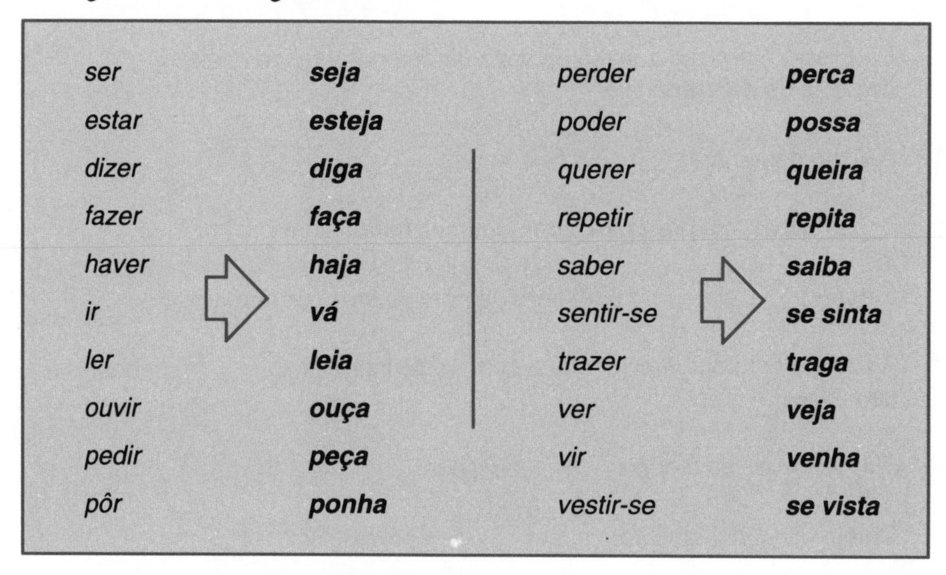

ser		***seja***	*perder*		***perca***
estar		***esteja***	*poder*		***possa***
dizer		***diga***	*querer*		***queira***
fazer		***faça***	*repetir*		***repita***
haver	⇨	***haja***	*saber*	⇨	***saiba***
ir		***vá***	*sentir-se*		***se sinta***
ler		***leia***	*trazer*		***traga***
ouvir		***ouça***	*ver*		***veja***
pedir		***peça***	*vir*		***venha***
pôr		***ponha***	*vestir-se*		***se vista***

Exercício 120

Complete usando o presente do subjuntivo.

Exemplo: A secretária tem que **chegar** cedo.
É necessário que ela ***chegue*** antes das 9 horas.

1. O gerente de um banco tem que **ser** eficiente.
   É necessário que ele também _____ organizado.

2. Eu preciso **anotar** todos os meus compromissos para não esquecê-los.
   É preciso que eu os _____ na minha agenda.

3. Não se esqueça de **trazer** o seu passaporte.
   É importante que você o _____ para pedir o visto.

4. Quantas pessoas **há** no carro?
   É melhor que não _____ mais de cinco pessoas.

5. A secretária tem que **dizer** o nome da empresa quando atende o telefone.
   É preciso que ela também _____ o nome dela.

6. Tente se **lembrar** do endereço deste cliente.
   É importante que você se _____ de enviar-lhe estes papéis no fim do mês.

7. Eu tenho que **fazer** as reservas no hotel.
   É melhor que eu _____ as reservas com uma semana de antecedência.

8. O Jurandir pode **ir** ao banco para mim?
   Eu preciso que ele _____ ao banco antes do meio-dia.

9. Na próxima segunda-feira eu **virei** antes das nove.
   O meu chefe pede para que eu _____ cedo às segundas.

10. Você já **decidiu** quando vai viajar?
    Eu preciso que você _____ a data da sua viagem para fazer a reserva.

USANDO O TELEFONE PÚBLICO

Paul Stevens, um inglês, está tentando usar um telefone público em São Paulo. Depois de algum tempo, ele pede informações a um senhor na rua.

Paul:	Com Licença?
Senhor:	Pois não?
Paul:	Eu estou no Brasil há pouco tempo e não sei usar os telefones públicos daqui. O senhor poderia me dizer que moeda eu tenho que pôr no telefone?
Senhor:	Não, não. No Brasil, usam-se cartões telefônicos.
Paul:	Cartões? Onde eu posso comprá-los?
Senhor:	Um momento, acho que ainda tenho alguns ... Pode usar este.
Paul:	Oh, muito obrigado.
Senhor:	Da nada. Agora o senhor pega o telefone e espera a linha ... Está escuntando?
Paul:	Estou.

Senhor: Agora coloque o cartão e disque o número. Não é uma ligação interurbana, é?

Paul: Não. É uma ligação local.

Senhor: Então o senhor pode falar durante dois minutos com cada unidade do cartão.

Paul: Etendi. Obrigado!

Senhor: Não há de quê! Hummmm ... de onde o senhor é?

Paul: De Londres.

Senhor: Puxa, o seu português é muito bom!

Paul: Obrigado. Eu fiz um curso na Berlitz antes de vir para o Brasil.

Senhor: Certo! Até logo!

Paul: Até logo.

(ele disca)

Telefonista: Alô!

Paul: Alô! É do Citibank?

Telefonista: Não, senhor.

Paul: Desculpe, foi engano.

(disca de novo)

Telefonista: Citibank, bom dia.

Paul: Bom dia. Ramal 220, por favor.

Telefonista: Pois não. Com quem o senhor quer falar?

Paul: Com o Sr. Thompson.

Telefonista: Aguarde na linha, por favor. Vou passar a ligação.

Paul: Obrigado.

Exercício 121

Exemplo: Tenho que ligar para a Suíça, mas não consigo achar o ___*a*___ de lá.

a) código b) DDD c) ramal

1. Tenho que esperar uma _____ antes de fazer uma ligação.

   a) telefonema b) linha c) cartão telefônico

2. Com um _____, uma pessoa pode usar um telefone público e falar dois minutos numa _____.

   a) telefonema/ ligação urgente b) moeda/linha ocupada c) cartão telefônico/ ligação local

3. Num interurbano, é necessário _____ o _____ antes do número do telefone.

   a) discar / DDD b) fazer / ramal c) ligar / código

4. Numa ligação internacional, usamos o _____ e, num interurbano, usamos o _____. Numa ligação local não se usa nenhum código.

   a) DDI / ramal b) DDI / DDD c) DDD / DDI

5. Quando a linha está ocupada, temos que _____ o telefone e tentar _____ de novo depois de algum tempo.

   a) desligar / telefonar b) aguardar / discar c) esperar / telefonar

6. Eu não estou escutando nada. A ligação está _____! Vou _____ e telefonar de novo.

   a) muito ruim / aguardar na linha b) ruim / passar a ligação c) péssima / desligar

O DISCURSO INDIRETO

João: Eu sempre saio de casa aos sábados.
Márcia: Você vai ao cinema?
João: Vou.

O João **diz que** sempre sai de casa aos sábados e a Márcia **lhe pergunta se** ele vai ao cinema. O João **lhe responde que** vai ao cinema, mas não **quer saber se** ela também sai aos sábados.

Exercício 122

Exemplo: "Você sabe o código de São Paulo?"
Ele está ***me perguntando se eu sei o código de São Paulo*** .

1. "Você sabe que horas são?"
   Ele está _____.

2. "A que horas o Geraldo vai chegar?"
   Ela quer saber _____.

3. *Sr. Paulo:* "Você já datilografou meu memorando?"
   Iara: "Já. E também já o enviei para o Sr. Torres."
   Sr. Paulo: "E ele já chegou?"

   O Sr. Paulo está _____ à Iara _____ e ela lhe _____ já. Ele não quer saber _____ o Sr. Torres já o leu, mas lhe _____ ele já chegou.

4. *Pedro:* "É difícil fazer os exercícios do livro?"
   Antônio: "Não. Mas é importante que você estude antes de tentar fazê-los."

   O Pedro pergunta _____. O Antônio lhe _____ não, mas diz _____.

MAIS SUBJUNTIVOS!

Exercício 123

1. No banco, é necessário que você ...

   a. ___**use**___ o seu cartão magnético. *(usar)*

   b. ________ uma ficha de depósito. *(preencher)*

   c. ________ ao caixa. *(ir)*

   d. ________ ao caixa que quer depositar um cheque. *(dizer)*

2. No restaurante, é preciso que eu ...

   a. me _____ à mesa. *(sentar)*

   b. ________ o cardápio. *(pedir)*

   c. ________ o que vou comer. *(decidir)*

   d. ________ a conta depois de comer. *(pagar)*

3. Para viajar, é melhor que o Sr. Paulo ...

   a. ________ a uma agência de viagens. *(ir)*

   b. ________ ao funcionário as datas e horários. *(perguntar)*

   c. ________ reservas no hotel. *(fazer)*

   d. ________ a passagem. *(comprar)*

CAPÍTULO 17 — RECAPITULAÇÃO

Qual é o seu cargo na empresa?
– Eu sou o presidente.
vice-presidente

O que o presidente faz?
– Ele dirige a empresa.
toma as decisões mais importantes
dá aumentos
dá promoções

Qual é o cargo dela?
– Ela tem o cargo de secretária.

Quais são as funções dela?
– Ela é encarregada de
organizar os arquivos,
telefonar para os clientes,
arquivar documentos e
passar as ligações.

Ela é responsável ...
pelos arquivos
pelas ligações

A secretária organizou os arquivos?
– Sim, já estão organizados.

Ela também arquivou as cartas?
– Sim, as cartas estão arquivadas.

Como a empresa lhe paga?
– Ela recebe um salário mensal.
horas extras

Como eu posso fazer um interurbano?
– É necessário que você ...
fale com a telefonista
peça-lhe o DDD
disque o número
aguarde na linha

Como os funcionários recebem o salário?
– A maioria deles recebe salários mensais.
Alguns fazem horas extras e recebem mais.

Eles receberam um aumento?
– A última vez (em) que receberam um aumento foi em julho.
Foi um aumento de 15%.
Alguns funcionários também receberam uma promoção.

É preciso / importante / necessário que ...
eu / você / ele / ela } fale / coma / assista

Irregulares:
– que eu / você / ele / ela ...
diga *(dizer)*
traga *(trazer)*
vá *(ir)*
venha *(vir)*

"Você poderia me dizer o seu nome?"
– Ele está pedindo para que eu lhe diga o meu nome.

"Você sabe qual é o meu cargo?"
– Ele está me perguntando se eu sei qual é o cargo dele.

Expressões:
Desculpe, foi engano!

Capítulo 18

Lisboa, 17 de janeiro

Paulo:

Tudo bem? Sei que há muito tempo não lhe escrevo, mas só agora consegui me sentar para lhe dizer tudo o que fiz aqui em Portugal. Começarei falando sobre a minha família. Foi difícil achar uma escola para as crianças. Você sabe, nós não chegamos aqui quando as aulas começam. As crianças tiveram que esperar vários meses e fazer várias provas antes de entrar na escola. E, como já lhe disse no nosso último telefonema, a nossa terceira filha já nasceu. Chama-se Mariana e tem duas nacionalidades: a brasileira e a portuguesa. O Júnior já está quase um adulto. Está tentando conseguir o passaporte português para poder trabalhar aqui na Europa. E a sua família? Gostaria muito de saber sobre todos eles.

Agora está tudo bem no meu emprego... mas o começo foi bem difícil! Não foi fácil entender o português das pessoas daqui: muitas palavras são diferentes. Também foi necessário fazer um curso de Direito Português, que foi muito interessante.

Já faz quase um ano que estamos aqui: nossas férias estão chegando! Pretendemos passear por toda a Europa. Faremos a viagem de trem, porque os trens daqui são muito bons e rápidos.

O inverno deste ano está muito frio. Ouvi dizer que há neve por toda a parte! E como está o verão no nosso país? Nunca me esquecerei das praias brasileiras...

Termino dizendo-lhe que ainda quero que vocês venham passar as férias aqui com a gente. Vocês vão adorar Portugal!

Um grande abraço, do seu irmão,

Eduardo

Exercício 124

Responda a estas perguntas sobre a carta do irmão do Sr. Paulo.

1. Como se chama o irmão do Sr. Paulo?

2. Onde ele está morando no momento?

3. Ele nasceu na Europa?

4. Alguém da família dele nasceu em Portugal? Quem?

5. O que um dos filhos do Sr. Eduardo está tentando fazer?

6. Para quê?

7. Qual é a profissão do Sr. Eduardo?

8. Ele teve algum problema com a língua em Portugal?

9. Ele precisou fazer algum curso lá? Qual?

10. Ele gostou do curso?

11. Há quanto tempo a família dele mora na capital portuguesa?

12. Eles já saíram de férias?

13. Como a família pretende passar as férias?

14. Qual é a estação do ano na Europa em janeiro?

Exercício 125

Qual é a palavra certa?

Exemplo: Telefonista? Você poderia completar a minha ***ligação***, por favor?

magro
Direito
ligação
idade
emprego
ramal
promoção
altura
chuva
arquivo
aumento

1. Você conhece o Rafael? É aquele rapaz alto e _____ sentado no sofá.
2. Eu não sei a _____ da Sandra, mas sei que ela é mais velha do que eu.
3. A secretária colocou toda a correspondência de hoje no _____ do Sr. Linhares.
4. Eu sei o telefone da sua empresa, mas esqueci o número do seu _____.
5. No próximo mês, receberemos um _____ de salário de 15%.
6. Você também é advogado? Onde você estudou _____?
7. O Evereste tem mais de 8.000 metros de _____.
8. Teremos que cancelar a nossa viagem. Vi na televisão que a _____ não vai parar hoje.
9. O meu diretor está precisando de uma secretária. Você se interessa por esse _____?
10. Depois da _____, ela começou a receber um salário bem maior.

O PRESENTE DO SUBJUNTIVO
(plural)

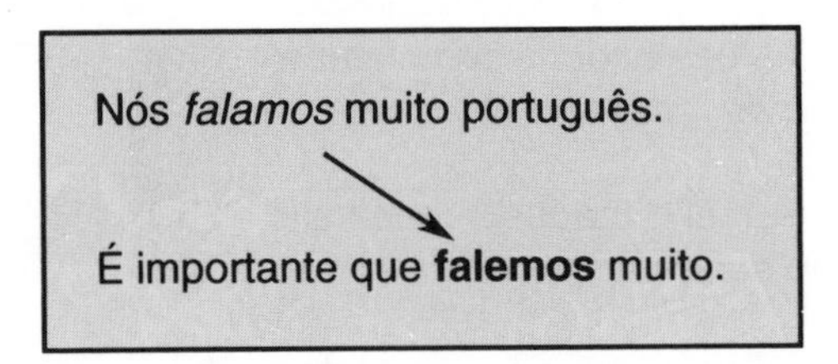

Nós *falamos* muito português.

É importante que **falemos** muito.

Verbos regulares:

		*fal**ar***	*com**er***	*decid**ir***
É importante que	nós	fal**emos**	com**amos**	decid**amos**
	vocês / eles	fal**em**	com**am**	decid**am**

Alguns verbos irregulares:

	nós	*vocês / eles*
ser	sejamos	sejam
estar	estejamos	estejam
dizer	digamos	digam
fazer	façamos	façam
ir	vamos	vão
pôr	ponhamos	ponham
trazer	tragamos	tragam
ver	vejamos	vejam
vir	venhamos	venham

Exercício 126

Exemplo: É necessário discar o código da cidade.

Eu quero que ele ***disque o código da cidade***.

É importante que todos ***disquem o código da cidade***.

1. Temos que fazer uma reserva no hotel.

   É importante que nós _____.

   É importante que você e a sua esposa _____.

2. Você não pode se esquecer de me telefonar.

   É muito importante que ninguém _____.

   É necessário que vocês _____.

3. Por favor, traga os relatórios da reunião.

   Ele quer que ela _____.

   Eu quero que as secretárias _____.

4. Poucas pessoas vieram à reunião semanal.

   É importante que todos _____.

   Eu peço para que os senhores _____.

5. Eu preciso dizer ao meu chefe a data da reunião.

   É preciso que eu _____.

   O meu chefe quer que você lhe _____.

VOCÊ CONHECE ITU?

Onde se come a
maior pizza do Brasil?
Onde se toma cerveja na
maior caneca[1] do Brasil?
Onde se compram os lápis mais
compridos, as maiores caixas de
fósforos ou os maiores sanduíches
do país?

É em São Paulo, a maior cidade
do Brasil e uma das maiores do
mundo? Não! Podemos ver tudo
isto numa cidade bem pequena, a
108 km de São Paulo: Itu.

Os turistas visitam Itu nos fins de
semana para comprar essas
coisas e também para conhecer o
orelhão mais alto do mundo, com
seis metros de altura. Mas ele
tem um problema: ninguém pode
usá-lo, porque ainda não fizeram
(ou acharam) o maior cartão
telefônico do mundo!...

---

[1] *caneca: um tipo de copo para cerveja*

Exercício 127

*Faça uma frase com **se**.*

Exemplo: Não / falar / inglês / aula.
Não se fala inglês na aula.

1. Não / tomar / café / frio.
2. Onde / comprar / leite / esta / rua?
3. Ler / muitos livros / países / Europa.
4. Como / dizer / isto / sua língua?
5. Vender / camisas / nesta loja.

Exercício 128

Qual é a forma correta?

Exemplo: Onde _*b*_ boas roupas nesta cidade?
a) se compra **b) se compram**

1. Em que países da África _____ português?
   a) se falam b) se fala
2. Não _____ um garfo para tomar sopa.
   a) se usa b) usa-se
3. _____ remédios para gripe aqui?
   a) Vendem-se b) Vende-se
4. Não _____ a data de aniversário num cheque.
   a) escreve-se b) se escreve
5. _____ dinheiro brasileiro em Portugal?
   a) Aceita-se b) Se aceita

FALAR, FALAR, FALAR ...

Exercício 129

*Responda com **já** ou **ainda**.*

Ainda não está falando.

1. A menina já está ligando?
   Sim, _____.

2. Mas ela já está falando?
   Não, _____.

3. Há alguém atrás dela?
   Não, _____.

4. Ela já está falando?
   Sim, _____.

5. Há pessoas esperando?
   Sim, _____.

6. Ela ainda está usando o telefone?
   Sim, _____.

Já está falando.

Não está mais falando.

7. Ela já foi embora?
   Não, _____.

8. Há mais pessoas atrás dela?
   Sim, _____.

9. Ela já está indo embora?
   Sim, _____.

10. Há alguém usando o telefone?
    Não, _____.

Exercício 130

Exemplo: *(caro)*
O Rolls Royce é um dos carros ***mais caros*** do mundo.

1. *(confortável)*
Posso pegar aquela cadeira? Parece que é _____ do que esta.

2. *(simpático)*
Eu gosto de trabalhar com a Iara porque ela é uma das secretárias _____ da empresa.

3. *(grande)*
A Argentina é _____ do que o Peru, mas não é _____ país da América do Sul.

4. *(ruim)*
Este inverno está frio demais. É _____ inverno que já passamos.

5. *(interessante)*
Não gostei deste livro. É _____ de todos que já li.

6. *(jovem)*
A minha mãe nasceu em 1945 e o meu pai nasceu em 1943. Então, ela é _____ do que ele.

7. *(pequeno)*
O último capítulo do meu livro tem menos páginas do que todos os outros. É _____ capítulo do livro.

8. *(bom)*
Este queijo é bom, mas já comi queijos _____ em outros lugares.

ESTAR E *FICAR*

O café **está** frio.
O café **fica** frio depois de algumas horas.

Agora eu **estou**
- com fome / sede.
- com frio / calor.
- com febre / dor de cabeça.
- doente / cansado.

Eu **fico**
- com fome na hora do almoço.
- com sede quando falo muito.
- com frio no inverno.
- com calor no verão.
- com febre quando pego uma gripe.

Quando **estou** / **fico**
- com fome, vou ao restaurante.
- doente, tiro um dia de folga.
- cansado, fico em casa.
- com febre, tomo um remédio.

Exercício 131

Complete com ***estar*** *ou* ***ficar****.*

Exemplo: As pessoas geralmente ***ficam*** com sede quando vão à praia.

1. Você _____ com sede? Aceita um copo de água?

2. Quando não como bem, _____ doente.

3. Ninguém _____ cansado. Podemos todos ir ao cinema.

4. Você poderia me dar o termômetro? Acho que _____ com febre.

5. Eu _____ com dor de cabeça quando leio no ônibus.

CAPÍTULO 18 — RECAPITULAÇÃO

Qual é a altura dele?
– Ele tem um metro e setenta de altura.

Qual é a idade dele?
– Ele tem 25 anos (de idade).
fez 25 anos ontem

Em que ele se formou?
– Ele se formou em Medicina.
Engenharia
Direito
Odontologia
Administração de Empresas

Ele ainda está em férias?
– Sim. Ele está na praia, num hotel 5 estrelas.

Onde fica o hotel mais próximo?
– Fica a uns dois quilômetros daqui.

Esse hotel é bom?
– É de longe o melhor hotel da cidade. É bem melhor do que os outros hotéis.

Você já foi ao banco?
– *Ainda não* fui ao banco.
Você já foi à China?
– *Nunca fui* à China.

"Vocês poderiam escrever os seus nomes?"
– Ele quer que
nós escrevamos
vocês, eles 〉 escrevam

Irregulares:

ser	pôr
estar	trazer
dizer	ver
fazer	vir
ir	

Você ainda quer que nós voltemos amanhã?
– Sim, eu ainda quero que vocês voltem amanhã.
– Não, não quero mais que vocês voltem amanhã.

Expressões:
Parece que já parou de chover.
Aceita cartão de crédito?
Lógico!

Capítulo 19

VENHA PARA O CLUBE SOLARIS!

SEJA AMIGO DE SUA SAÚDE:
VENHA PARA O CLUBE SOLARIS!

No Clube Solaris você vai achar tudo aquilo que procurava e que a cidade grande nunca lhe ofereceu. Perto de Campos de Jordão, num excelente lugar nas montanhas, você poderá se levantar ouvindo os pássaros, olhar o verde por toda a parte e divertir-se, praticando vários esportes.

No nosso clube, você fará tudo que é saudável e, durante alguns dias, se esquecerá de todas as coisas da cidade. No verão, você poderá nadar em uma das nossas quatro piscinas - com professores para as crianças -, tomar sol e bronzear-se. Você também poderá entrar num dos nossos times para jogar futebol, vôlei ou basquete. Traga a sua família para torcer!

E quando o frio chega, fazemos pequenas excursões, subindo montanhas, acampando e andando vários quilômetros. Alguns preferem fazer passeios de bicicleta.

Mas, se você não é bom em nenhum esporte ou não gosta de praticá-los, venha ao Solaris encontrar um lugar para o melhor esporte de todos: descansar.

Informações pelo telefone (011) 610-7799, em São Paulo e (021) 221-8377, no Rio.

Esperamos você!

Exercício 132

*Complete as frases com **bem**, **bom**, **boa**, **mal** ou **ruim**.*

Exemplo: Aquele jogador tem que sair do time porque joga muito ***mal*** .

1. Eu nunca fui _____ em nenhum esporte.

2. É _____ tomar sol, mas faz _____ ficar na praia durante muito tempo.

3. Este café está muito _____. Delicioso! Você poderia me trazer mais um?

4. Tomar muito café faz _____ à saúde.

5. Para ensinar um idioma, é necessário que você o fale muito _____.

6. Não é _____ para a sua saúde tomar remédios demais.

7. Estou com uma dor de cabeça horrível! A feijoada que comemos hoje à tarde não me fez _____.

8. Vou para casa mais cedo hoje. Estou me sentindo _____.

9. Daniel não quer ser engenheiro porque sabe que não é _____ em matemática.

10. É melhor que as crianças não entrem na piscina, porque nenhuma delas nada _____.

11. Quando cheguei, o estádio já estava lotado e tive que ficar num lugar muito _____. Não consegui ver quase nada.

12. Eu não consigo ouvi-lo. A ligação não está _____.

Exercício 133

1. **ir / trazer**

   a) Quando a minha mãe ***vai*** a outro país, ela sempre me ***traz*** uma lembrança. No mês passado, ela _____ ao Peru e me _____ um suéter muito bonito. No ano que vem, ela _____ à França e _____ várias lembranças aos amigos. Eu quero que ela também _____ à Suíça e me _____ um relógio.

   b) Quando os meus pais ______________________________
   ____
   ____
   ____
   ____

2. **vir / ter**

   a) Eu sempre _____ ao trabalho de carro, mas ontem _____ que vir de ônibus. Eu _____ com um vizinho meu que trabalha em frente ao meu escritório. Amanhã, ele _____ sozinho porque eu _____ uma reunião em outro lugar.

   b) Nós sempre ______________________________
   ____
   ____
   ____
   ____

3. **ler / ouvir**

a) Agora o Sr. Paulo está _____ um livro e _____ música. A música que ele está _____ é de Mozart. Antes, ele não _____ Mozart freqüentemente — preferia _____ outro tipo de música. Os livros que ele _____ quando era mais jovem também eram diferentes. Ontem ele acabou de _____ um livro muito interessante e está adorando este livro novo.

b) Agora eu estou ____

____

____

____

____

____

4. **dar / ganhar**

a) Todos os anos, Vera _____ uma festa de aniversário e geralmente _____ muitos presentes dos amigos. Mas este ano ela decidiu não _____ uma festa: só um jantar para alguns amigos. Eles saíram juntos e foram a um restaurante. Ela _____ um relógio dos amigos.

b) Todos os anos, você ____

____

____

____

____

____

O PRETÉRITO IMPERFEITO DO INDICATIVO

Agora ...	Antes ...
eu *trabalho* num banco.	eu **trabalhava** numa loja.
você *trabalha* das 9 às 5.	você **trabalhava** das 8 às 4.
ele *trabalha* comigo.	ele **trabalhava** comigo.

Cuidado!

	agora		*antes*
eu	*sou*	⇨	**era**
você	*é*		**era**
ele	*é*		**era**

Exemplo: A Sônia **é** secretária do diretor.
Antes, ela ***era*** secretária do gerente.

1. Eu **almoço** num restaurante todos os dias.
   Antes, eu _____ na minha casa.

2. A Vera **nada** na piscina do clube só aos domingos.
   Antes, ela _____ lá quase todos os dias.

3. O meu filho **se levanta** cedo e **chega** à escola antes das sete e meia.
   Quando eu era criança, eu também _____ cedo, mas _____ à escola às oito horas.

4. De quem você **ganha** presentes no seu aniversário?
   E quando você estava na escola, de quem você _____ presentes?

5. Agora eu **envio** fax aos escritórios da Europa.
   Antes, eu _____ cartas via aérea.

A TELEVISÃO NO BRASIL

No Brasil, a televisão oferece vários tipos de programas nos vários canais do país. Os brasileiros podem assistir à TV quase vinte e quatro horas por dia, porque há filmes na TV até bem tarde à noite e os primeiros noticiários começam bem cedo.

Mas, no Brasil, os programas mais famosos não são nem os de entrevistas, nem os humorísticos: são as novelas. Dizem que, às vezes, o país pára só para assisti-las. Muitas vezes, encontram-se dois executivos conversando sobre alguma delas. Isto também se explica: no Brasil, fazem-se novelas muito bem, com os melhores atores e atrizes do teatro e do cinema brasileiros. Você sabia que Sonia Braga, que hoje trabalha nos Estados Unidos, começou no teatro e trabalhou durante vários anos nas novelas brasileiras? Algumas novelas passam na Europa e também em países do outro lado do mundo (a China, por exemplo). As melhores novelas passam entre as oito e as dez horas da noite — o horário mais caro da televisão. Também nesse horário há noticiários em todos os canais.

Depois da última novela do dia, há geralmente filmes (90% são americanos) ou outros programas. Aos domingos, os brasileiros podem assistir a programas de esportes em alguns canais, mas, no Brasil, não há canais só de esportes ou de noticiários. Um dia os brasileiros terão um canal só de novelas?

Exercício 135

Exemplo: Eu já vi esse filme. Ele já _c_ na televisão várias vezes.

a) levou b) pegou **c) passou**

1. Por favor, coloque no ___ cinco. A novela vai começar daqui a pouco.

   a) canal b) programa c) comercial

2. Todas as vezes que eu assisto à TV, fico ___ porque há comerciais demais e eu os detesto.

   a) com dor b) com fome c) com raiva

3. "Quanto está o jogo?"
   "___."

   a) Incrível b) Lotado c) Empatado: 2 X 2

4. Puxa, os torcedores detestam esse jogador! Quando ele saiu do jogo, todos o ___.

   a) aplaudiram b) gritaram c) vaiaram

5. Ele ___ muito contente quando recebeu um aumento.

   a) foi b) ficou c) esteve

6. Não consigo estudar nesta sala porque todos ___ muito barulho.

   a) estão b) fazem c) ficam

7. Eu tive que ___ para ele me ouvir.

   a) vaiar b) gritar c) torcer

8. "O que você achou dos atores da peça?"
   "Adorei! São ___, mesmo!"

   a) fantásticos b) maravilhosas c) horríveis

O PRETÉRITO IMPERFEITO DO INDICATIVO
(cont.)

Verbos regulares:

	*fal**ar***	*com**er***	*assist**ir***
eu	fal**ava**	com**ia**	assist**ia**
você	fal**ava**	com**ia**	assist**ia**
ele	fal**ava**	com**ia**	assist**ia**
nós	fal**ávamos**	com**íamos**	assist**íamos**
vocês	fal**avam**	com**iam**	assist**iam**
eles	fal**avam**	com**iam**	assist**iam**

Alguns verbos irregulares:

	ser	*pôr*	*ter*	*vir*	*ir*
eu	era	punha	tinha	vinha	ia
você	era	punha	tinha	vinha	ia
ele	era	punha	tinha	vinha	ia
nós	éramos	púnhamos	tínhamos	vínhamos	íamos
vocês	eram	punham	tinham	vinham	iam
eles	eram	punham	tinham	vinham	iam

AGORA ... ANTES ...

Agora eu não *fumo* mais.

Antes eu ***fumava*** muito.

Exercício 136

Complete as frases da direita, usando o pretérito imperfeito.

Exemplo:	Eu sempre **como** naquele restaurante.	Antes eu <u>***comia***</u> lá só nos fins de semana.
1.	Nós **recebemos** o nosso salário no dia cinco.	Antes nós o _____ no dia dez.
2.	A minha secretária **datilografa** as minhas cartas.	Antes eu mesmo as _____.
3.	Nós **vamos** àquele cinema freqüentemente porque **passam** filmes geniais lá.	Antes não _____ lá porque não _____ bons filmes.
4.	Eu **vejo** o diretor todas as vezes que ele **vem** ao escritório.	Antes eu não o _____ porque ele nunca _____ para cá.
5.	Quando as crianças **estão** na escola **assistem** a vários programas educativos.	Há cinco anos eles não _____ na escola e não _____ a nenhum programa educativo.

PRETÉRITO IMPERFEITO / PRETÉRITO PERFEITO

> Quando eu era criança, eu **falava** português em casa.
> Ontem, eu **falei** português durante a aula.
>
> Eu **bebia** muito vinho quando **ia** a uma festa.
> No domingo passado, **fui** a uma festa e **bebi** muito vinho.

Exercício 137

Exemplo: *(assistir)*
Eu ***assistia*** a todos os jogos do Brasil quando morava com os meus pais.

Ontem, eu ***assisti*** ao jogo do Brasil na minha casa.

1. *(vir)*
Ele _____ ao trabalho de ônibus quando não tinha um carro.

Ontem, ele _____ de carro.

2. *(fazer)*
Ontem eu fiquei muito contente quando um jogador de tênis do meu país _____ um ponto.

Quando eu era mais jovem, jogava tênis muito bem e _____ muitos pontos.

3. *(durar)*
A nossa última viagem para Madri _____ mais de nove horas.

Antes, as viagens para a Europa _____ muito mais, porque o avião parava em vários lugares.

4. *(pagar)*
Antes, os brasileiros _____ em cruzados quando faziam compras.

Na última vez que fiz compras, _____ tudo em cruzeiros.

CAPÍTULO 19 — RECAPITULAÇÃO

Você ainda vai ao clube?
– Não. Nunca mais fui ao clube.

O que você fazia quando ia ao clube?
– Eu fazia ginástica.
nadava na piscina
tomava sol
me bronzeava
andava de bicicleta
praticava esportes
jogava futebol

Você se divertia lá?
– Bastante. Era muito divertido ir lá.

Irregulares:
era / éramos / eram *(ser)*
punha / púnhamos / punham *(pôr)*
tinha / tínhamos / tinham *(ter)*
vinha / vínhamos / vinham *(vir)*

Onde você assistia aos jogos do seu time?
– Eu assistia aos jogos num estádio.

O que acontece num estádio durante o jogo?
– As pessoas torcem.
– Os torcedores gritam.
aplaudem
vaiam
fazem barulho
ficam contentes
ficam com raiva

Quanto foi o jogo?
– Foi dois a um para o meu time.
O meu time ganhou e o seu perdeu.

Para que time você torce?
– Eu torço para o Paulistano.

Quanto está o jogo?
– Está zero a zero.
O jogo está empatado.

Há muita gente no estádio?
– Sim. O estádio está lotado.

É possível assistir aos jogos na televisão?
– É. Eu adoro assistir aos jogos na televisão.

Você poderia mudar de canal?
– Em que canal você quer que eu coloque?

Que tipos de programa passam nesse canal?
– Passam programas educativos.
humorísticos
de entrevistas

Expressões:
Como andam as coisas no trabalho?
O que você achou do jogo?
Incrível!
Muito bom, mesmo!

Capítulo 20

A EXPOBRÁS

Há quinze anos o Sr. Maurício Cunha exporta frutas do Brasil para outros países. Bananas, laranjas e abacaxis são exportados para vários lugares e, nos últimos meses, também a carambola é exportada.

A empresa dele, a Expobrás, fica em Ribeirão Preto, e o suco de laranja que lá é produzido já é exportado há vários anos para os Estados Unidos. Agora ele também lida com sucos de outras frutas, porque o sucesso com o suco de laranja lhe deu muitos lucros.

No ano passado, várias pessoas foram contratadas e treinadas, porque a Expobrás decidiu começar a importar produtos e vendê-los em lojas da empresa. Os vinhos verdes e do Porto e outros produtos são agora importados pela Expobrás e vendidos no Brasil. Estes produtos podem ser entregues do Rio Grande do Sul até o Amazonas.

Para começar o novo negócio, o Sr. Maurício pediu um empréstimo a um banco, e, depois de um ano, acabou de pagá-lo e começou a fazer grandes lucros.

Um dos diretores da Expobrás já foi transferido para Bebedouro, uma cidade a 77 quilômetros de Ribeirão Preto. Lá ele será responsável pelo treinamento dos funcionários que, nos próximos meses, serão contratados para as novas lojas da Expobrás.

Exercício 138

Complete com a palavra certa.

1. **exportar**

   No ano passado o Brasil ***exportou*** vários quilos de café.

   O café _____ para a Europa é um dos melhores do mundo.

   Quais são os países que _____ muita carne todos os anos?

2. **produzir**

   Antes a nossa empresa só _____ suco de frutas.

   Agora o nosso melhor _____ é um tipo de vinho.

   Esse vinho é _____ em Santa Catarina, no Brasil.

3. **treinar**

   Você se lembra quando foi _____?

   O _____ não durou mais de duas semanas.

   É importante que as empresas _____ os funcionários.

4. **emprestar**

   Vamos precisar pedir um _____ ao banco.

   O Banco União tem nos _____ dinheiro nestes últimos anos.

   Que banco lhe _____ dinheiro quando você precisava?

5. **ver**

   Eu quero que você _____ estes papéis até as duas horas.

   Você tem _____ o Sr. Daniel ultimamente?

   Ninguém o _____ ontem, mas o viram aqui na segunda.

... SENÃO ...

Exercício 139

*Complete as frases usando **senão**.*

não faremos lucros
a telefonista não passa a ligação
você pagará uma multa
não serão aceitos pelo banco
não poderá mais pedir empréstimos
não poderei contratá-lo
não poderei pagar as prestações da casa

Exemplo: Você tem que pagar as prestações em dia,
senão você pagará uma multa .

1. Você tem que trabalhar em tempo integral, ________.

2. Você deve dizer o ramal do diretor, ________.

3. Acho que precisarei pedir um empréstimo, ________.

4. Estes papéis devem ser enviados hoje, ________.

5. A empresa deve devolver o dinheiro até julho, ________.

6. Este ano devemos produzir bem mais, ________.

A VOZ PASSIVA

(com o verbo **ser**)

falar

As pessoas falam a língua portuguesa em Portugal.
Fala-se português também no Brasil.
O português **é falado** no Brasil.
Que língua **é falada** no seu país?

vender

As pessoas vendem muita cerveja no verão.
Vende-se muita cerveja no verão.
Muita cerveja **é vendida** no verão.

produzir

A minha empresa produz bons computadores.
Produzem-se bons computadores **na minha empresa**.
Bons computadores **são produzidos pela minha empresa**.

Particípios regulares:

fal**ar**	⇨	fal**ado/a**(s)
vend**er**		vend**ido/a**(s)
produz**ir**		produz**ido/a**(s)

Particípios irregulares:

Cuidado!

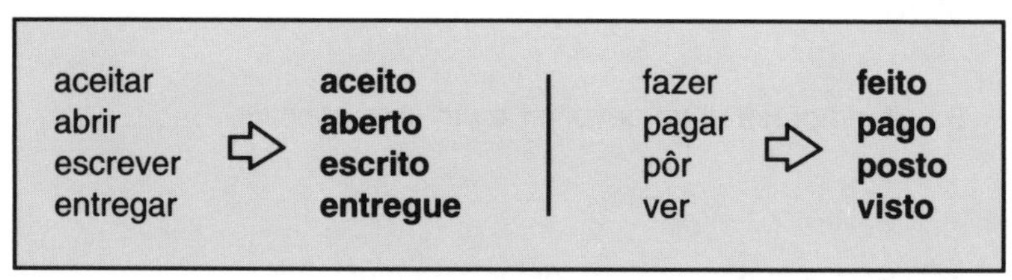

aceitar	⇨	**aceito**	fazer	⇨	**feito**
abrir		**aberto**	pagar		**pago**
escrever		**escrito**	pôr		**posto**
entregar		**entregue**	ver		**visto**

Exercício 140

Escreva as frases nos dois tipos de voz passiva.

Exemplo: As lojas **vendem** muitos produtos no fim do ano.
Vendem-se muitos produtos nas lojas no fim do ano.
Muitos produtos são vendidos nas lojas no fim do ano.

1. O Brasil **exporta** milhões de quilos de café por ano.

2. Os clientes **pagaram** a compra com cartão de crédito.

3. A minha empresa **envia** cartas via aérea.

4. O gerente **transferiu** todas as secretárias.

5. Aquela loja **vende** as mercadorias em dólares.

6. Aqui **recebemos** produtos da Itália.

7. As pessoas **descontam** cheques nos caixas 1 e 2.

8. Ninguém **paga** as prestações com atraso.

O SUCESSO DOS LIVROS

Luís Cláudio de Oliveira é um dos executivos mais bem sucedidos do ano, segundo a revista Empresas. No programa de entrevistas de Marina Melo ele falou sobre o sucesso das livrarias Capítulus e sobre o que ainda pretende fazer no Brasil e no mundo.

Marina: Há quanto tempo o senhor está trabalhando na Capítulus?

Luís: Eu comecei a trabalhar na primeira Capítulus há doze anos. Eu era um vendedor e, depois de várias promoções, cheguei a este cargo.

Marina: No Brasil, as pessoas lêem menos do que em vários países. Por quê?

Luís: Não é verdade. Desde que comecei a vender livros e depois, a dirigir as várias livrarias, tenho lido e escutado isso. Na minha opinião, o que acontece é que as pessoas lêem bastante, mas compram pouco.

Marina: Não entendi ...

Luís: A situação no nosso país é complexa: a inflação, nos últimos anos, tem fechado as portas de muitas livrarias e as pessoas param de comprar livros quando o nível de vida piora.

Marina: Então eles lêem menos a cada ano ...

Luís: Não. Começam a emprestar livros de bibliotecas[1]. As estatísticas mostram que o número de pessoas que usam as bibliotecas tem aumentado mais de 300% a cada ano.

---

1 *bibliotecas: pegam-se livros emprestados em bibliotecas*

Marina: E como as suas livrarias conseguiram ter o sucesso de hoje? Vocês *vendem* livros ...

Luís: Depois de ler muitos livros, as pessoas sabem que tipo de livro gostam de ler e ter em casa. E começam a procurar livros desse tipo em livrarias que lhes ofereçam qualidade.

Marina: Em doze anos, o senhor aumentou para sete o número de livrarias Capítulus no Brasil e abriu uma em Lisboa. O que o senhor pretende fazer nos próximos anos?

Luís: A livraria que abrimos em Lisboa já fez um ano, sempre vendendo muitos livros. É interessante tentar negócios em países diferentes, porque podem ser bem lucrativos. Fiquei muito contente com o nosso sucesso em Portugal e pretendemos entrar na Espanha e na Itália.

Marina: Em Portugal e no Brasil fala-se a mesma língua. Para abrir uma livraria na Itália, onde outra língua é falada, é necessário lidar com outros tipos de livros?

Luís: Não acredito que seja necessário mudar o tipo de livro. Acho que é bom aumentar a qualidade e oferecer às pessoas sempre o melhor.

Marina: Muito obrigada. E boa sorte na Europa!

Exercício 141

*Escreva **F** (falso) ou **V** (verdadeiro).*

1. Luís Cláudio e Marina Melo discutiram esportes brasileiros. ___
2. Segundo Luís Cláudio, os brasileiros lêem pouco. ___
3. A primeira livraria Capítulus foi aberta no Brasil. ___
4. Há mais livrarias Capítulus agora do que há doze anos. ___
5. Na opinião de Luís Cláudio, o tipo de livro deve ser mudado quando se abre uma livraria em outro país. ___
6. Luís Cláudio começou trabalhando como gerente da livraria. ___
7. A Capítulus também empresta livros. ___
8. A livraria que foi aberta em Lisboa foi bem sucedida. ___
9. Muitas livrarias foram fechadas porque a inflação é alta. ___
10. Há pouco tempo começaram a dizer que os brasileiros lêem pouco. ___

O PRETÉRITO PERFEITO COMPOSTO

Geralmente eu *almoço* em casa.

Mas ultimamente eu **tenho almoçado** fora.

Verbos regulares:

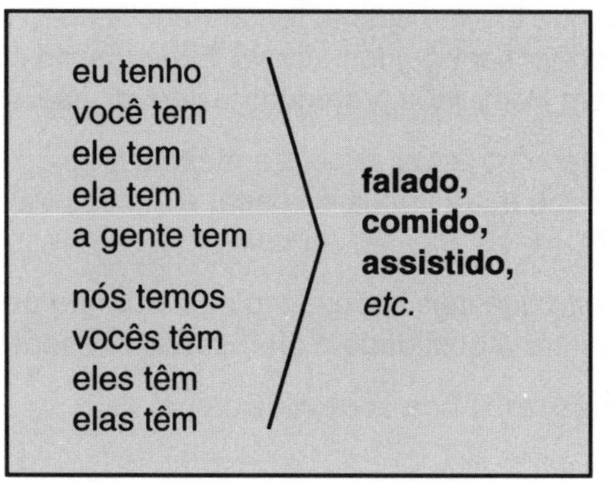

eu tenho
você tem
ele tem
ela tem
a gente tem
nós temos
vocês têm
eles têm
elas têm

falado,
comido,
assistido,
etc.

Alguns verbos irregulares:

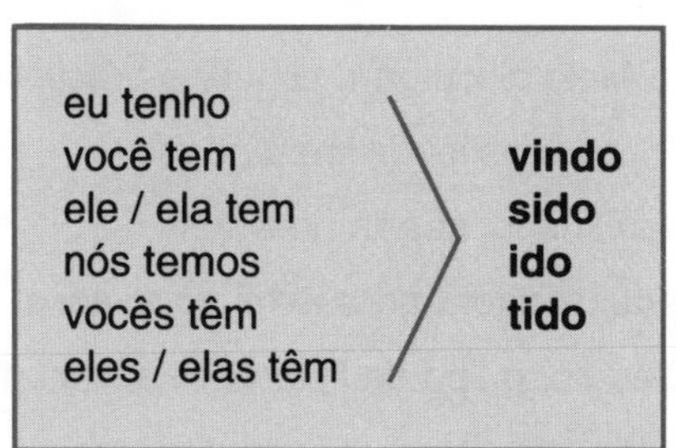

	eu tenho	
vir	você tem	**vindo**
ser	ele / ela tem	**sido**
ir	nós temos	**ido**
ter	vocês têm	**tido**
	eles / elas têm	

O particípio **não muda** no pretérito perfeito composto!

- **Eu** tenho **saído** todas as noites.
- **Nós** temos **saído** juntos.
- **Elas** têm **saído** conosco.

Exercício 142

Complete as frases com o pretérito perfeito composto.

Exemplo: As minhas aulas **têm durado** um pouco mais de uma hora e meia ultimamente. *(durar)*

1. Ultimamente eu _____ muitas palavras novas no meu curso. *(aprender)*

2. Acho que você está com essa tosse porque _____ muito. *(fumar)*

3. Nestes últimos meses, nós _____ ao trabalho de carro, porque _____ muito. *(vir / chover)*

4. As recepcionistas novas me disseram que _____ muitos problemas desde que começaram a trabalhar aqui. *(ter)*

5. Vocês _____ à nova novela que está passando no canal doze? *(assistir)*

6. _____ muito ocupado no meu trabalho — nunca mais consegui ir embora antes das oito da noite! *(estar)*

7. Não acredito que o seu filho vá passar de ano. Ele não _____ boas notas nas últimas provas. *(tirar)*

8. O inverno já começou — _____ muito frio desde a semana passada. *(fazer)*

9. Estamos muito contentes porque a loja _____ bastante ultimamente. *(vender)*

10. Você sabe como foi a viagem do Sr. Hélio? Não o _____ nestas últimas semanas. *(ver)*

Exercício 143

Complete as frases usando o oposto das palavras.

Exemplo: Eu nunca entrei no time da escola porque jogo **mal**. Para entrar no time, é necessário jogar ***bem*** .

1. Com a inflação alta e os baixos salários, o nível de vida não pode **melhorar**. Acho que a situação vai _____ nos próximos anos.

2. Não posso comprar tudo isto **à vista**. É possível fazer esta compra _____?

3. Esta secretária diz que não poderá trabalhar **em tempo integral** porque faz um curso à noite. Ela precisa trabalhar _____.

4. O meu time **ganhou** todos os jogos do ano. Não entendo porque _____ este último jogo.

5. Quando os jogadores saíram, os torcedores não os **aplaudiram**. _____ todos e fizeram muito barulho.

6. Aqui o tempo geralmente fica nublado **aos poucos**, mas hoje começou a chover _____.

7. É melhor que você não pague nenhuma prestação **com atraso**. Se não pagá-las _____, você receberá uma multa!

8. Várias mercadorias foram **exportadas**, mas poucas foram _____ porque os preços estavam muito altos.

CAPÍTULO 20 — RECAPITULAÇÃO

Onde o seu carro é produzido?
– Ele é produzido no Brasil.

Os relógios deles foram comprados aqui?
– Eles foram comprados aqui, mas foram importados do Japão.

Para onde o café brasileiro é exportado?
– O café é exportado para muitos países.

O que foi discutido na reunião?
– Discutiu-se a inflação.
o treinamento
a qualidade da mercadoria
– Discutiram-se as estatísticas.
os lucros
as opiniões

Como a mercadoria será paga?
– Ela será paga em três prestações.
à prestação
aos poucos
à vista

É possível pagar a mercadoria com atraso?
– Não. A mercadoria deve ser paga em dia.

Irregulares:
O meu cartão foi *aceito* na loja.
O pacote foi *aberto* no correio.
O nome está *escrito* no cartão.
O dinheiro já foi *entregue*.
O empréstimo será *feito* amanhã.
Os cartões já foram *postos* no correio.
Ninguém foi *visto* lá.

Qual é a sua opinião sobre os negócios da empresa?
– Acho que serão bem sucedidos.
serão lucrativos
aumentarão os lucros

O que vai acontecer na empresa?
– Segundo o presidente, algumas pessoas serão promovidas.
transferidas
contratadas

O que você tem feito ultimamente?
– Eu tenho / Você / Ele tem / Nós temos / Vocês / Eles têm — trabalhado, viajado, saído, *etc.*

Há quanto tempo você trabalha aqui?
– Eu trabalho aqui desde março.

Capítulo 21

A PRIMEIRA VIAGEM

Ana: Carolina? Aqui é a Ana. Tudo bem?

Carolina: Tudo bem. Como andam as coisas no trabalho?

Ana: Trabalho? Eu saí de férias há dois dias!

Carolina: Eu não sabia. Que bom! Vai viajar?

Ana: Vou à Argentina. E estou lhe telefonando para você me dar algumas informações.

Carolina: Sobre a Argentina?

Ana: Não, sobre o aeroporto.

Carolina: O aeroporto?!

Ana: É a primeira vez que viajarei de avião e não sei o que devo fazer ...

Carolina: Mas é fácil! Quando você chegar ao aeroporto, procure o número do balcão da sua companhia aérea.

Ana: Certo ...

Carolina: Vá até o balcão e entregue a sua bagagem. Eles vão pesá-la e mandá-la para o avião. Quando o funcionário da companhia aérea lhe pedir a passagem, dê-lhe também a sua carteira de identidade ou o passaporte. Depois, ele lhe dará um cartão de embarque.

Ana: E como eu sei onde devo embarcar?

Carolina: Quando você receber o cartão de embarque, verifique se o número do portão está escrito e vá até lá. Antes de entrar no avião, você deve dar o cartão de embarque a um dos funcionários da companhia aérea.

Ana: Puxa, não é difícil viajar de avião ... E quando todos desembarcarem, o que devo fazer?

Carolina: Vá atrás dos outros passageiros e pegue a sua bagagem. Às vezes, é necessário que você a mostre.

Ana: Para quê?

Carolina: Para que eles verifiquem se você está levando algo que não é permitido.

Ana: O que não é permitido?

Carolina: Não sei, Ana. Peça informações no aeroporto.

Ana: Tudo bem. Se eu me perder, ou tiver algum problema, posso ligar para você?

Carolina: Olhe, pensando bem, é melhor que eu vá lá com você.

Ana: Ótimo! Muito obrigada! Agora já me sinto bem melhor ... Eu acho que me esqueci de tudo o que você me ensinou ...

Exercício 144

Exemplo: Pesa-se a bagagem no __a__ da companhia aérea.

a. balcão b. portão c. cartão

1. Não é permitido andar pelo avião quando ele está ___.

   a. embarcando b. aterrissando c. viajando

2. Antes de embarcar, os passageiros devem entregar o ___.

   a. carnê b. passaporte c. cartão de embarque

3. Qual é o horário do ___ para Roma?

   a. vôo b. comissário c. portão

4. Acho que houve um engano: o número do portão não está ___ no meu cartão de embarque.

   a. escrever b. escreve c. escrito

5. Eu sempre viajo ___ companhias aéreas do Brasil.

   a. para b. por c. pelas

6. Quantos ___ podem viajar num Jumbo 747?

   a. pessoas b. passageiros c. vôos

7. O número do seu vôo está escrito no seu cartão de ___.

   a. viagem b. embarque c. passageiro

8. Antes, eu me sentia muito ___ quando o avião ___.

   a. bem / aterrissou b. ruim / decolava c. mal / aterrissava

9. Pergunte ao ___ a que horas o jantar será servido.

   a. funcionário b. comissário c. passageiro

10. Onde posso achar o horário dos ___?

    a. passagens b. viagens c. vôos

O FUTURO DO SUBJUNTIVO

O avião chegará às duas horas.
A Sra. Edna desembarcará **quando ele chegar**.

Verbos regulares:

		*chega**r***	*escreve**r***	*ouvi**r***
Quando	*eu / você / ele*	chega**r**	escreve**r**	ouvi**r**
	nós	chega**rmos**	escreve**rmos**	ouvi**rmos**
	vocês / eles	chega**rem**	escreve**rem**	ouvi**rem**

Alguns verbos irregulares:

	eu / você / ele	*nós*	*vocês / eles*
fazer	fizer	fizermos	fizerem
estar	estiver	estivermos	estiverem
ir	for	formos	forem
ter	tiver	tivermos	tiverem
vir	vier	viermos	vierem
dar	der	dermos	derem

Exercício 145

Complete as frases com o futuro do subjuntivo.

Exemplo: O meu amigo me **telefonará** por volta do meio-dia.
Nós iremos almoçar ***quando ele me telefonar*** .

1. O diretor **sairá** de férias no dia dez.
   Ele viajará _____.

2. Amanhã eu **farei** compras.
   Eu gastarei bastante _____.

3. Daqui a dois meses eu **irei** à Europa.
   Eu viajarei pela Varig _____.

4. A minha irmã me **escreverá** da China.
   Ela me mandará o novo endereço dela _____.

5. Hoje à tarde o Sr. Felipe **estará** no escritório.
   Você pode telefonar-lhe _____.

6. O Sr. Ledoux **virá** ao Brasil a negócios.
   Ele nos procurará _____.

7. Eu mesmo **revelarei** o filme.
   Eu lhe mostrarei as fotos _____.

8. O Sr. Paulo **dará** dinheiro ao André.
   O André comprará um sorvete _____.

CHEGOU AO BRASIL E ALUGOU UM CARRO

O Sr. René Ledoux veio ao Brasil a negócios. Ele chegou ontem, por volta das dez horas da manhã, e teve que passar pela Polícia Federal. Ele viajou por uma companhia aérea francesa que trouxe vários turistas ao Brasil. Na Polícia Federal alguém sempre pede para que os turistas mostrem o passaporte (para verificar o visto), e o do Sr. Ledoux também teve que ser examinado. Lá, perguntaram-lhe o motivo da viagem e se ele vinha sozinho ou com a família. Ele respondeu que vinha sozinho, a negócios, e que pretendia ficar no país durante uma semana. Depois de esperar quase meia hora para falar com o funcionário da Polícia, ele pegou a bagagem e passou pela alfândega.

Lá, um fiscal pediu-lhe para que abrisse a mala. Ele também lhe perguntou se tinha algo a declarar, e o Sr. Ledoux disse que só trazia uma máquina fotográfica na bagagem de mão. Ele não teve nem que mostrá-la ao fiscal, nem preencher nenhuma delaração.

Depois de sair da alfândega, ele foi ao balcão de uma locadora e pediu informações sobre o aluguel de um carro médio. Ele conseguiu uma ótima tarifa: não tinha a gasolina incluída, mas era sem limite de quilometragem. Decidiu alugar o carro.

Quando devolveu o carro, precisou pagar uma taxa extra, porque o entregou em outra cidade.

DISCURSO INDIRETO

"O senhor vem com a família?"	⇨	O guarda lhe perguntou se ele vinha com a família.
"Não. Venho sozinho."		Ele lhe respondeu que vinha sozinho.

Exercício 146

Escreva a conversa entre as pessoas.

Exemplo: *Fiscal:* O senhor tem algo a declarar?

Passageiro: Não, não tenho nada a declarar.

O fiscal perguntou ao passageiro se ele tinha algo a declarar.
O passageiro lhe respondeu que não tinha nada a declarar.

1. *Fiscal:* O senhor vem a passeio?

   Passageiro: Não. Venho a negócios.

2. *Fiscal:* O senhor traz bebidas alcoólicas?

   Passageiro: Só uma garrafa de uísque.

3. *Fiscal:* O senhor já conhece o Brasil?

   Passageiro: É a primeira vez que venho ao Brasil.

4. *Fiscal:* O senhor tem algo a declarar?

   Passageiro: Só tenho uma máquina fotográfica.

5. *Funcionária da locadora:* O senhor tem carteira de motorista?
Turista: Tenho.

6. *Turista:* A gasolina está incluída na tarifa?
Funcionária: A gasolina está incluída, sem limite de quilometragem.

7. *Aeromoça:* A senhora tem bagagem de mão?
Passageira: Só tenho uma bolsa.

8. *Comissário:* O senhor quer uma bebida?
Passageiro: Eu aceito, obrigado.

9. *Gerente:* A senhora vai abrir a conta com um cheque?
Cliente: Vou.

10. *Secretária:* Você faz ligações internacionais?
Telefonista: Faço todos os tipos de ligações.

11. *Telefonista:* Você trabalha com arquivos?
Secretária: Eu organizo os arquivos do gerente.

12. *Recepcionista:* O senhor prefere um quarto de solteiro?
Turista: Prefiro um quarto de casal, por favor.

O QUE O FISCAL LHE PEDE?

Exercício 147

Exemplo: O senhor poderia **abrir** a mala?

Ele me pede para que eu abra a mala.

Os senhores poderiam me **mostrar** a bagagem?

1. Ele nos pede para que ...

Preencha esta declaração, por favor.

2. Ele me pede ...

O senhor pode me **dizer** por que está viajando?

3. Ele me pede ...

Por favor, me **dêem** os seus passaportes.

4. Ele pede aos passageiros ...

Assinem estes papéis, por favor.

5. Ele nos pede ...

FUTURO DO INDICATIVO / FUTURO DO SUBJUNTIVO

Exercício 148

Complete as frases com o futuro do subjuntivo.

Exemplo: A sua esposa **irá** a Roma?
Se ela também ***for*** a Turim, peça-lhe que me mande um postal.

1. Eu nunca **ouço** o telefone tocar.
   Se você _____ o telefone, pode me avisar, por favor?

2. Nós **viremos** aqui antes do almoço.
   Se nós _____ de carro, traremos as crianças.

3. Os pais do André lhe **darão** um presente.
   Se eles lhe _____ um relógio, ele ficará muito contente.

4. Acho que **fará** frio hoje à noite.
   Se _____ muito frio, poderei usar o meu casaco novo.

5. Você **estará** na sua casa no sábado?
   Se você _____ sozinho, irei almoçar com você.

6. Os meus vizinhos **irão** a Buenos Aires.
   Se eles _____ à noite, chegarão muito tarde lá.

7. Os senhores já **receberam** os papéis da reunião?
   Se não os _____ até amanhã, procurem-me, por favor.

8. Vocês ainda não **fizeram** as compras para a viagem?!
   Se não as _____ em dois dias, os preços aumentarão!

CAPÍTULO 21 — RECAPITULAÇÃO

Por que companhia você vai viajar?
– Eu vou viajar pelas Linhas Aéreas Brasileiras.

O seu vôo é direto?
– Não. O avião faz escala em duas cidades.

É um vôo doméstico?
– Não! Eu vou para outro país.
É um vôo internacional.

O que os comissários fazem no avião?
– Eles servem almoço / jantar.
dão informações
trazem bebidas

O que eu devo fazer quando chegar ao aeroporto?
– Quando chegar lá, você deve ...
ir ao balcão da companhia aérea
despachar a bagagem
mostrar a passagem
pegar o cartão de embarque

E quando desembarcar?
– Você deve ...
pegar a bagagem
passar pela Imigração
mostrar o passaporte
preencher uma declaração
abrir a bagagem na alfândega

O que acontece na alfândega?
– O fiscal lhe pede o passaporte.
examina a sua bagagem

O que o fiscal pede para que você faça?
– Ele pede para que eu ...
mostre o passaporte
preencha uma declaração
assine uma declaração
pague impostos
diga por que estou viajando
abra a bagagem

O que vai acontecer quando ...
eu / você / ele chegar lá?
nós chegarmos lá?
vocês / eles chegarem lá?

Irregulares:
Quando ...
fizer / fizermos / fizerem *(fazer)*
estiver / estivermos / estiverem *(estar)*
tiver / tivermos / tiverem *(ter)*
vier / viermos / vierem *(vir)*
for / formos / forem *(ir)*
der / dermos / derem *(dar)*

O que você pergunta numa locadora de carros?
– Eu pergunto ...
que tipos de carro eles têm
qual é a tarifa
se há taxas extras
se há limite de quilometragem
se a gasolina está incluída

Expressões:
É mesmo?!
Algo a declarar?

Capítulo 22

A CASA IDEAL

CLASSIFICA

PINHEIROS: no melhor lugar de Pinheiros, sobrado com 4 quartos, 3 banheiros, sala de TV, salas de jantar e estar, biblioteca, piscina, garagem para 3 carros. Com telefone. Sr. José Carlos, das 9 às 17 horas - 992-7733.

TATUAPÉ: linda casa térrea, ótima para uma grande família, garagem para 2 carros. Excelente sala em L, já com móveis (novos): 2 sofás, 3 poltronas, sala de jantar (mesa e 8 cadeiras). Cozinha com fogão e forno de microondas. Não perca! Rui Resende, 222-9543.

quartos com suíte, banho
hidromassagem
verno

PARAÍSO: *kitchenette* fantástica, com móveis de sala, uma cama e eletrodomésticos. Perto da estação Paraíso do metrô. Falar com Ana Braga ou Teresa, 977-4441, até as 14 horas.

IBIRAPUERA: a menos de dez minutos do melhor parque de São Paulo, num maravilhoso prédio de 18 andares, apartamentos com 2 ou 3 quartos com carpete, salas de estar e jantar, 2 banheiros, *playground*, piscina. De segunda a sexta, das 9 às 18 horas. Sábados até as 12 horas. Com Luís Fernando - 572-6000.

CENTRO: sala
móveis de

Exercício 149

Complete com a preposição correta, se houver.

Exemplos: Quando eu for andar ***de*** bicicleta, passarei na sua casa.

O médico me mandou praticar ***(x)*** esportes todas as semanas.

1. Há algo errado com a Márcia: ela tem ficado _____ cama muitas vezes ultimamente.

2. Eu não concordo _____ nada do que você disse.

3. Nós passaremos _____ sua casa depois do jantar.

4. O fiscal me perguntou: "Você tem algo _____ declarar?"

5. Eu já lhe pedi para não passar nenhuma ligação _____ mim durante as reuniões!

6. Nós não somos responsáveis _____ este problema. Fale com um dos gerentes.

7. Nestes últimos anos eu não mudei _____ emprego nenhuma vez.

8. Eles têm que virar _____ esquerda no próximo quarteirão.

9. Qual é o limite _____ velocidade nesta estrada?

10. Todos os sábados as crianças jogam _____ futebol no clube.

11. Eu sairei _____ escritório _____ máximo às seis.

12. Tentei ligar _____ você várias vezes, mas a linha estava sempre ocupada.

PRONOMES RELATIVOS

Exercício 150

A. ***onde***

Exemplo: Eu vou ficar num **hotel**. O hotel fica perto da praia.
O hotel onde vou ficar fica perto da praia.

1. Ele comprou um terno numa **loja**. A loja é de um amigo meu.

2. Eles trabalham numa **empresa**. É uma empresa canadense.

3. A minha vizinha estudou numa **universidade**. A universidade fica em outra cidade.

4. As crianças passaram as férias numa **praia**. Essa praia não é famosa.

5. O meu irmão vai morar numa **kitchenette**. Essa kitchenette é confortável.

B. ***no/na qual; nos/nas quais***

Exemplo: O João mora numa **casa**. É um sobrado.
A casa na qual o João mora é um sobrado.

1. Ele chegou num **avião**. O avião veio do Japão.

2. Já moramos em várias **cidades**. Elas têm mais de dois milhões de habitantes.

3. Os meus amigos costumam jogar vôlei numa **praia**. A praia fica a 100 quilômetros daqui.

4. Ele entrou no **elevador**. O elevador desceu até o andar térreo.

5. Os meus amigos comem em vários **restaurantes**. Os restaurantes aceitam cartões de crédito.

C. ***com o/a qual; com os/as quais***

Exemplo: Eu estou escrevendo com uma **caneta**. É uma caneta importada.
A caneta com a qual estou escrevendo é importada.

1. Ontem eu saí com alguns **amigos**. Eles trabalharam comigo há dois anos.

2. O meu pai está conversando com duas **mulheres**. São as secretárias dele.

3. Pretendo marcar uma consulta com a minha **dentista**. Ela tem um consultório perto do meu escritório.

4. Eu viajei com duas **malas**. Elas pesavam quinze quilos.

5. Na excursão, vou fazer um tour com um **colega**. Ele é de Portugal.

O QUE SE DIZ?

Exercício 151

"Está servido?"	**"O prazer é meu."**
"Quanto está o jogo?"	"Então, o que você achou?"
"Desculpe, não vai dar."	"É da casa do Paulo?

Exemplo: Você conhece a esposa do seu chefe numa festa.

Ela lhe diz: "Muito prazer!"

Você lhe diz: ***"O prazer é meu."***

1. Você telefona para a casa de um amigo seu.

   Alguém atende: "Alô!"

   Você pergunta: _____

2. Você chega em casa e o seu time já está jogando.

   Você pergunta: _____

   Seu filho responde: "Dois a dois."

3. Você pega um cafezinho no escritório durante uma reunião com um cliente.

   Você lhe pergunta: _____

   Ele lhe responde: "Não, obrigado."

4. Você e um amigo assistiram a um filme e estão saindo do cinema.

   Você lhe pergunta: _____

   Ele lhe diz: "Incrível!"

5. Um amigo seu o convida para ir ao cinema.

   Ele lhe diz: "Que tal um cinema hoje à noite?"

   Você responde: _____

UM JANTAR NO RESTAURANTE

Já são sete e meia e o Sr. Antônio ainda está no escritório. Ele saiu de uma reunião que durou mais de três horas e está cansado e com muita fome. Decide ligar para a esposa, D. Ângela, e convidá-la para jantar fora. Ela sempre gostou de comer em restaurantes.

Ângela: Alô!

Antônio: Alô, Ângela? É o Antônio. Que tal um jantar no Bragança esta noite? Faz muito tempo que não vamos lá ...

Ângela: Fantástico!

Antônio: Certo ... Mas eu não posso ir pegá-la em casa: a reunião com os diretores terminou há pouco e tenho que verificar uns papéis.

Ângela: Tudo bem. Às oito e meia, na frente do restaurante.

Antônio: Certo. Tente chegar na hora, por favor.

Uma hora depois, o Sr. Antônio e a D. Ângela já estão no restaurante.

Garçom: O cardápio, senhora.

Ângela: Obrigada ... Então, Antônio? Uma sopa ou uma entrada? Melão com presunto, coquetel de camarão ... Acho que vou provar esta canja.

Antônio: Não, não ... Só uma salada. Você já se esqueceu do meu regime? *(para o garçom)* Uma salada mista para mim e uma canja para ela.

Garçom: E o prato principal? Peixe? Bife?

Ângela: Eu queria um picadinho.

Garçom: Um picadinho para o senhor, também?

Antônio: Não, não posso comer essas coisas. Não quero aumentar o meu peso.

Garçom: O senhor não gostaria de provar a nossa peixada à brasileira?

Antônio: Não, obrigado. O óleo da peixada tem muitas calorias.

Garçom: Então, só a salada?

Antônio: Só.

Garçom: E para beber?

Ângela: Um suco de abacaxi. Com açúcar e gelo.

Antônio: Água mineral, por favor. Se eu tomar um suco, ficarei dez quilos mais gordo ...

Depois do jantar ...

Garçom: Sobremesa?

Ângela: Não, obrigada. Você quer sobremesa, Antônio?

Antônio: Algo bem leve ... Começarei com um sorvete de chocolate. Depois, uma torta de morango ... e doce de abóbora.

Restaurante Bragança

Cardápio

Entradas
- Casquinha de siri
- Melão com presunto
- Coquetel de camarão

Saladas
- Tomate
- Palmito
- Mista

Sopa
- Creme de tomates
- Sopa de legumes
- Canja
- Caldo verde

Massas
- Gnocchi
- Capeletti
- Lasanha

Carnes
- Bife à cavalo
- Churrasco à gaúcha
- Picadinho
- Costeletas de porco

Sobremesas
- Bolo de chocolate
- Torta de morango
- Salada de frutas
- Sorvete
- Doce de abóbora

Peixes
- Peixada à brasileira
- Bacalhau
- Lagostas

Frutas
- Melão
- Mamão
- Abacaxi

Bebidas:
- Água mineral
- Sucos naturais: laranja, abacaxi, maracujá
- Refrigerantes
- Cervejas
- Vinhos

Exercício 152

Responda às perguntas.

1. Que horas eram quando o Sr. Antônio ligou para a esposa?

2. Como ele se sentia?

3. Aonde ele a convidou para ir?

4. O que a D. Ângela achou da idéia de ir ao Bragança?

5. O Sr. Antônio ia pegá-la em casa ou encontrá-la no restaurante?

6. Por que ele não pôde pegá-la em casa?

7. Você acha que a Sra. Ângela geralmente chega na hora? Por quê?

8. O que o Sr. Antônio escolheu como prato principal?

9. Por que ele não quis provar a peixada à brasileira?

10. O que eles beberam?

11. Por que ele não tomou um suco?

12. O regime do Sr. Antônio terminou quando lhe serviram a sobremesa. Por quê?

Exercício 153

Qual é a resposta certa?

Exemplo: O senhor já escolheu o *a* principal?

a. prato b. cardápio c. restaurante

1. Antes do prato principal, podemos comer _____.

   a. doces b. arroz e bife c. uma salada

2. Eu adoro picadinho! É um dos meus pratos _____.

   a. principais b. prediletos c. divertidos

3. Uma pessoa que não quer aumentar o peso não deve comer _____.

   a. salada b. lasanha c. frango

4. Qual é o _____ desse molho? Eu nunca o provei ...

   a. gosto b. cozinheiro c. peso

5. Não vou pedir sobremesa: _____ de regime.

   a. faço b. fico c. estou

6. _____ é um tipo de peixe.

   a. Churrasco b. Truta c. Lagosta

7. Quem colocou pimenta neste prato? Ficou _____ demais!

   a. doce b. salgado c. picante

8. Vou _____ este doce para saber qual é o gosto.

   a. gelar b. esquentar c. provar

CAPÍTULO 22 — RECAPITULAÇÃO

Quais são os cômodos da casa?

sala de estar   cozinha
sala de jantar   banheiro
quarto

O que há na casa?

armário   cortina
cama   carpete
criado-mudo   pia
sofá   banheira
poltrona   box
tapete   eletrodomésticos
mesa de jantar   cadeira de jantar

O que há na cozinha?

faca   geladeira
colher   fogão
garfo   forno de microondas
prato

Já escolheu ...?

a entrada: salada mista
coquetel de camarão
melão com presunto

prato principal: bife
lagosta
truta

a sobremesa: salada de frutas
bolo
torta

Como você prefere o seu bife?

mal passado
ao ponto
bem passado

Qual é o gosto ...?

doce
salgado
picante

O que é a sala de estar?

– É o cômodo *no qual* recebemos os amigos.

E o que é o banheiro?

– É a parte da casa *na qual* tomamos banho.

Uma chave é um objeto *com o qual* abrimos e fechamos portas.

Dinheiro é uma coisa *sem a qual* não compramos nada.

Aquela é a loja *onde* comprei meus eletrodomésticos.

Eu faço regime para ...

ficar mais magro
perder peso

Expressões:

Por aqui, por favor.
Eu queria um bife, por favor.

Capítulo 23

É O MEU TRABALHO!

Motorista: Ah, não! O senhor está me dando uma multa?!

Guarda: Estou, sim. O senhor não viu que é proibido estacionar aqui?

Motorista: Proibido? Mas foi só por dois minutos! Eu tive que entregar uma pizza neste prédio. É o meu trabalho!

Guarda: E eu tenho que multar os carros estacionados em lugares proibidos. Também é o meu trabalho!

Motorista: Se eu tivesse tempo para procurar uma vaga ...

Guarda: Por que não deixou o carro naquele estacionamento da esquina?

Motorista: Se eu sempre deixasse o carro no estacionamento, eu perderia o emprego ...

O PRETÉRITO IMPERFEITO DO SUBJUNTIVO
O FUTURO DO PRETÉRITO

Eu não *tenho* tempo. *Estaciono* o carro na rua.

Se eu **tivesse** tempo, não **estacionaria** o carro na rua.

Você ***poderia*** me dizer que horas são?
O que vocês ***gostariam*** de comer?
Seria possível fazer uma chamada?

	Se eu / você / ele	*Se nós*	*Se vocês / eles*
*mor**ar***	mor**asse**	mor**ássemos**	mor**assem**
*com**er***	com**esse**	com**êssemos**	com**essem**
*assist**ir***	assist**isse**	assist**íssemos**	assist**issem**
estar	estivesse	estivéssemos	estivessem
ser	fosse	fôssemos	fossem
ter	tivesse	tivéssemos	tivessem

	eu / você / ele	*nós*	*vocês / eles*
*viaj**ar***	viaj**aria**	viaj**aríamos**	viaj**ariam**
*conhec**er***	conhec**eria**	conhec**eríamos**	conh**eceriam**
*sa**ir***	sa**iria**	sa**iríamos**	sa**iriam**
fazer	faria	faríamos	fariam

Exercício 154

Exemplo: Eu gostaria de trabalhar na Alemanha.
Mas não falo alemão.
Se ***eu falasse alemão, trabalharia na Alemanha***.

1. Eu gostaria de viajar por toda a Europa.
   Mas não tenho tempo.
   Se _____.

2. A Iara gostaria de lidar com os clientes da empresa.
   Mas ela não é a diretora.
   Se _____

3. Eu gostaria de construir uma casa nova.
   Mas eu não sou engenheiro.
   Se _____.

4. O Sr. Siqueira gostaria de contratá-lo para a nossa empresa.
   Mas você não é engenheiro.
   Se _____.

5. Eu gostaria de comprar este relógio para a minha esposa.
   Mas ela já tem dois.
   Se _____.

6. A Ana gostaria de almoçar com a Carla amanhã.
   Mas ela terá uma reunião com o chefe.
   Se _____.

7. Eu gostaria de lhe apresentar a minha namorada.
   Mas ela está viajando.
   Se _____.

8. Eu gostaria de ficar mais um pouco.
   Mas já é tarde.
   Se _____.

Eu não tenho um dicionário. *(Eu não sei quando vou comprar um dicionário.)*

Se eu tivesse um dicionário, não lhe **perguntaria** o significado das palavras.

Eu não tenho um dicionário. *(Mas vou comprar um dicionário na semana que vem.)*

Quando eu tiver um dicionário, não lhe **perguntarei** o significado das palavras.

Exercício 155

Exemplo: Ele não **tem** dinheiro. Ele quer **passar** as férias no Caribe.
Se ***ele tivesse dinheiro, passaria as férias no Caribe***.
Quando ***ele tiver dinheiro, passará as férias no Caribe***.

1. Nós não **temos** um rádio aqui. Nós queremos **ouvir** música.

   Se _____.

   Quando _____.

2. Eles raramente **jantam** fora. Nunca os **encontramos** nos restaurantes.

   Se _____.

   Quando _____.

3. Você não **lê** os jornais. Você não **sabe** o que acontece no mundo.

   Se _____.

   Quando _____.

4. Nós não **exportamos** frutas. Nossos negócios não **são** muito lucrativos.

   Se _____.

   Quando _____.

Exercício 156

Exemplo: – Vocês já estão **produzindo** as novas copiadoras?
– Já. É um dos nossos melhores *produtos*.

1. – Os senhores **aceitam** este cartão de crédito?
   – Sim, senhor. Todos os cartões são _____ aqui.

2. – Algo a **declarar**?
   – Sim. Mas ainda não preenchi a minha _____.

3. – Quantas pessoas vão ser **treinadas** em janeiro?
   – Haverá _____ para todos os funcionários em janeiro.

4. – Como andam os seus **lucros** com o novo produto?
   – Não muito bem. Não é o nosso negócio mais _____.

5. – Eu li que Fátima Santos foi a executiva mais bem-**sucedida** do ano.
   – Eu sei. Ela teve muito _____ nos negócios.

6. – Você já sabe quem vai receber a **promoção**?
   – Ninguém será _____ até dezembro.

7. – Não tenho me sentido bem nestes **últimos** dias.
   – Eu também não. Tenho tido muita dor de cabeça _____.

8. – A revista *Empresas* acha que este será o **pior** ano na economia do País.
   – Não acredito. A situação não pode _____!

9. – Vamos precisar **emprestar** dinheiro do banco para este novo negócio.
   – Certo, mas não podemos pedir um _____ muito alto.

10. – Você pretende **alugar** um carro quando chegar a Madri?
    – Não sei. Não gosto de carros de _____.

CIDADE MARAVILHOSA

Você já sabe que o Rio é uma das maiores cidades do Brasil e que as cidades grandes sempre são interessantes.

Mas há algo muito ruim no Rio: o trânsito. Na hora do rush, o número de carros nas ruas é quase igual ao número de pedestres nas calçadas. Fica muito difícil dirigir e pegar algumas avenidas, porque há congestionamentos em quase todas as ruas da cidade. Ônibus, carros, pedestres, semáforos, barulho — uma fotografia da cidade do Rio na hora do rush. As pessoas passam horas num congestionamento ... E o que fazem?

A resposta não é difícil: não fazem nada! Se uma pessoa que estiver num congestionamento ficar com raiva e tentar sair dele, não conseguirá muita coisa. Só uma grande dor de cabeça. Então, muitas pessoas fecham as janelas do carro e escutam música, lêem algo ou conversam com outros motoristas.

Nessas horas, estacionar é algo quase impossível. Não há vagas nem nas ruas, nem nos estacionamentos, e os motoristas que deixam o carro na calçada ou em lugares proibidos podem levar uma multa muito alta.

Trânsito, congestionamento, problemas ... mas as pessoas adoram viver em cidades grandes, principalmente no Rio. O Rio é conhecido como a "cidade maravilhosa".

AONDE ELE DEVE IR?

Exercício 157

O meu amigo está com muitos problemas. Quem ele deve procurar? Aonde ele deve ir?

Exemplo: Ele sente dor de cabeça todos os dias. ***médico***

1. Ele precisa de uma cópia da chave de casa. _____

2. Ele tem que trocar o óleo do carro. _____

3. O chefe dele vai viajar e pediu-lhe para que alugasse um carro. _____

4. O relógio dele não funcionava. _____

5. Ele está com problemas com um cliente que não quer pagar-lhe um serviço. _____

6. Ele está com dor de dente. _____

7. Ele precisa comprar um sofá novo. _____

8. O carro dele não pega. _____

9. O sapato dele está rasgado. _____

10. Ele precisa comprar um forno de microondas. _____

relojoeiro
oficina
médico
advogado
sapateiro
dentista
loja de eletrodomésticos
locadora
posto de gasolina
loja de móveis
chaveiro

Exercício 158

> Se eu **morasse** em Paris, **visitaria** muitos museus.
> Se eles não **dirigissem** bem, eu não **sairia** com eles.
> Se eu **fosse** o presidente, **faria** muitas coisas pelo país.

Exemplo: Você fala inglês? *(eu / viajar para a Inglaterra)*
Não. Se eu falasse inglês, viajaria para a Inglaterra.

1. Vocês se sentem mal no avião? *(nós / nunca viajar)*
   (Não. Se nós ...)

2. Ele sempre confirma as reservas? *(ele / não ter problemas)*

3. Você telefona para outras cidades todos os dias? *(eu / gastar muito)*

4. Eles praticam algum esporte? *(eles / ter boa saúde)*

5. Ana está em casa? *(ela / atender o telefone)*

6. A sua empresa também produz eletrodomésticos? *(a minha empresa / ter mais lucros)*

7. O seu carro quebra na estrada freqüentemente? *(o meu carro / comprar outro carro)*

8. Você tem um restaurante? *(eu / comer sempre lá)*

9. Você sai todas as noites? *(eu / ficar muito cansado)*

10. Você sempre se esquece dos seus compromissos? *(eu / perder meus clientes)*

O SUBJUNTIVO

Exercício 159

presente:	Ele quer **que eu vá** ao banco.
pretérito imperfeito:	**Se eu fosse** ao banco, pegaria dinheiro.
futuro:	**Quando eu for** ao banco, falarei com o gerente.

Complete as frases com o subjuntivo.

Exemplo: (*falar*)
É importante que todos ***falem*** inglês nesta empresa.
Quando você ***falar*** com o seu irmão, dê-lhe o meu recado.
Se ele ***falasse*** outra língua, teria um cargo melhor.

1. (*chegar*)
Quando nós _____ ao aeroporto, despacharemos a bagagem.
O meu chefe quer que eu _____ às oito horas.

2. (*ser*)
É importante que as pessoas que dirigem ônibus _____ bons motoristas.
Quando você _____ gerente, terá um salário bem melhor.

3. (*vir*)
Se ele _____ aqui na loja de manhã, eu mesmo o atenderia.
Na próxima vez em que você _____ à minha casa, eu lhe mostrarei as fotos da viagem.
Eu prefiro que você _____ depois das cinco.

4. (*conhecer*)
Venha almoçar comigo amanhã. Quero que você _____ a minha casa.
Quando você _____ o Brasil, voltará várias vezes.
Se eu _____ o seu amigo, iria à festa dele.

5. (*sentir*)
Aonde nós temos que levá-lo se ele se _____ mal?
É importante que uma pessoa se _____ bem no trabalho.
Se ela se _____ mal, eu não saberia o que fazer.

Exercício 160

Escolha a forma correta.

Exemplo: Vou mudar de carro. Este nunca ***a*** bem.

a. funciona b. funcionava c. funcione

1. O seu carro já _____ na estrada?
   a. quebrado b. quebrará c. quebrou

2. Você está _____ algum guarda?
   a. vindo b. vendo c. vendendo

3. Se eu tivesse um avião, _____ ao Rio de Janeiro.
   a. irá b. iria c. irei

4. Eu jamais _____ nesta cidade!
   a. morava b. moro c. moraria

5. Quando _____ em casa, me ligue.
   a. está b. estivesse c. estiver

6. O que nós _____ se precisássemos de mais gasolina?
   a. fazemos b. fizemos c. faríamos

7. O chefe quer que você _____ o novo gerente.
   a. seja b. fosse c. será

8. Você poderia me trazer mais papel? _____ precisar escrever bastante.
   a. Vou b. Fui c. Vá

CAPÍTULO 23 – RECAPITULAÇÃO

Na rua:
trânsito congestionado
pedestres na calçada
motoristas
faixa de pedestres
polícia

Por que você levou essa multa?
– Porque estacionei em lugar proibido.
passei o farol / sinal vermelho
ultrapassei o limite de velocidade

A que velocidade você dirige na estrada?
– a 80 km/h

Para consertar o carro, eu o levo a uma oficina.

– relógio	– relojoeiro
– chave	– chaveiro
– sapato	– sapateiro

O carro dele é movido a ...
álcool
gasolina
eletricidade

O que você faz num posto de gasolina?
– Verifico o óleo.
a água
o motor
Encho o tanque.

Você viu algum posto nesta rua?
– *Não* vi posto *algum* nesta rua.

O que você faria se tivesse um milhão de reais?
– Eu *viajaria* pelo mundo.
você / ele *viajaria*
nós *viajaríamos*
vocês / eles *viajariam*

O que eu / ele faria?
nós *faríamos*
vocês / eles *fariam*

Se eu falasse alemão, iria para a Alemanha.
Se você / ele *falasse*
nós *falássemos*
vocês / eles *falassem*

Irregulares: se eu ...
fosse / fôssemos / fossem *(ser)*
tivesse / tivéssemos / tivessem *(ter)*
estivesse / estivéssemos / estivessem *(estar)*

Expressões:
Pode completar!
Sem problemas!
Você pode dar um jeito?

Capítulo 24

TUDO ERA PEQUENO DEMAIS!

Vera: O que aconteceu, Maria?

Maria: Dinheiro, dinheiro! Sempre fico com raiva quando tenho problemas com dinheiro.

Vera: Mas qual é o problema? Você perdeu dinheiro?

Maria: Mais ou menos. Você se lembra quando lhe falei sobre o microondas que estava à venda naquela loja, a Casa e Cozinha?

Vera: Lembro ... Você o comprou?

Maria: Não. Quando cheguei à loja, o preço já era outro. Você sabe ... com essa inflação, os preços têm aumentado muito.

Vera: Por que você não o comprou a prazo?

Maria: Não gosto de pagar prestações que não terminam mais.

Vera: Você já ouviu falar da liquidação de eletrodomésticos da Eletromax?

Maria: Já. Mas o forno ainda é mais caro lá. E eles não dão nenhum descontinho ... Então, resolvi esquecer o forno e gastar tudo em roupas — o inverno está chegando e não tenho muitas roupas quentes. Saí da loja e fui à Bom Tom.

Vera: O que você comprou?

Maria: Nada! Vi um casaco maravilhoso, feito de um tecido que não conheço, de ótima qualidade. Mas não tinha o meu número. Eu também provei várias blusas e milhões de outros casacos. Toda vez que eu achava alguma coisa interessante, a vendedora não achava o meu número.

Vera: Mas não havia nada para você lá?

Maria: Nada me caía bem! Tudo era pequeno demais! Não sei por que só se produzem coisas pequenas ultimamente.

Vera: Quando você puder ... gaste esse dinheiro em aulas de ginástica ... para que as roupas do inverno que vem não lhe tragam ... "problemas" ... Entende?

O FUTURO DO SUBJUNTIVO
(verbos irregulares)

"Quando você **puder**, gaste esse dinheiro em aulas de ginástica!"

	Quando ... *eu / você / ele*	*nós*	*vocês / eles*
poder	puder	pudermos	puderem
querer	quiser	quisermos	quiserem
trazer	trouxer	trouxermos	trouxerem
ver	vir	virmos	virem

Cuidado!

Não há muitos carros na rua agora.
Quando **houver** muitos carros, o trânsito ficará congestionado.

Exercício 161

Exemplo: Quando eu **puder** ir à sua casa, nós conversaremos. *(poder)*

1. Quando a secretária me _____ a correspondência, eu lerei todas as cartas. *(trazer)*

2. Você pode vir à minha sala quando _____. *(querer)*

3. Se vocês _____ voltar aqui amanhã, o Sr. Borges os atenderá. *(poder)*

4. Quando você _____ a Marina, peça para que ela me procure. *(ver)*

5. Se os meus pais me _____ doces de Minas Gerais, eu lhe darei um pouco. *(trazer)*

Exercício 162

A. *Exemplo:* Agora são oito horas e eu estou jantando.
Ontem, às oito horas, ***eu estava jantando***.
Amanhã, às oito horas, ***eu estarei jantando***.

1. As crianças estão brincando.

   Ontem à tarde, as crianças _____.

   Amanhã de manhã, _____.

2. Se você me ligar à tarde, estarei assistindo a uma reunião.

   Quando você me ligou _____.

   Agora não posso sair porque _____.

3. No momento, as secretárias estão digitando cartas.

   De manhã elas _____.

   Às cinco horas elas não _____.

B. *Exemplo:* Não atendo ninguém quando estou assistindo a uma reunião.
Eu não o atenderia se ***estivesse assistindo a uma reunião***.
Eu não o atenderei quando ***estiver assistindo a uma reunião***.

1. Os torcedores fazem muito barulho quando estão festejando um gol.

   Eles fariam muito barulho se _____.

   Eles farão muito barulho quando _____.

2. Eu costumo ouvir música quando estou dirigindo.

   Eu ouvirei música _____.

   Eu ouviria o rádio _____.

3. É proibido fumar quando o avião está aterrissando.

   Ninguém fumará _____.

   As pessoas não fumariam _____.

O VERBO IMPESSOAL *HAVER*

Exercício 163

Complete com ***há, houver, havia, haja, houvesse, haverá.***

Exemplo: É importante que __*haja*__ polícia nas estradas.

1. Não _____ mais ninguém aqui quando você chegar.

2. Quantos funcionários _____ na sua empresa atualmente?

3. Não _____ mais de vinte pessoas na festa de ontem.

4. Se _____ mais pessoas aqui no clube, poderíamos formar outro time.

5. Quando _____ uma estação de metrô perto da minha casa, não virei mais de carro.

6. _____ uma pessoa na saída que pode dar-lhe informações.

7. Quando _____ mais pessoas talvez a festa fique melhor.

8. Disseram-me que não _____ nada de interessante no filme, mas eu gostei bastante do que vi.

9. Se não _____ faixas de pedestres as ruas seriam muito perigosas.

10. A senhora sabe quando _____ mais vagas para o cargo?

Exercício 164

Exemplo: Esta senhora já está esperando _*b*_ duas horas.
a. às **b. há** c. a

1. O diretor vai poder atendê-lo daqui _____ dez minutos.
   a. à b. há c. a

2. Este mês o índice de inflação será _____ 8% a 10%.
   a. do b. até c. de

3. O Sr. Garcia estará nos treinando _____ maio.
   a. desde b. até c. por

4. No sábado _____ ficamos jogando cartas até as duas horas da manhã.
   a. que vem b. próximo c. passado

5. Descontaram-se mais de cem cheques antes _____ ontem.
   a. em b. de c. no

6. Jogamos xadrez _____ cada duas semanas.
   a. a b. para c. por

7. Talvez o Humberto nos traga o vídeo _____ dois dias.
   a. em b. nos c. até

8. _____ havia ótimos shows na cidade.
   a. Ultimamente b. Antigamente c. De repente

9. Você sabe se aqueles móveis _____ estão à venda?
   a. desde que b. quase c. ainda

10. O senhor pretende investir em ações _____?
    a. nunca b. de novo c. antigamente

O JORNAL DA NOITE

Boa noite, amigos da TV Tocantins! Aqui fala Marcos Meirelles para o Jornal da Noite.

Informamos que o Sr. Armando Silveira Barroso, presidente da CIDAC do Brasil, sofreu um acidente. Ele dirigia pela estrada Mauá-Juréia, quando, de repente, um ônibus que vinha na mesma estrada, em alta velocidade, bateu no carro dele.

Depois do acidente, houve um congestionamento de quase um quilômetro por mais de uma hora na estrada.

Havia mais de trinta passageiros no ônibus, mas nenhum deles morreu. Oito passageiros, sentados nos primeiros lugares do ônibus, machucaram-se gravemente e já foram levados para o hospital. A polícia já se encontra no local, onde cinco guardas tentam controlar o trânsito. O carro do Sr. Armando sofreu muitos estragos e será tirado do lugar daqui a alguns minutos.

Do Hospital Oswaldo Cruz fala Cristina Torres ...

Boa noite! É grande o número de amigos e parentes de Armando Silveira Barroso, que chegou aqui no Hospital Beneficência Lusitana há mais ou menos quinze minutos. Os médicos ainda não informaram se ele se machucou gravemente, mas uma pessoa da família, com a qual conversei há pouco, me disse que ele chegou ao hospital sem grandes problemas.

Armando Silveira Barroso é o presidente da CIDAC, uma das maiores empresas do Brasil — a família Silveira Barroso lida com tecidos há mais de trinta anos.

Melhores informações mais tarde, no jornal das onze e meia. Fique com a gente!

O QUE ELE LHE DISSE?

Exercício 165

Exemplo: "Eu não **irei** ao concerto."
Ele me disse que ***não iria ao concerto***.

1. "Eu lhe **telefonarei** antes de ir embora."
   Você me disse que _____.

2. "A locadora **cobrará** uma taxa extra."
   Eles me disseram _____.

3. "Ninguém **sairá** antes das seis."
   O diretor _____.

4. "Eu o **convidarei** para a minha festa de aniversário."
   O meu amigo _____.

O QUE ELE LHE PERGUNTOU?

Exercício 166

Exemplo: "Onde fica o aeroporto da cidade?"
Ele me perguntou onde ficava o aeroporto da cidade.

1. "Alguém **fala** italiano na sua empresa?"

2. "De que tipo de música você **gosta**?"

3. "De que **é** feito o seu casaco?"

4. "De onde **vem** a sua família?"

PALAVRAS CRUZADAS

Exercício 167

→ HORIZONTAIS →

5. Talvez eu compre os remédios que o médico me _____ hoje à tarde. *(receitar)*
7. As crianças nunca querem _____ dormir antes da novela terminar. *(ir)*
8. Quando eles moravam nos Estados Unidos, _____ a revista *Time* todas as semanas. *(ler)*
9. Você já viu o presente que o meu pai me _____ de Manaus? *(trazer)*
10. Não consigo me lembrar onde _____ o livro que a minha amiga me emprestou! *(pôr)*
12. O avião _____ no aeroporto do Galeão em menos de dez minutos. *(aterrissar)*
15. Os meus vizinhos estão no hospital porque _____ um acidente na estrada. *(sofrer)*

↓ VERTICAIS ↓

1. Eu me _____ mal no restaurante e tive que sair. *(sentir)*
2. Se você _____ de carro, pode deixá-lo na minha garagem — o meu carro está na oficina. *(vir)*
3. As pessoas _____ os atores de pé, durante mais de cinco minutos. Foi uma das melhores óperas que já vi. *(aplaudir)*
4. Se eu o _____ de manhã, poderia passar o seu recado. *(ver)*
6. Onde está escrito o nome de quem _____ o computador amanhã? *(usar)*
7. No ano passado, o Japão _____ carne da Argentina. *(importar)*
8. Para quem você está _____? *(ligar)*
11. Ainda não _____ quanto foi o jogo de ontem. *(ser)*
13. Você já sabe quem _____ o nosso novo vizinho? *(ser)*
14. Eu _____ supervisionar o trabalho. *(vir)*

PRONOMES RELATIVOS COMPOSTOS

Exercício 168

Complete as frases.

Exemplo: As pessoas ***para quem*** damos presentes são geralmente amigos nossos.

com o qual
na qual
para quem
nas quais
que
de onde
a quem
com quem
no qual

1. A sala _____ ele trabalhava tinha móveis muito bonitos.

2. O cinema _____ assistimos a *Casablanca* é o maior da cidade.

3. A cidade _____ meus pais vêm tem melhorado muito ultimamente.

4. O motorista _____ nos levou ao aeroporto não era cuidadoso ao dirigir.

5. Todas as pessoas _____ viajei para a Flórida já trabalharam comigo.

6. Todas as lojas _____ este produto está à venda são da rede Guararapes.

7. O computador _____ você lida é muito complexo.

8. Não consigo me lembrar das pessoas _____ você me apresentou na festa.

CAPÍTULO 24 — RECAPITULAÇÃO

O que você faz para se divertir?
– Jogo cartas / xadrez.
Pratico natação.
Vou a shows / concertos.
Escuto música popular / clássica.

Antigamente havia muitos concertos.
Agora há poucos.

Qual é o investimento mais rentável?
– As ações são um investimento seguro.

O governo pretende ...
controlar os preços
baixar o índice da inflação
tomar medidas
resolver problemas

Numa loja em liquidação:
– a loja dá descontos
– há produtos mais baratos à venda
– os clientes pechincham
ficam em fila

Do que é feito este produto?
– É feito de metal.
plástico
vidro
madeira
tecido

Quando você vai comprar outro carro?
– Quando eu puder.
você / ele puder
nós pudermos
vocês / eles puderem

Irregulares:
quiser / quisermos / quiserem *(querer)*
souber / soubermos / souberem *(saber)*
trouxer / trouxermos / trouxerem *(trazer)*
vir / virmos / virem *(ver)*

Quando *houver* uma festa em casa, eu o convidarei.

Se eu *pudesse* dar uma festa, eu o convidaria.
você / ele *pudesse*
nós *pudéssemos*
eles *pudessem*

Irregulares: quisesse / *etc.*
viesse / *etc.*
visse / *etc.*
fosse / *etc. (ir / ser)*

Posso lhe telefonar amanhã?
– *Talvez* eu não esteja em casa.
Eu *prefiro que* você me *telefone* hoje à noite.

O que você estava fazendo às 8 da manhã?
– Eu *estava tomando* o café da manhã.

Quem é o Sr. Monteiro?
– É a pessoa *com a qual* trabalho.
É o diretor *com o qual* trabalho.
É um executivo *para quem* mando relatórios.

Como foi o acidente?
– O carro bateu numa árvore.
Ninguém se machucou gravemente.
Houve poucos estragos.
O motorista não foi cuidadoso.

"Eu não irei ao concerto."
– Ele me disse que não iria ao concerto.
"Onde fica o aeroporto?"
– Ele me perguntou onde ficava o aeroporto.

Respostas dos exercícios

Exercício 1 1. um 2. um 3. uma 4. um 5. uma 6. uma 7. uma 8. um 9. um 10. uma 11. uma 12. um 13. um 14. um 15. uma 16. uma 17. um 18. um

Exercício 2 1. Não, não é um gravador. 2. É um telefone. 3. É uma mesa. 4. Não, não é uma mesa. 5. É uma calculadora.

Exercício 3 1. Isto é uma mesa. A mesa é branca. 2. Isto é um telefone. O telefone é vermelho. 3. Isto é um lápis. O lápis é marrom. 4. Isto é um avião. O avião é branco. 5. Isto é uma porta. A porta é azul.

Exercício 4 1. É um livro. 2. O livro é marrom. 3. Não, não é um livro. 4. É um lápis. 5. Sim, o lápis é cinza. 6. É uma revista. 7. A revista é marrom. 8. É um jornal. 9. Não, não é amarelo. 10. É branco e preto.

Exercício 5 1. Este avião é branco. O avião branco é grande. 2. Este rio é brasileiro. O rio brasileiro é comprido. 3. Esta calculadora é americana. A calculadora americana é pequena. 4. Este mapa é grande. O mapa grande é branco e preto. 5. Esta cidade é pequena. A cidade pequena é francesa.

Exercício 6 1. O pássaro azul é grande. 2. O mapa português é pequeno. 3. A gata grande é cinza e branca. 4. O avião pequeno é brasileiro. 5. A cidade brasileira é muito grande.

Exercício 7 1. Paris fica na França. 2. Tóquio fica no Japão. 3. Montreal fica no Canadá. 4. A Alemanha fica na Europa. 5. O rio Amazonas fica no Brasil.

Exercício 8 1. O Rio de Janeiro é uma cidade grande e fica no Brasil. 2. A Rua Augusta é uma rua comprida e fica em São Paulo. 3. Lisboa é uma cidade pequena e fica em Portugal. 4. Wall Street é uma rua curta e fica em Nova Iorque. 5. Buenos Aires é uma cidade grande e fica na Argentina.

Exercício 9 1. treze 2. dois 3. cinco 4. quinze 5. zero 6. oito 7. catorze / quatorze 8. dezoito 9. quatro 10. dezessete

Exercício 10 1. É uma cidade alemã. 2. É um jornal inglês. 3. É um carro japonês. 4. É uma revista americana. 5. É um carro inglês. 6.

É uma cidade italiana. 7. É um livro espanhol. 8. É uma cidade portuguesa. 9. É uma revista francesa. 10. É uma cidade brasileira.

Exercício 11	1. Onde fica o Rio? 2. Quem é este? 3. De onde é a Kioko? 4. De que nacionalidade é o Sr. Santos? 5. Que cor é a bicicleta? 6. Como é o rio Amazonas? 7. De onde é a Vera? 8. Onde fica o Big Ben? 9. Quanto é sessenta mais quarenta? 10. Onde está a Iara? 11. Quem é o seu professor? 12. Como é a Rua Augusta?
Exercício 12	1. Ele é italiano. 2. Ela é brasileira. 3. Ele é português. 4. Ela é japonesa. 5. Ele é americano. 6. Ela é alemã. 7. Ele é espanhol. 8. Ele é alemão.
Exercício 13	é; é; está; está; está; é; é; é; fica
Exercício 14	1. dela 2. desta 3. deste 4. dele 5. deste
Exercício 15	1. Qual é o seu sobrenome? 2. Onde está a minha revista? 3. Que cor é a sua bicicleta? 4. Quem é o pai dele?
Exercício 16	1. está 2. sou 3. está 4. é 5. estou 6. está
Exercício 17	1. f 2. a 3. i 4. h 5. c 6. d 7. g 8. e
Exercício 18	1. É uma hora. 2. São duas e dez. 3. São quatro e quinze. 4. São cinco e meia. 5. São vinte e cinco para as seis. (*ou:* São cinco e trinta e cinco.)
Exercício 19	1. Você vem para a escola às sete e meia. 2. Ela vai para o trabalho às oito e quarenta e cinco. 3. Fecha às onze e meia. 4. Abre às dez horas. 5. Ele sai de casa às nove e vinte.
Exercício 20	1. põe; ponha 2. vou; vai 3. Abra; abre 4. venho; vem 5. lê; Leia
Exercício 21	1. daquele; naquele 2. deste; neste 3. desta; nesta 4. naquela; daquela
Exercício 22	1. a 2. c 3. a 4. c 5. a 6. c 7. a 8. b

Exercício 23 1. embaixo 2. sem 3. professor 4. aquele 5. aberto 6. levante-se 7. comprido 8. menos 9. lá 10. naquela 11. saio 12. direita

Exercício 24 1. oitocentos e noventa e oito 2. novecentos e oitenta e nove 3. seiscentos e setenta e sete 4. duzentos e sessenta e três 5. quatrocentos e dezoito 6. trezentos e cinqüenta e cinco 7. cento e quarenta e um 8. quinhentos e dois

Exercício 25 1. Não, ele não mora em Porto Alegre. 2. Ele mora no Rio de Janeiro. 3. Ele mora com a irmã dele, a Inês. 4. O apartamento dele é pequeno. 5. O apartamento dele fica no sexto andar. 6. Não, ele não mora na Tijuca. 7. Ele trabalha na Tijuca. 8. Não, ele não trabalha num banco. 9. Ele trabalha numa empresa brasileira. 10. Ele escreve um cartão postal para a Rita. 11. A Rita é amiga dele. 12. O endereço dela é Rua das Acácias, 32.

Exercício 26 Horizontais: 1. família 5. lê 7. gato 9. meu 10. rua 11. rio 13. não 14. as 15. e 16. tem 19. chá 21. comer 22. as

Verticais: 1. figura 2. metrô 3. lá 4. Alemanha 6. eu 8. ou 12. isto 17. em 18. me 20. às

Exercício 27 1. (Ela) está sentada no carro. 2. (Ele) está na frente do carro. 3. (Ele) está atrás do carro. 4. (Ela) está em cima do carro. 5. (Ela) está ao lado do carro.

Exercício 28 1. Eu vejo uma mesa na figura. 2. Sim, eu também vejo uma caneta. 3. A mesa está atrás do professor. 4. Não, ele não está sentado à mesa. 5. Ele está em pé na frente da mesa. 6. O Sr. Porter está sentado. 7. Não, ele não está sentado atrás do professor. 8. O livro está em cima da mesa. 9. O lápis está embaixo da mesa. 10. O relógio está ao lado do mapa. 11. Não, eu não trabalho na Escola Berlitz. 12. Eu aprendo português.

Exercício 29 1. O João fecha o jornal. 2. O João pega o jornal. 3. Por favor, pegue o jornal! 4. Eu pego o jornal. 5. Eu pego uma carta. 6. Eu leio uma carta. 7. Minha esposa lê uma carta. 8. A minha esposa escreve uma carta. 9. A minha esposa escreve uma carta com a caneta. 10. A minha esposa usa a caneta. 11. A minha esposa usa a caneta para escrever. 12. Ele também usa a caneta para escrever.

Exercício 30 1. não fala chinês em casa; não fala chinês em casa; fala chinês em casa 2. pego um ônibus; pega um ônibus; pega um ônibus 3. abra a porta; abro a porta; abrir a porta 4. venho para cá; venha para cá; vem para cá 5. assiste a este filme; assiste a este filme; assista a este filme 6. vá ao banco; vou ao banco; vai ao banco 7. faço o meu exercício; faz o exercício dela; faça o seu exercício

Exercício 31 1. Eu pego a chave para abrir a porta. 2. A Iara vai ao cinema para assistir a um filme alemão. 3. O Sérgio compra o jornal para ler. 4. Eu uso um gravador para escutar uma fita de português. 5. O Sr. Monteiro vai ao aeroporto para pegar um avião. 6. Você espera na estação para pegar o trem. 7. Eu vou à banca de jornal para comprar o *Jornal do Brasil.* 8. O Sr. Rossi vai a um restaurante brasileiro para comer uma feijoada.

Exercício 32 1. Estes aeroportos são pequenos. 2. As secretárias estão no primeiro andar. 3. Aqueles homens são solteiros. 4. Os isqueiros japoneses estão aqui. 5. São cidades portuguesas. 6. Os meus maços de cigarros estão em cima das mesas. 7. Há casas muito grandes naquelas ruas. 8. Eu tenho dinheiro nas minhas mãos.

Exercício 33 1. Estes papéis são azuis. 2. Há jornais japoneses nestas bancas. 3. Os ônibus vermelhos são grandes. 4. Estes álbuns são espanhóis. 5. Aqueles lápis são marrons.

Exercício 34 1. Sim, há fósforos em cima da cadeira. 2. Sim, todos os fósforos estão dentro da caixa. 3. Há três lápis em cima da mesa. 4. Um lápis é comprido. 5. Eu vejo caixas grandes em cima da mesa. 6. Não, não há nada embaixo delas.

Exercício 35 1. Quantas secretárias há na sala? 2. Quantas pessoas estão em pé? 3. Quem está no primeiro andar? 4. Quantos bombons há nesta caixa? 5. Aonde o André vai?

Exercício 36 1. Custa noventa reais. 2. É quarenta reais. 3. O relógio custa mais do que o terno. 4. Não, não custa menos do que a camisa. 5. Custam quarenta e quatro reais. 6. Nada é mais caro do que o relógio.

Exercício 37 pomos, pôr / estou, estamos, estar / tenho, tem, ter / conto, conta, contamos / compro, compra, comprar / vendo, vendemos, vender / vou, vai, vamos / é, somos, ser / venho, vimos, vir / vejo, vê, vemos / usa, usamos, usar / gosto, gosta, gostar / saio, saímos, sair / leio, lê, ler / assisto, assiste, assistimos

Exercício 38 1. na frente 2. da 3. cara 4. compra 5. solteiro 6. barata 7. vai 8. poucos 9. esquerda 10. menos do que 11. peça 12. Em casa

Exercício 39 1. trabalham; trabalha 2. moram; mora 3. estudo; estudamos 4. vão; vamos 5. falo; falamos 6. ponho; põem

Exercício 40 1. Nós o lemos no restaurante. 2. Ele a fecha quando sai do carro. 3. Nós os pomos naquela gaveta. 4. Ela os pega à tarde. 5. Ele os tira da pasta. 6. Ela as compra com uma amiga. 7. Nós as escutamos no carro. 8. Elas as usam para pôr bombons.

Exercício 41 1. Eles pegam as revistas deles. 2. Eles fecham as revistas deles. 3. Eles fecham os livros deles. 4. Eles fecham o jornal deles. 5. Você fecha o seu jornal. 6. Você lê o seu jornal. 7. Nós lemos o nosso jornal. 8. Nós pomos o nosso jornal na mesa. 9. Nós pomos as nossas xícaras na mesa. 10. Você põe a sua xícara na mesa.

Exercício 42 1. Não, algumas (pessoas) são alunos e outras (pessoas) são professores. 2. Há duas professoras de português na escola. 3. Não, elas não são de nenhum país da Europa. 4. Ambas são do Brasil. 5. Nenhuma (delas) mora no Brasil. 6. Você tem aulas de português com ambas. 7. Ele não é nem paulista, nem carioca. 8. Ele é de Minas Gerais. 9. Sim, eles falam outros idiomas. 10. Nenhum deles fala inglês na sala de aula. 11. Todos falam português na sala de aula. 12. Nós também falamos português na sala de aula.

Exercício 43 1. Eu tenho mais dinheiro no banco do que na carteira. Eu tenho menos dinheiro na carteira do que no banco. 2. O Sr.

Ferraz tem mais filhos do que o Sr. Monteiro. O Sr. Monteiro tem menos filhos do que o Sr. Ferraz. 3. Eu conheço menos espanhóis do que brasileiros. Eu conheço mais brasileiros do que espanhóis. 4. Esta loja vende menos tipos de vinho do que aquela. Aquela loja vende mais tipos de vinho do que esta. 5. No Brasil, as pessoas compram mais café do que chá. No Brasil, as pessoas compram menos chá do que café. 6. Há menos carros japoneses no Peru do que no Brasil. Há mais carros japoneses no Brasil do que no Peru.

Exercício 44

1. Um Seiko é mais barato do que um Rolex. 2. O carro do meu vizinho é mais feio do que o meu. 3. Italiano é muito mais fácil do que chinês. 4. Um carro é mais lento do que um trem, 5. O rio Tejo é mais curto do que o rio Amazonas. 6. São Paulo é mais longe de Nova Iorque do que de Caracas. 7. Os seus cigarros custam mais caro do que estes. 8. O TGV francês é mais rápido do que os trens brasileiros.

Exercício 45

1. Você toma o café da manhã às sete e quinze. 2. Você sai de casa para ir ao escritório. 3. Você vai ao trabalho de metrô. 4. Você nunca espera o metrô durante dez minutos. 5. Você geralmente lê o jornal. 6. Não, às vezes você vai com o seu vizinho. 7. Você almoça ao meio-dia e meia. 8. Não, você não almoça em casa. 9. Você almoça num restaurante perto do prédio da empresa. 10. Você vai ao restaurante com seus amigos. 11. Você tomam um cafezinho juntos. 12. Você trabalha quase até as sete horas. 13. Você janta com a sua família. 14. Você geralmente assiste ao noticiário na televisão ou lê uma revista.

Exercício 46

1. gostam de escutar 2. gosta de assistir 3. gostam de fazer 4. gostamos de sair 5. gosta de ler 6. gostam de almoçar 7. gosta de morar 8. gosto de estudar 9. gostamos de tomar 10. não gosto de ir

Exercício 47

1. b 2. b 3. c 4. b 5. a 6. b 7. c 8. b 9. c 10. c

Exercício 48

1. durante 2. amanhã 3. sozinho 4. às vezes 5. semana 6. quase 7. Entre 8. antes 9. depois 10. nunca

Exercício 49

1. Ela é uma secretária. 2. Não, ela mora sozinha. 3. Ela mora num apartamento na Rua Pinheiros. 4. Ela se levanta às

sete horas da manhã. 5. Não, ela não come sanduíches no café da manhã. 6. Ela só come frutas. 7. Ela compra um jornal. 8. Ela pega o ônibus que vai até a Avenida Paulista. 9. Não, muitas vezes ela vai em pé. 10. Ela costuma almoçar com as outras secretárias. 11. Fica no andar térreo. 12. Ela volta de ônibus. 13. Ela sai com os amigos. 14. Ela prefere assistir à televisão. 15. Ela costuma ir dormir antes da meia-noite.

Exercício 50

1. Ele se veste antes de se pentear. 2. Ele lê o jornal depois de tomar o café da manhã. 3. Ele toma um banho antes de sair de casa. 4. Ele escova os dentes depois de tomar o café da manhã. 5. Ele se veste depois de tomar um banho.

Exercício 51

me levanto; me levantar; escovo; tomar; me barbeio; me penteio; me visto; vou

Exercício 52

1. laranja 2. pão 3. peixe 4. frango 5. maçã 6. queijo

Exercício 53

1. Traga-me o cartão postal, por favor! 2. O vendedor lhe diz o endereço da outra loja. 3. Que palavras o professor lhe ensinou? 4. Você nunca me mostra a lição de casa. 5. Eu lhe dou o meu número de telefone. 6. Este senhor me vende uma camisa. 7. O garçom me traz a conta. 8. O que o Sr. Garcia lhe pergunta? 9. Quando a Sra. Ferraz vai para Gramado, ela me compra chocolates. 10. Todas as semanas eu lhe escrevo uma carta.

Exercício 54

1. É importante trazer o seu livro para a escola. 2. É importante dizer obrigado quando lhe dão alguma coisa. 3. É importante nunca chegar tarde ao teatro. 4. É importante sempre ter dinheiro na carteira. 5. É importante nunca falar outro idioma na aula de português. 6. É importante se levantar na hora todos os dias. 7. É importante sempre fazer a lição de casa e escutar as fitas. 8. É importante conhecer todos os vizinhos. 9. É importante repetir as frases do professor durante a aula. 10. É importante não sair de casa sem dinheiro.

Exercício 55

1. b 2. a 3. c 4. b 5. a 6. a 7. b 8. a 9. b 10. a

Exercício 56 1. prefiro peixe a frango; preferimos peixe a frango 2. ouça a fita depois de fazer os exercícios; ouço a fita depois de fazer os exercícios 3. às vezes, faço um lanche no McDonald's; às vezes, faz um lanche no McDonald's 4. damos uma caixa de bombons para as nossas esposas; dão uma caixa de bombons para as esposas deles 5. sempre vai dormir às dez horas; sempre vou dormir às dez horas 6. sempre me barbeio de manhã; sempre nos barbeamos de manhã

Exercício 57 1. Você é a Giovanna Bianchini. 2. Você trabalha num banco brasileiro em Roma. 3. Não, você não está trabalhando agora. 4. Está num restaurante na Via Pierogini e está comendo o seu peixe predileto e tomando um suco de laranja. 5. O garçom está trazendo mais comida.

Exercício 58 1. pergunta 2. tenho 3. começam 4. atrasado 5. junto 6. sair 7. se deita 8. coloco / ponho

Exercício 59 1. está tomando; está conversando 2. está saindo; está pegando 3. está lendo; está fumando 4. está falando; está entrando; está trazendo 5. está saindo; está voltando 6. está assistindo; está fazendo

Exercício 60 1. faz 2. está; está lendo; está fazendo 3. está assistindo; está escutando; escuta; fazer 4. está assistindo; está comendo; faz

Exercício 61 1. F 2. V 3. V 4. F 5. V 6. F 7. V 8. F 9. F 10. F

Exercício 62 1. raramente 2. Nunca 3. freqüentemente 4. às vezes 5. Aos 6. quase 7. às 8. Todas

Exercício 63 1. ele vai fazer os exercícios 2. ela vai jantar 3. elas vão datilografar muitas cartas 4. você vai atendê-lo 5. eles vão assistir à televisão 6. nós não vamos usar terno 7. eu vou assistir a uma reunião 8. eles não vão estar livres 9. ela vai ler o jornal 10. eu vou viajar para Recife

Exercício 64 executivo; viagens; compromissos; agenda; viajar; reunião; ficar; pretende; marcando; funcionário; cliente; daqui a; livre; hora

Exercício 65 1. O nome dela é Iara. 2. Ela trabalha na Fermont. 3. O chefe dela é o Sr. Monteiro. 4. A sala dela fica na frente da sala do Sr. Monteiro. 5. Há um computador, um fax, uma copiadora e uma máquina de escrever. 6. Agora ela está datilografando um relatório. 7. Ela costuma usar o computador para digitar cartas. 8. As funções dela são: datilografar relatórios, mandar fax para clientes e atender o telefone. 9. Ela vai mandá-lo para um cliente. 10. Ela começa a trabalhar às nove horas. 11. Ela sai do trabalho às seis horas da tarde. 12. Agora ela vai embora.

Exercício 66 1. me 2. nos 3. lhe 4. lhes 5. lhes 6. nos

Exercício 67 1. me ligue 2. lhe diga 3. nos dê 4. me mande 5. lhes deixe 6. nos mostre 7. me pague 8. nos escreva

Exercício 68 1. a 2. c 3. b 4. a 5. c 6. b 7. a 8. a

Exercício 69 1. tem que levar o passaporte ao consulado 2. têm que comprar as entradas 3. tem que ir a uma lanchonete 4. têm que ir a uma padaria 5. tem que ir ao aeroporto 6. têm que aprender japonês 7. tem que usar o computador 8. tem que marcar uma hora com ele 9. têm que ter um passaporte 10. tem que comprar pão

Exercício 70 1. quer 2. tenho que 3. podemos 4. quer 5. não tenho que 6. podemos 7. Tenho que 8. pode 9. tenho que 10. tenho que

Exercício 71 1. vendedores 2. ligações 3. viagem 4. funcionária 5. comida 6. almoço 7. jantar 8. respostas

Exercício 72 1. b 2. n 3. j 4. f 5. a 6. g 7. d 8. l 9. m 10. c 11. h 12. i

Exercício 73 1. F 2. F 3. V 4. F 5. V 6. V 7. F 8. F 9. V 10. F

Exercício 74 1. traga 2. vão; vêem 3. posso 4. vem 5. ouço 6. põe 7. digo; peço 8. vamos; fazemos 9. prefiro 10. dão; vou 11. diz 12. faço; vejo

Exercício 75 1. Para que eles vão àquela loja? 2. De que tipo de comida você gosta? 3. Em quanto tempo a sua secretária digita um relatório? 4. Quanto tempo dura o filme? 5. Daqui a quanto tempo o avião vai chegar? 6. O que você diz quando vai embora? 7. Quais são os documentos que você tem que levar ao banco? 8. A que horas você vai almoçar?

Exercício 76 1. sacar 2. fica no 3. recebe ligações de 4. permitido 5. volta para 6. saindo 7. recebo 8. leva

Exercício 77 1. falou português; falei português; falou português 2. trabalhei durante a noite; trabalhou durante a noite; trabalhou durante a noite 3. escreveu endereços na agenda dele; escrevi endereços na minha agenda; escreveu endereços na agenda dele 4. li o jornal durante o café da manhã; leu o jornal durante o café da manhã; lemos o jornal durante o café da manhã 5. deu os relatórios; deu os relatórios; dei os relatórios

Exercício 78 *falar*, falei, falou, falou; comprar, *comprei*, comprou, comprou; perguntar, perguntei, *perguntou*, perguntou; pagar, paguei, pagou, *pagou*; *voltar*, voltei, voltou, voltou; terminar, *terminei*, terminou, terminou; ligar, liguei, *ligou*, ligou; usar, usei, usou, *usou*; *chegar*, cheguei, chegou, chegou; trabalhar, *trabalhei*, trabalhou, trabalhou; responder, respondi, *respondeu*, respondeu; ler, li, leu, *leu*; *escrever*, escrevi, escreveu, escreveu; atender, *atendi*, atendeu, atendeu; comer, comi, *comeu*, comeu; beber, bebi, bebeu, *bebeu*

Exercício 79 1. c 2. a 3. c 4. c 5. c 6. a 7. c 8. a

Exercício 80 1. Sei. Ela está conversando com a Márcia. 2. Sei. Elas vão a um restaurante vietnamita. 3. Não, não sei. 4. Não, ela não sabe. 5. Não, elas não o conhecem.

Exercício 81 A. 1. Você sabe preencher cheques em inglês? 2. Eles sabem ler jornais alemães? 3. Eles sabem fazer exercícios de inglês? 4. Ele sabe fazer uma boa caipirinha? 5. Ela sabe datilografar cartas?

B. 1. Você sabe a que horas nós vamos sair? 2. Você sabe quanto custa este par de sapatos? 3. Você sabe com quem a Márcia está conversando? 4. Você sabe quem sempre compra roupas nesta loja? 5. Você sabe por que ele não fala japonês?

Exercício 82 1. Hoje ela vai ligar para o André. 2. Ela foi à festa do Júlio há 17 dias. 3. Ela vai dar uma reunião em casa no dia vinte e nove. 4. Sim. Ela foi ao banco no dia doze. 5. Ele veio de Curitiba há uma semana. 6. Ela o viu no dia três de junho. 7. Ela foi à festa do Júlio. 8. Ela vai datilografar uma carta para o diretor da escola.

Exercício 83 1. tirou 2. Abriu; falou 3. ligou 4. foi; datilografou 5. foi 6. começou 7. terminou 8. foi 9. depositou; sacou 10. pegou 11. levou 12. chegou; almoçou 13. mostrou 14. voltou; foi 15. visitou 16. apresentou 17. conversou 18. fez 19. mostrou 20. gostou

Exercício 84 1. Quantas vezes por mês ele viaja para a praia? 2. O que a Iara levou para o chefe? 3. Para que o Jurandir vai ao banco? 4. Em quanto tempo Isabel digita um relatório? 5. Quem foi à praia com o Sr. Monteiro? 6. Onde eles ficaram? 7. De onde o seu irmão lhe trouxe este vinho branco? 8. Com quem o Sr. Paulo vai voltar para casa? 9. Há quanto tempo a Ana está na *Fermont*? 10. Daqui a quanto tempo nós vamos começar a reunião?

Exercício 85 1. trazê-la 2. comprá-los 3. fechá-lo 4. vê-los 5. trocá-los 6. digitá-las 7. apresentá-la 8. comê-la

Exercício 86 1. ponho; pôs; põe 2. estou; vou estar; estive 3. Traga; trouxe; trazem 4. vemos; vi; vou ver 5. vai ter; estou tendo; tive 6. dissemos; disse / diz; disse

Exercício 87 1. Ele está conversando com o Sr. Cintra. 2. O Sr. Cintra conhece Porto Alegre e outras cidades. 3. Ele foi a Porto Alegre a negócios. 4. Ele tem dois dias livres. 5. Depois ele precisa voltar para Brasília. 6. Ele conversou com o Sr. Viana sobre Gramado e Canela. 7. Não, não há praias em Gramado. 8. Tramandaí é uma praia muito bonita. 9. Ele pode descansar e fazer compras. 10. Há alguns meses abriram várias lojas lá. 11. Sim, ele vai viajar à praia sozinho. 12. Porque a esposa dele trabalha e não vai poder ir para lá.

Exercício 88 1. lhe 2. lhe 3. me 4. lhes 5. nos 6. lhe

Exercício 89 1. os 2. o 3. a 4. me 5. nos 6. as

Exercício 90 1. e 2. a 3. f 4. d 5. i 6. b 7. h 8. g

Exercício 91 1. Ele precisa ir ao correio. 2. Não, ele ainda não pôs os selos nas cartas e nos cartões. 3. Porque ninguém escreveu o CEP. 4. A Iara não sabe o CEP de Belo Horizonte. 5. Ele não escreveu o nome do remetente. 6. Ele também vai enviar um telegrama. 7. Ele vai enviá-lo para Recife. 8. Sim, há cartas que o Sr. Paulo ainda não assinou. 9. Ele já foi ao correio três vezes hoje. 10. Porque ele já foi três vezes ao correio.

Exercício 92 1. Não, ela ainda não fez aniversário. 2. Sim, a Iara já lhe enviou o livro. 3. Sim, o pacote já chegou a Campinas. 4. Sim, o carteiro já o entregou na casa da Selma. 5. Não, ela ainda não voltou do trabalho. 6. Não, ela ainda não viu o presente.

Exercício 93 1. pesado 2. carteiro 3. casamento 4. copiadora 5. entrada 6. pentear 7. vestir 8. bebidas 9. lanchonete 10. compras 11. conhecidos 12. festejar

Exercício 94 1. V 2. F 3. F 4. F 5. V 6. V 7. F 8. F 9. F 10. V 11. V 12. V 13. F 14. F 15. V

Exercício 95 **Felipe**: loiro (ou louro); curto; olhos; alto; pesa; tem **Ana**: se chama; cabelo; castanhos; pesa; anos **Carolina**: curto; preto; alta; anos

Exercício 96 Horizontais: 1. se 3. CEP 6. li 7. no 8. me 9. da 11. vi 13. alta 14. pentear 17. grisalho 19. la 20. fez 21. novo 22. o 25. só 26. o

Verticais: 2. enviei 4. Em 5. pesado 6. lave 10. para 12. inglês 14. pus 15. traz 16. as 18. leve 22. os 23. O 24. Há

Exercício 97 chamou; subiu; parou; entrou; desceu; ficou

Exercício 98 1. b 2. a 3. a 4. a 5. a 6. b 7. a 8. a

Exercício 99 1. acima 2. escuro 3. roupas quentes 4. verão 5. frio 6. nublado 7. próximo 8. parou

Exercício 100 1. b 2. b 3. c 4. a 5. c 6. b 7. c 8. c

Exercício 101 1. f 2. a 3. h 4. b 5. g 6. i 7. e 8. d

Exercício 102 1. b 2. a 3. c 4. b 5. c 6. a 7. c 8. c 9. a 10. a

Exercício 103 1. c 2. a 3. a 4. b 5. c 6. b 7. c 8. b

Exercício 104 1. fez uma viagem 2. faz 10 graus 3. fazer compras 4. faz frio 5. Faz duas semanas 6. fizeram um brinde 7. fazer exercícios 8. fazem aniversário

Exercício 105 1. a 2. b 3. b 4. c 5. c 6. b

Exercício 106 1. procure o significado dela no dicionário 2. acho que você não vai passar de ano 3. ele explicou tudo de novo 4. por que você não faz um curso na faculdade? 5. pegue a lista telefônica e procure 6. é claro que ele vai passar de ano

Exercício 107 1. pela 2. para 3. pelas 4. para 5. por; para 6. Por 7. pela 8. para

Exercício 108 1. Trocam-se; se troca 2. se escreve; se escreve; Escreve-se 3. se usa; Usam-se 4. se vendem; se vendem

Exercício 109 1. Todos; tudo 2. tudo; todos 3. tudo; todos 4. Todos; tudo 5. Todos; tudo

Exercício 110 1. ... Av. Pinheiros dois quarteirões. Vire à esquerda na Rua Rouxinol. A farmácia fica naquele quarteirão à esquerda. 2. ... atravesse a Av. Pinheiros e vire à esquerda na Av. Mangueiras. Siga a avenida quatro quarteirões. O correio fica à esquerda. 3. Saindo do correio, vire à direita e siga em frente dois quarteirões. Vire à direita na Rua Sabiá, siga em frente dois quarteirões e vire à esquerda na Av. Palmeiras. O hotel fica à esquerda, no meio do quarteirão. 4. Vire à esquerda na Av. Pinheiros. Siga sempre em frente quatro quarteirões. O teatro fica na avenida, à sua esquerda. 5. Vire à direita na Av. Mangueiras e siga em frente dois quarteirões. Chegando à Av. Rouxinol, vire à direita. A livraria fica naquele quarteirão à esquerda, em frente a uma farmácia.

Exercício 111	irão; levarão; pegarão; chegarão; passarão; irão; ficarão; farão; voltarão
Exercício 112	1. ter 2. registrar-se 3. ser 4. virar 5. desfazer 6. fechar 7. repetir 8. sair 9. passar 10. mudar
Exercício 113	1. pegará; chegará 2. irá; deixará 3. fará; conhecerá 4. ficará; viajará 5. conhecerá 6. enviará 7. irá; ouvirá 8. voltará; trará
Exercício 114	1. a 2. c 3. b 4. b 5. a 6. c 7. b 8. b 9. c 10. a 11. b 12. c
Exercício 115	1. melhor 2. pior 3. ruim
Exercício 116	1. maior 2. menores 3. grandes
Exercício 117	1. maiores 2. mais comprido 3. melhor 4. menores 5. o pior 6. mais bonitas 7. mais velho 8. mais agradáveis
Exercício 118	1. tomar 2. arquivei 3. receberão 4. fez 5. perdeu 6. disse 7. trazer 8. ganhe 9. trará 10. vá
Exercício 119	1. como 2. de 3. pela 4. que 5. por 6. dos 7. de 8. para 9. com 10. até 11. Às 12. que 13. pelas 14. de 15. sobre
Exercício 120	1. seja 2. anote 3. traga 4. haja 5. diga 6. lembre 7. faça 8. vá 9. venha 10. decida
Exercício 121	1. b 2. c 3. a 4. b 5. a 6. c
Exercício 122	1. me perguntando que horas são. 2. a que horas o Geraldo vai chegar. 3. perguntando; se ela já datilografou o memorando dele; responde/diz que; se; pergunta se 4. se é difícil fazer os exercícios; responde/diz que; que é importante que ele estude antes de tentar fazê-los.
Exercício 123	1. b. preencha c. vá d. diga 2. a. sente b. peça c. decida d. pague 3. a. vá b. pergunte c. faça d. compre
Exercício 124	1. Ele se chama Eduardo. 2. No momento ele está morando em Portugal. 3. Não, ele não nasceu na Europa. 4. Sim, a

terceira filha dele nasceu em Portugal. 5. Ele está tentando conseguir o passaporte português. 6. Para poder trabalhar na Europa. 7. Ele é advogado. 8. Sim, ele teve problemas com a língua em Portugal. 9. Sim, ele precisou fazer um curso de Direito Português. 10. Sim, ele gostou do curso. 11. Há quase um ano a família dele mora na capital portuguesa. 12. Não, eles ainda não saíram de férias. 13. Eles pretendem passear por toda a Europa. 14. É inverno na Europa em janeiro.

Exercício 125 1. magro 2. idade 3. arquivo 4. ramal 5. aumento 6. Direito 7. altura 8. chuva 9. emprego 10. promoção

Exercício 126 1. façamos uma reserva no hotel; façam uma reserva no hotel 2. se esqueça de me telefonar; não se esqueçam de me telefonar 3. traga os relatórios da reunião; tragam os relatórios da reunião 4. venham à reunião semanal; venham à reunião semanal 5. diga ao meu chefe a data da reunião; diga a data da reunião

Exercício 127 1. Não se toma café frio. 2. Onde se compra leite nesta rua? 3. Lêem-se muitos livros nos países da Europa. 4. Como se diz isto na sua língua? 5. Vendem-se camisas nesta loja.

Exercício 128 1. b 2. a 3. a 4. b 5. a

Exercício 129 1. ela já está ligando 2. ela ainda não está falando 3. ainda não há ninguém atrás dela 4. ela já está falando 5. já há pessoas esperando 6. ela ainda está usando o telefone 7. ela ainda não foi embora 8. já há mais pessoas atrás dela 9. ela já está indo embora 10. ainda não há ninguém usando o telefone

Exercício 130 1. mais confortável 2. mais simpáticas 3. maior; o maior 4. o pior 5. o menos interessante 6. mais jovem 7. o menor 8. melhores

Exercício 131 1. está 2. fico 3. está 4. estou 5. fico

Exercício 132 1. bom 2. bom; mal 3. bom 4. mal 5. bem 6. bom 7. bem 8. mal 9. bom 10. bem 11. ruim 12. boa

Exercício 133

1. a. foi; trouxe; irá; trará; vá; traga

1. b. vão a outro país, eles sempre me trazem uma lembrança. No mês passado, eles foram ao Peru e me trouxeram um suéter muito bonito. No ano que vem, eles irão à França e trarão várias lembranças aos amigos. Eu quero que eles também vão à Suíça e me tragam um relógio.

2. a. venho; tive; venho; virá; tenho/terei

2. b. vimos ao trabalho de carro, mas ontem tivemos que vir de ônibus. Nós viemos com um vizinho nosso que trabalha em frente ao nosso escritório. Amanhã, ele virá sozinho porque nós temos/teremos uma reunião em outro lugar.

3. a. lendo; ouvindo; ouvindo; ouvia; ouvir; lia; ler

3. b. lendo um livro e ouvindo música. A música que eu estou ouvindo é de Mozart. Antes, eu não ouvia Mozart freqüentemente — preferia ouvir outro tipo de música. Os livros que eu lia quando era mais jovem também eram diferentes. Ontem eu acabei de ler um livro muito interessante e estou adorando este livro novo.

4. a. dá; ganha; dar; ganhou

4. b. dá uma festa de aniversário e geralmente ganha muitos presentes dos amigos. Mas este ano você decidiu não dar uma festa: só um jantar para alguns amigos. Vocês saíram juntos e foram a um restaurante. Você ganhou um relógio dos amigos.

Exercício 134

1. almoçava 2. nadava 3. me levantava; chegava 4. ganhava 5. enviava

Exercício 135

1. a 2. c 3. c 4. c 5. b 6. b 7. b 8. a

Exercício 136

1. recebíamos 2. datilografava 3. íamos; passavam 4. via; vinha 5. estavam; assistiam

Exercício 137

1. vinha; veio 2. fez; fazia 3. durou; duravam 4. pagavam; paguei

Exercício 138	1. exportado; exportam 2. produzia; produto; produzido 3. treinado; treinamento; treinem 4. empréstimo; emprestado; emprestou 5. veja; visto; viu
Exercício 139	1. senão não poderei contratá-lo 2. senão a telefonista não passa a ligação 3. senão não poderei pagar as prestações da casa 4. senão não serão aceitos pelo banco 5. senão não poderá mais pedir empréstimos 6. senão não faremos lucros
Exercício 140	1. Exportam-se milhões de quilos de café por ano. / Milhões de quilos de café são exportados por ano. 2. Pagou-se a compra com cartão de crédito. / A compra foi paga com cartão de crédito. 3. Enviam-se cartas via aérea. / Cartas são enviadas via aérea. 4. Transferiram-se todas as secretárias. / Todas as secretárias foram transferidas. 5. Naquela loja vendem-se as mercadorias em dólares. / Naquela loja as mercadorias são vendidas em dólares. 6. Recebem-se produtos da Itália aqui. / Produtos da Itália são recebidos aqui. 7. Descontam-se cheques nos caixas 1 e 2. / Cheques são descontados nos caixas 1 e 2. 8. Não se pagam as prestações com atraso. / As prestações não são pagas com atraso.
Exercício 141	1. F 2. F 3. V 4. V 5. F 6. F 7. F 8. V 9. V 10. F
Exercício 142	1. tenho aprendido 2. tem fumado 3. temos vindo; tem chovido 4. têm tido 5. têm assistido 6. Tenho estado 7. tem tirado 8. tem feito 9. tem vendido 10. tenho visto
Exercício 143	1. piorar 2. a prazo 3. meio período 4. perdeu 5. Vaiaram 6. de repente 7. em dia 8. importadas
Exercício 144	1. b 2. c 3. a 4. c 5. c 6. b 7. b 8. c 9. b 10. c
Exercício 145	1. quando sair de férias 2. quando fizer compras 3. quando for à Europa 4. quando me escrever da China 5. quando ele estiver no escritório 6. quando vier ao Brasil a negócios 7. quando revelar o filme 8. quando o Sr. Paulo lhe der dinheiro
Exercício 146	1. O fiscal perguntou ao passageiro se ele vinha a passeio. O passageiro lhe respondeu que vinha a negócios. 2. O fiscal perguntou ao passageiro se ele trazia bebidas alcoólicas. O

passageiro lhe respondeu que só trazia uma garrafa de uísque. 3. O fiscal perguntou ao passageiro se ele já conhecia o Brasil. O passageiro lhe respondeu que era a primeira vez que vinha ao Brasil. 4. O fiscal perguntou ao passageiro se ele tinha algo a declarar. O passageiro lhe respondeu que só tinha uma máquina fotográfica. 5. A funcionária da locadora perguntou ao turista se ele tinha carteira de motorista. O turista lhe respondeu que tinha. 6. O turista perguntou à funcionária se a gasolina estava incluída na tarifa. A funcionária lhe respondeu que a gasolina estava incluída sem limite de quilometragem. 7. A aeromoça perguntou à passageira se ela tinha bagagem de mão. A passageira lhe respondeu que só tinha uma bolsa. 8. O comissário perguntou ao passageiro se ele queria uma bebida. O passageiro lhe respondeu que aceitava. 9. O gerente perguntou à cliente se ele ia abrir a conta com um cheque. A cliente lhe respondeu que ia. 10. A secretária perguntou à telefonista se ela fazia ligações internacionais. A telefonista lhe respondeu que fazia todos os tipos de ligações. 11. A telefonista perguntou à secretária se ela trabalhava com arquivos. A secretária lhe respondeu que organizava os arquivos do gerente. 12. A recepcionista perguntou ao turista se ele preferia um quarto de solteiro. O turista lhe respondeu que preferia um quarto de casal.

Exercício 147

1. para que lhe mostremos a bagagem. 2. para que eu preencha esta declaração. 3. Ele me pede para que eu lhe diga por que estou viajando. 4. Ele nos pede para que (nós) lhe demos os passaportes. 5. Ele me pede para que eu assine estes papéis.

Exercício 148

1. ouvir 2. viermos 3. derem 4. fizer 5. estiver 6. forem 7. receberem 8. fizerem

Exercício 149

1. de 2. com 3. na 4. a 5. para 6. por 7. de 8. à 9. de 10. (X) 11. do; no 12. para / a

Exercício 150

A. 1. A loja onde ele comprou um terno é de um amigo meu. 2. A empresa onde eles trabalham é canadense. 3. A universidade onde minha vizinha estudou fica em outra cidade. 4. A praia onde as crianças passaram as férias não é famosa. 5. A kitchenette onde o meu irmão vai morar é confortável.

B. 1. O avião no qual ele chegou veio do Japão. 2. As cidades nas quais já moramos têm mais de dois milhões de habitantes. 3. A praia na qual os meus amigos costumam jogar vôlei fica a 100 quilômetros daqui. 4. O elevador no qual ele entrou desceu até o andar térreo. 5. Os restaurantes nos quais os meus amigos comem aceitam cartões de crédito.

C. 1. Os amigos com os quais eu saí ontem trabalharam comigo há dois anos. 2. As duas mulheres com as quais o meu pai está conversando são as secretárias dele. 3. A dentista, com a qual pretendo marcar uma consulta, tem um consultório perto do meu escritório. 4. As malas com as quais eu viajei pesavam quinze quilos. 5. O colega com o qual vou fazer um tour na excursão é de Portugal.

Exercício 151 1. "É da casa do Paulo?" 2. "Quanto está o jogo?" 3. "Está servido?" 4. "Então, o que você achou?" 5. "Desculpe, não vai dar."

Exercício 152 1. Eram quase sete e meia quando o Sr. Antônio ligou para a esposa. 2. Ele se sentia cansado e com muita fome. 3. Ele a convidou para ir jantar fora. 4. Ela achou a idéia fantástica 5. Ele ia encontrá-la no restaurante. 6. Porque ela tinha que verificar uns papéis. 7. Não. Porque ele pede que ela tente chegar na hora. 8. Ele não escolheu nada corno prato principal. 9. Porque o óleo da peixada tem muitas calorias. 10. Ela bebeu um suco de abacaxi e ele, água mineral. 11. Porque ele ficaria mais gordo se tomasse suco. 12. Porque ele pediu três sobremesas.

Exercício 153 1. c 2. b 3. b 4. a 5. c 6. b 7. c 8. c

Exercício 154 1. Se eu tivesse tempo, viajaria por toda a Europa. 2. Se ela fosse a diretora, lidaria com os clientes da empresa. 3. Se eu fosse engenheiro, construiria uma casa nova. 4. Se você fosse engenheiro, o Sr. Siqueira o contrataria para a nossa empresa. 5. Se a minha esposa não tivesse dois relógios, eu lhe compraria este. 6. Se a Ana não tivesse uma reunião com o chefe amanhã, ela almoçaria com a Carla. 7. Se a minha namorada não estivesse viajando, eu lhe apresentaria a ela. 8. Se não fosse tarde, eu ficaria mais um pouco.

Exercício 155 1. Se nós tivéssemos um rádio aqui, ouviríamos música. / Quando nós tivermos um rádio aqui, ouviremos música. 2. Se eles jantassem fora, nós os encontraríamos nos restaurantes. / Quando eles jantarem fora, nós os encontraremos nos restaurantes. 3. Se você lesse os jornais, (você) saberia o que acontece no mundo. / Quando você ler os jornais, (você) saberá o que acontece no mundo. 4. Se nós exportássemos frutas, nossos negócios seriam muito lucrativos. / Quando nós exportarmos frutas, nossos negócios serão muito lucrativos.

Exercício 156 1. aceitos 2. declaração 3. treinamento 4. lucrativo 5. sucesso 6. promovido 7. ultimamente 8. piorar 9. empréstimo 10. aluguel

Exercício 157 1. chaveiro 2. posto de gasolina 3. locadora 4. relojoeiro 5. advogado 6. dentista 7. loja de móveis 8. oficina 9. sapateiro 10. loja de eletrodomésticos

Exercício 158 1. nos sentíssemos mal no avião, (nós) nunca viajaríamos. 2. Não. Se ele sempre confirmasse as reservas, (ele) não teria problemas. 3. Não. Se eu telefonasse para outras cidades todos os dias, (eu) gastaria muito. 4. Não. Se eles praticassem algum esporte, (eles) teriam boa saúde. 5. Não. Se a Ana estivesse em casa, (ela) atenderia o telefone. 6. Não. Se a minha empresa também produzisse eletrodomésticos, teria mais lucros. 7. Não. Se o meu carro quebrasse na estrada freqüentemente, eu compraria outro. 8. Não. Se eu tivesse um restaurante, (eu) sempre comeria lá. 9. Não. Se eu saísse todas as noites, ficaria muito cansado. 10. Não. Se eu sempre me esquecesse dos meus compromissos, perderia meus clientes.

Exercício 159 1. chegarmos; chegue 2. sejam; for 3. viesse; vier; venha 4. conheça; conhecer; conhecesse 5. sentir; sinta; sentisse

Exercício 160 1. c 2. b 3. b 4. c 5. c 6. c 7. a 8. a

Exercício 161 1. trouxer 2. quiser 3. puderem 4. vir 5. trouxerem

Exercício 162 A. 1. estavam brincando; as crianças estarão brincando 2. estava assistindo a uma reunião; estou assistindo a uma reunião 3. estavam digitando cartas; estarão digitando cartas

B. 1. estivessem festejando um gol; estiverem festejando um gol 2. quando estiver dirigindo; se estivesse dirigindo 3. quando o avião estiver aterrissando; se o avião estivesse aterrissando

Exercício 163 1. haverá 2. há 3. havia 4. houvesse 5. houver 6. Há 7. houver 8. havia 9. houvesse 10. haverá

Exercício 164 1. c 2. c 3. b 4. c 5. b 6. a 7. a 8. b 9. c 10. b

Exercício 165 1. me telefonaria antes de ir embora 2. que a locadora cobraria uma taxa extra 3. disse que ninguém sairia antes das seis 4. disse que me convidaria para a festa de aniversário dele

Exercício 166 1. Ele me perguntou se alguém falava italiano na minha empresa. 2. Ele me perguntou de que tipo de música eu gostava. 3. Ele me perguntou de que era feito o meu casaco. 4. Ele me perguntou de onde vinha a minha família.

Exercício 167 Horizontais: 5. receitou 7. ir 8. liam 9. trouxe 10. pus 12. aterrissará 15. sofreram

Verticais: 1. senti 2. vier 3. aplaudiram 4. visse 6. usará 7. importou 8. ligando 11. sei 13. será 14. vim

Exercício 168 1. na qual 2. no qual 3. de onde 4. que 5. com quem 6. nas quais 7. com o qual 8. a quem

Tabelas de verbos

VERBOS EM *-AR*: *FALAR*

Gerúndio: fal**ando**
Particípio: fal**ado**

	Presente	**Pretérito perfeito**	**Futuro do presente**
eu	fal**o**	fal**ei**	fal**arei**
você	fal**a**	fal**ou**	fal**ará**
ele / ela	fal**a**	fal**ou**	fal**ará**
nós	fal**amos**	fal**amos**	fal**aremos**
vocês	fal**am**	fal**aram**	fal**arão**
eles / elas	fal**am**	fal**aram**	fal**arão**

	Pretérito imperfeito	**Futuro do pretérito**
eu	fal**ava**	fal**aria**
você	fal**ava**	fal**aria**
ele / ela	fal**ava**	fal**aria**
nós	fal**ávamos**	fal**aríamos**
vocês	fal**avam**	fal**ariam**
eles / elas	fal**avam**	fal**ariam**

	Presente do subjuntivo *(que ...)*	**Pretérito imperfeito do subjuntivo** *(se ...)*	**Futuro do subjuntivo** *(quando ...)*
eu	fal**e**	fal**asse**	fal**ar**
você	fal**e**	fal**asse**	fal**ar**
ele / ela	fal**e**	fal**asse**	fal**ar**
nós	fal**emos**	fal**ássemos**	fal**armos**
vocês	fal**em**	fal**assem**	fal**arem**
eles / elas	fal**em**	fal**assem**	fal**arem**

	Imperativo afirmativo	**Imperativo negativo**
você	fal**e**	não fal**e**
nós	fal**emos**	não fal**emos**
vocês	fal**em**	não fal**em**

VERBOS EM *-ER*: *COMER*

Gerúndio: com**endo**
Particípio: com**ido**

	Presente	Pretérito perfeito	Futuro do presente
eu	com**o**	com**i**	com**erei**
você	com**e**	com**eu**	com**erá**
ele / ela	com**e**	com**eu**	com**erá**
nós	com**emos**	com**emos**	com**eremos**
vocês	com**em**	com**eram**	com**erão**
eles / elas	com**em**	com**eram**	com**erão**

	Pretérito imperfeito	Futuro do pretérito
eu	com**ia**	com**eria**
você	com**ia**	com**eria**
ele / ela	com**ia**	com**eria**
nós	com**íamos**	com**eríamos**
vocês	com**iam**	com**eriam**
eles / elas	com**iam**	com**eriam**

	Presente do subjuntivo *(que ...)*	Pretérito imperfeito do subjuntivo *(se ...)*	Futuro do subjuntivo *(quando ...)*
eu	com**a**	com**esse**	com**er**
você	com**a**	com**esse**	com**er**
ele / ela	com**a**	com**esse**	com**er**
nós	com**amos**	com**êssemos**	com**ermos**
vocês	com**am**	com**essem**	com**erem**
eles / elas	com**am**	com**essem**	com**erem**

	Imperativo afirmativo	Imperativo negativo
você	com**a**	não com**a**
nós	com**amos**	não com**amos**
vocês	com**am**	não com**am**

VERBOS EM *-IR*: *ASSISTIR*

Gerúndio: assist**indo**
Particípio: assist**ido**

	Presente	Pretérito perfeito	Futuro do presente
eu	assist**o**	assist**i**	assist**irei**
você	assist**e**	assist**iu**	assist**irá**
ele / ela	assist**e**	assist**iu**	assist**irá**
nós	assist**imos**	assist**imos**	assist**iremos**
vocês	assist**em**	assist**iram**	assist**irão**
eles / elas	assist**em**	assist**iram**	assist**irão**

	Pretérito imperfeito	Futuro do pretérito
eu	assist**ia**	assist**iria**
você	assist**ia**	assist**iria**
ele / ela	assist**ia**	assist**iria**
nós	assist**íamos**	assist**iríamos**
vocês	assist**iam**	assist**iriam**
eles / elas	assist**iam**	assist**iriam**

	Presente do subjuntivo *(que ...)*	Pretérito imperfeito do subjuntivo *(se ...)*	Futuro do subjuntivo *(quando ...)*
eu	assist**a**	assist**isse**	assist**ir**
você	assist**a**	assist**isse**	assist**ir**
ele / ela	assist**a**	assist**isse**	assist**ir**
nós	assist**amos**	assist**íssemos**	assist**irmos**
vocês	assist**am**	assist**issem**	assist**irem**
eles / elas	assist**am**	assist**issem**	assist**irem**

	Imperativo afirmativo	Imperativo negativo
você	assist**a**	não assist**a**
nós	assist**amos**	não assist**amos**
vocês	assist**am**	não assist**am**

VERBO AUXILIAR: *ESTAR*

Gerúndio: estando
Particípio: estado

	Presente	Pretérito perfeito	Futuro do presente
eu	estou	estive	estarei
você	está	esteve	estará
ele / ela	está	esteve	estará
nós	estamos	estivemos	estaremos
vocês	estão	estiveram	estarão
eles / elas	estão	estiveram	estarão

	Pretérito imperfeito	Futuro do pretérito
eu	estava	estaria
você	estava	estaria
ele / ela	estava	estaria
nós	estávamos	estaríamos
vocês	estavam	estariam
eles / elas	estavam	estariam

	Presente do subjuntivo *(que ...)*	Pretérito imperfeito do subjuntivo *(se ...)*	Futuro do subjuntivo *(quando ...)*
eu	esteja	estivesse	estiver
você	esteja	estivesse	estiver
ele / ela	esteja	estivesse	estiver
nós	estejamos	estivéssemos	estivermos
vocês	estejam	estivessem	estiverem
eles / elas	estejam	estivessem	estiverem

	Imperativo afirmativo	Imperativo negativo
você	esteja	não esteja
nós	estejamos	não estejamos
vocês	estejam	não estejam

VERBO AUXILIAR: *SER*

Gerúndio: sendo
Particípio: sido

	Presente	Pretérito perfeito	Futuro do presente
eu	sou	fui	serei
você	é	foi	será
ele / ela	é	foi	será
nós	somos	fomos	seremos
vocês	são	foram	serão
eles / elas	são	foram	serão

	Pretérito imperfeito	Futuro do pretérito
eu	era	seria
você	era	seria
ele / ela	era	seria
nós	éramos	seríamos
vocês	eram	seriam
eles / elas	eram	seriam

	Presente do subjuntivo *(que ...)*	Pretérito imperfeito do subjuntivo *(se ...)*	Futuro do subjuntivo *(quando ...)*
eu	seja	fosse	for
você	seja	fosse	for
ele / ela	seja	fosse	for
nós	sejamos	fôssemos	formos
vocês	sejam	fossem	forem
eles / elas	sejam	fossem	forem

	Imperativo afirmativo	Imperativo negativo
você	seja	não seja
nós	sejamos	não sejamos
vocês	sejam	não sejam

VERBO AUXILIAR: *TER*

Gerúndio: tendo
Particípio: tido

	Presente	Pretérito perfeito	Futuro do presente
eu	tenho	tive	terei
você	tem	teve	terá
ele / ela	tem	teve	terá
nós	temos	tivemos	teremos
vocês	têm	tiveram	terão
eles / elas	têm	tiveram	terão

	Pretérito imperfeito	Futuro do pretérito
eu	tinha	teria
você	tinha	teria
ele / ela	tinha	teria
nós	tínhamos	teríamos
vocês	tinham	teriam
eles / elas	tinham	teriam

	Presente do subjuntivo *(que ...)*	Pretérito imperfeito do subjuntivo *(se ...)*	Futuro do subjuntivo *(quando ...)*
eu	tenha	tivesse	tiver
você	tenha	tivesse	tiver
ele / ela	tenha	tivesse	tiver
nós	tenhamos	tivéssemos	tivermos
vocês	tenham	tivessem	tiverem
eles / elas	tenham	tivessem	tiverem

	Imperativo afirmativo	Imperativo negativo
você	tenha	não tenha
nós	tenhamos	não tenhamos
vocês	tenham	não tenham

VERBOS IRREGULARES

Infinitivo	conseguir	dar	dizer
Gerúndio	conseguindo	dando	dizendo
Particípio	conseguido	dado	dito
Imperativo	consiga consigamos consigam	dê demos dêem	diga digamos digam
Presente	consigo consegue conseguimos conseguem	dou dá damos dão	digo diz dizemos dizem
Pretérito perfeito	consegui conseguiu *etc.*	dei deu demos deram	disse disse dissemos disseram
Futuro do presente	conseguirei conseguirá *etc.*	darei dará *etc.*	direi dirá diremos dirão
Pretérito imperfeito	conseguia conseguia *etc.*	dava dava *etc.*	dizia dizia *etc.*
Futuro do pretérito	conseguiria conseguiria *etc.*	daria daria *etc.*	diria diria *etc.*
Presente do subjuntivo	consiga consiga consigamos consigam	dê dê demos dêem	diga diga digamos digam
Pret. imperf. do subj.	conseguisse conseguisse *etc.*	desse desse déssemos dessem	dissesse dissesse disséssemos dissessem
Futuro do subjuntivo	conseguir conseguir conseguirmos conseguirem	der der dermos derem	disser disser dissermos disserem

Infinitivo	fazer	haver *(formas impessoais)*	ir
Gerúndio	fazendo	havendo	indo
Particípio	feito	havido	ido
Imperativo	faça	haja	vá
	façamos		vamos
	façam		vão
Presente	faço	há	vou
	faz		vai
	fazemos		vamos
	fazem		vão
Pretérito perfeito	fiz		fui
	fiz	houve	foi
	fizemos		fomos
	fizeram		foram
Futuro do presente	farei		irei
	fará	haverá	irá
	faremos		iremos
	farão		irão
Pretérito imperfeito	fazia		ia
	fazia	havia	ia
	fazíamos		íamos
	faziam		iam
Futuro do pretérito	faria		iria
	faria	haveria	iria
	faríamos		iríamos
	fariam		iriam
Presente do subjuntivo	faça		vá
	faça	haja	vá
	façamos		vamos
	façam		vão
Pret. imperf. do subj.	fizesse		fosse
	fizesse	houvesse	fosse
	fizéssemos		fôssemos
	fizessem		fossem
Futuro do subjuntivo	fizer		for
	fizer	houver	for
	fizermos		formos
	fizerem		forem

Infinitivo	ler	ouvir	pentear
Gerúndio	lendo	ouvindo	penteando
Particípio	lido	ouvido	penteado
Imperativo	leia	ouça	penteie
	leiamos	ouçamos	penteemos
	leiam	ouçam	penteiem
Presente	leio	ouço	penteio
	lê	ouve	penteia
	lemos	ouvimos	penteamos
	lêem	ouvem	pentearam
Pretérito perfeito	li	ouvi	penteei
	leu	ouviu	penteou
	lemos	ouvimos	penteamos
	leram	ouviram	pentearam
Futuro do presente	lerei	ouvirei	pentearei
	lerá	ouvirá	penteará
	leremos	ouviremos	pentearemos
	lerão	ouvirão	pentearão
Pretérito imperfeito	lia	ouvia	penteava
	lia	ouvia	penteava
	líamos	ouvíamos	penteávamos
	liam	ouviam	penteavam
Futuro do pretérito	leria	ouviria	pentearia
	leria	ouviria	pentearia
	leríamos	ouviríamos	pentearíamos
	leriam	ouviriam	penteariam
Presente do subjuntivo	leia	ouça	penteie
	leia	ouça	penteie
	leiamos	ouçamos	penteemos
	leiam	ouçam	penteiem
Pret. imperf. do subj.	lesse	ouvisse	penteasse
	lesse	ouvisse	penteasse
	lêssemos	ouvíssemos	penteássemos
	lessem	ouvissem	penteassem
Futuro do subjuntivo	ler	ouvir	pentear
	ler	ouvir	pentear
	lermos	ouvirmos	pentearmos
	lerem	ouvirem	pentearem

Infinitivo	perder	poder	pôr
Gerúndio	perdendo	podendo	pondo
Particípio	perdido	podido	posto
Imperativo	perca percamos percam	– – –	ponha ponhamos ponham
Presente	perco perde perdemos perdem	posso pode podemos podem	ponho põe pomos põem
Pretérito perfeito	perdi perdeu perdemos perderam	pude pôde pudemos puderam	pus pôs pusemos puseram
Futuro do presente	perderei perderá perderemos perderão	poderei poderá poderemos poderão	porei porá poremos porão
Pretérito imperfeito	perdia perdia perdíamos perdiam	podia podia podíamos podiam	punha punha púnhamos punham
Futuro do pretérito	perderia perderia perderíamos perderiam	poderia poderia poderíamos poderiam	poria poria poríamos poriam
Presente do subjuntivo	perca perca percamos percam	possa possa possamos possam	ponha ponha ponhamos ponham
Pret. imperf. do subj.	perdesse perdesse perdêssemos perdessem	pudesse pudesse pudéssemos pudessem	pusesse pusesse puséssemos pusessem
Futuro do subjuntivo	perder perder perdermos perderem	puder puder pudermos puderem	puser puser pusermos puserem

Infinitivo	preferir	querer	repetir
Gerúndio	preferindo	querendo	repetindo
Particípio	preferido	querido	repetido
Imperativo	prefira prefiramos prefiram	queira queiramos queiram	repita repitamos repitam
Presente	prefiro prefere preferimos preferem	quero quer queremos querem	repito repete repetimos repetiram
Pretérito perfeito	preferi preferiu preferimos preferiram	quis quis quisemos quiseram	repeti repetiu repetimos repetiram
Futuro do presente	preferirei preferirá preferiremos preferirão	quererei quererá quereremos quererão	repetirei repetirá repetiremos repetirão
Pretérito imperfeito	preferia preferia preferíamos preferiam	queria queria queríamos queriam	repetia repetia repetíamos repetiam
Futuro do pretérito	preferiria preferiria preferiríamos prefeririam	quereria quereria quereríamos quereriam	repetiria repetiria repetiríamos repetiriam
Presente do subjuntivo	prefira prefira prefiramos prefiram	queira queira queiramos queiram	repita repita repitamos repitam
Pret. imperf. do subj.	preferisse preferisse preferíssemos preferissem	quisesse quisesse quiséssemos quisessem	repetisse repetisse repetíssemos repetissem
Futuro do subjuntivo	preferir preferir preferirmos preferirem	quiser quiser quisermos quiserem	repetir repetir repetirmos repetirem

Infinitivo	saber	seguir	trazer
Gerúndio	sabendo	seguindo	trazendo
Particípio	sabido	seguido	trazido
Imperativo	saiba saibamos saibam	siga sigamos sigam	traga tragamos tragam
Presente	sei sabe sabemos sabem	sigo segue seguimos seguem	trago traz trazemos trazem
Pretérito perfeito	soube soube soubemos souberam	segui seguiu seguimos seguiram	trouxe trouxe trouxemos trouxeram
Futuro do presente	saberei saberá saberemos saberão	seguirei seguirá seguiremos seguirão	trarei trará traremos trarão
Pretérito imperfeito	sabia sabia sabíamos sabiam	seguia seguia seguíamos seguiam	trazia trazia trazíamos traziam
Futuro do pretérito	saberia saberia saberíamos saberiam	seguiria seguiria seguiríamos seguiriam	traria traria traríamos trariam
Presente do subjuntivo	saiba saiba saibamos saibam	siga siga sigamos sigam	traga traga tragamos tragam
Pret. imperf. do subj.	soubesse soubesse soubéssemos soubessem	seguisse seguisse seguíssemos seguissem	trouxesse trouxesse trouxéssemos trouxessem
Futuro do subjuntivo	souber souber soubermos souberem	seguir seguir seguirmos seguirem	trouxer trouxer trouxermos trouxerem

Infinitivo	ver	vestir	vir
Gerúndio	vendo	vestindo	vindo
Particípio	visto	vestido	vindo
Imperativo	veja vejamos vejam	vista vistamos vistam	venha venhamos venham
Presente	vejo vê vemos vêem	visto veste vestimos vestem	venho vem vimos vêm
Pretérito perfeito	vi viu vimos viram	vesti vestiu vestimos vestiram	vim veio viemos vieram
Futuro do presente	verei verá veremos verão	vestirei vestirá vestiremos vestirão	virei virá viremos virão
Pretérito imperfeito	via via víamos viam	vestia vestia vestíamos vestiam	vinha vinha vínhamos vinham
Futuro do pretérito	veria veria veríamos veriam	vestiria vestiria vestiríamos vestiriam	viria viria viríamos viriam
Presente do subjuntivo	veja veja vejamos vejam	vista vista vistamos vistam	venha venha venhamos venham
Pret. imperf. do subj.	visse visse víssemos vissem	vestisse vestisse vestíssemos vestissem	viesse viesse viéssemos viessem
Futuro do subjuntivo	vir vir virmos virem	vestir vestir vestirmos vestirem	vier vier viermos vierem

VERBOS COM IRREGULARIDADES ORTOGRÁFICAS

Infinitivo	**colocar**	**começar**	**corrigir**
Gerúndio	colocando	começando	corrigindo
Particípio	colocado	começado	corrigido
Imperativo	coloque	comece	corrija
	coloquemos	comecemos	corrijamos
	coloquem	comecem	corrijam
Presente	coloco	começo	corrijo
	coloca	começa	corrige
	colocamos	começamos	corrigimos
	colocam	começam	corrigem
Pretérito Perfeito	coloquei	comecei	corrigi
	colocou	começou	corrigiu
	colocamos	começamos	corrigimos
	colocaram	começaram	corrigiram
Futuro do presente	colocarei	começarei	corrigirei
	colocará	começará	corrigirá
	colocaremos	começaremos	corrigiremos
	colocarão	começarão	corrigirão
Pretérito imperfeito	colocava	começava	corrigia
	colocava	começava	corrigia
	colocávamos	começávamos	corrigíamos
	colocavam	começavam	corrigiam
Futuro do pretérito	colocaria	começaria	corrigiria
	colocaria	começaria	corrigiria
	colocaríamos	começaríamos	corrigiríamos
	colocariam	começariam	corrigiriam
Presente do subjuntivo	coloque	comece	corrija
	coloque	comece	corrija
	coloquemos	comecemos	corrijamos
	coloquem	comecem	corrijam
Pret. imperf. do subj.	colocasse	começasse	corrigisse
	colocasse	começasse	corrigisse
	colocássemos	começássemos	corrigíssemos
	colocassem	começassem	corrigissem
Futuro do subjuntivo	colocar	começar	corrigir
	colocar	começar	corrigir
	colocarmos	começarmos	corrigirmos
	colocarem	começarem	corrigirem

Infinitivo	descer	dirigir	esquecer
Gerúndio	descendo	dirigindo	esquecendo
Particípio	descido	dirigido	esquecido
Imperativo	desça desçamos desçam	dirija dirijamos dirijam	esqueça esqueçamos esqueçam
Presente	desço desce descemos descem	dirijo dirige dirigimos dirigem	esqueço esquece esquecemos esquecem
Pretérito perfeito	desci desceu descemos desceram	dirigi dirigiu dirigimos dirigiram	esqueci esqueceu esquecemos esqueceram
Futuro do presente	descerei descerá desceremos descerão	dirigirei dirigirá dirigiremos dirigirão	esquecerei esquecerá esqueceremos esquecerão
Pretérito imperfeito	descia descia descíamos desciam	dirigia dirigia dirigíamos dirigiam	esquecia esquecia esquecíamos esqueciam
Futuro do pretérito	desceria desceria desceríamos desceriam	dirigiria dirigiria dirigiríamos dirigiriam	esqueceria esqueceria esqueceríamos esqueceriam
Presente do subjuntivo	desça desça desçamos desçam	dirija dirija dirijamos dirijam	esqueça esqueça esqueçamos esqueçam
Pret. imperf. do subj.	descesse descesse descêssemos descessem	dirigisse dirigisse dirigíssemos dirigissem	esquecesse esquecesse esquecêssemos esquecessem
Futuro do subjuntivo	descer descer descermos descerem	dirigir dirigir dirigirmos dirigirem	esquecer esquecer esquecermos esquecerem

Infinitivo	ficar	pagar	pegar
Gerúndio	ficando	pagando	pegando
Particípio	ficado	pago	pegado[1]
Imperativo	fique fiquemos fiquem	pague paguemos paguem	pegue peguemos peguem
Presente	fico fica ficamos ficam	pago paga pagamos pagam	pego pega pegamos pegam
Pretérito perfeito	fiquei ficou ficamos ficaram	paguei pagou pagamos pagaram	peguei pegou pegamos pegaram
Futuro do presente	ficarei ficará ficaremos ficarão	pagarei pagará pagaremos pagarão	pegarei pegará pegaremos pegarão
Pretérito imperfeito	ficava ficava ficávamos ficavam	pagava pagava pagávamos pagavam	pegava pegava pegávamos pegavam
Futuro do pretérito	ficaria ficaria ficaríamos ficariam	pagaria pagaria pagaríamos pagariam	pegaria pegaria pegaríamos pegariam
Presente do subjuntivo	fique fique fiquemos fiquem	pague pague paguemos paguem	pegue pegue peguemos peguem
Pret. imperf. do subj.	ficasse ficasse ficássemos ficassem	pagasse pagasse pagássemos pagassem	pegasse pegasse pegássemos pegassem
Futuro do subjuntivo	ficar ficar ficarmos ficarem	pagar pagar pagarmos pagarem	pegar pegar pegarmos pegarem

[1] (*ling. pop.* pego)

Texto das fitas

FITA NÚMERO 1

(avião)
Escute!
Isto é um avião. Repita!
(carro)
Isto é um carro.
(bicicleta)
Isto é uma bicicleta.
(avião)
Responda!
Isto é um avião? — Sim, é um avião.
(carro)
Isto também é um avião? — Não, não é um avião.
(bicicleta)
É uma bicicleta ou um carro? — É uma bicicleta.
(carro)
O que é isto? — É um carro.
(avião)
E isto? — É um avião.
Muito bem! Escute!
(pássaro)
Isto é um pássaro? — Sim, é um pássaro.
(pássaro)
O que é isto? Também é um pássaro? — Sim, também é um pássaro.
(cachorro)
E isto? Também é um pássaro? — Não, não é um pássaro.
É um gato ou um cachorro? — É um cachorro.
(gato – filhote)
E isto, o que é? — É um gato.
(gato – filhote)
O gato é pequeno? — Sim, o gato é pequeno.
(cachorro grande)
O cachorro também é pequeno? — Não, o cachorro não é pequeno.
O cachorro é pequeno ou grande? — O cachorro é grande.
(passarinho)
E o pássaro? — O pássaro é pequeno.
(avião)
E o avião, como é? — O avião é grande.
Muito bem! Escute!

Fita número 1

Sérgio:	*Boa tarde, Vera!*
Vera:	*Boa tarde, Sérgio. Tudo bem?*
Sérgio:	*Tudo bem! E você?*
Vera:	*Tudo bem, obrigada.*
Sérgio:	*Vera, o que é isto? Um rádio ou um gravador?*
Vera:	*É um gravador.*
Sérgio:	*É americano?*
Vera:	*Não. É brasileiro. E esta fita também é brasileira.*

Responda!

(fita voltando)	
Isto é um gravador?	Sim, é um gravador.
(telefone)	
Isto é um rádio?	Não, não é um rádio.
É um rádio ou um telefone?	É um telefone.
(rádio)	
E isto, o que é?	É um rádio.
(gravador)	
E isto?	É um gravador.
O gravador é americano ou brasileiro?	É brasileiro.
Como? O gravador é brasileiro?	Sim, é brasileiro.
E a fita?	A fita também é brasileira.
Ótimo!	

Repita!

O gravador é brasileiro.
A fita também é brasileira.

O cachorro é grande.	
O avião é ...	O avião também é grande.
A bicicleta é branca.	
O rádio ...	O rádio também é branco.
O gravador é pequeno.	
A calculadora ...	A calculadora também é pequena.

Muito bem! Escute!

Sérgio:	*E aquele jornal, Vera? Também é brasileiro?*
Vera:	*Não, não é brasileiro.*
Sérgio:	*É americano?*
Vera:	*Também não. É um jornal de Aveiro.*
Sérgio:	*Aveiro? Onde fica Aveiro?*
Vera:	*Fica em Portugal.*

Sérgio: *Ah, é uma cidade portuguesa ... E como é Aveiro?*
Vera: *É uma cidade muito pequena.*

Responda!

Aveiro é um país?	Não, não é um país.
É um rio ou uma cidade?	É uma cidade.
Portugal também é uma cidade?	Não, não é uma cidade.
O que é Portugal?	Portugal é um país.
Portugal fica na Europa ou na América do Sul?	Portugal fica na Europa.
O Brasil também fica na Europa?	Não, não fica na Europa.
Onde fica o Brasil?	Fica na América do Sul.
O Brasil é um país grande ou pequeno?	É um país grande.
O Rio de Janeiro é uma cidade grande ou um país grande?	O Rio de Janeiro é uma cidade grande.
O Rio é a capital do Brasil?	Não, não é a capital do Brasil.
Qual é a capital do Brasil?	A capital do Brasil é Brasília.

Muito bem!

Repita!
Brasília fica no Brasil?
Fica. É a capital do Brasil.

Tóquio fica no Japão? *Responda!* Fica ...	Fica. É a capital do Japão.
Buenos Aires fica na Argentina?	Fica. É a capital da Argentina.
Lisboa fica em Portugal?	Fica. É a capital de Portugal.
Roma fica na Itália?	Fica. É a capital da Itália.
Washington fica nos Estados Unidos?	Fica. É a capital dos Estados Unidos.

Ótimo! Agora escute!

(rádio) Isto é um rádio?	Sim, é um rádio.
(telefone 1) Isto também é um rádio?	Não, não é um rádio.

Muito bem! Escute!

(telefone 2)
Isto não é um rádio.
Repita! O que é isto?

O rádio não é marrom. *Pergunte!* Que cor ...?	Que cor é o rádio?

Aquele gravador não é pequeno.
Como ...? — Como é aquele gravador?
A capital do Brasil não é o Rio.
Qual é ...? — Qual é a capital do Brasil?
Buenos Aires não fica no Brasil.
Onde ...? — Onde fica Buenos Aires?
São Paulo não é pequena. — Como é São Paulo?
Aquela cadeira não é preta. — Que cor é aquela cadeira?
Este país não é o México. — Que país é este?
O rio Amazonas não é curto. — Como é o rio Amazonas?
Muito bem!

Agora repita!

ão
avi**ão**
Jo**ão**
O avi**ão** do Jo**ão.**
ão
n**ão**
Jap**ão**
O avi**ão** do Jo**ão** n**ão** é do Jap**ão.**
de
cida**de**
gran**de**
Esta cida**de** é gran**de**.
de
Ver**de**
Rio Ver**de**
A cida**de** **de** Rio Ver**de** é gran**de**.
im
s**im**
Joaqu**im**
Berl**im**
S**im**, o Joaqu**im** está em Berl**im**.
om
b**om**
marr**om**
O carro marr**om** é muito b**om**.

em

b**em**

qu**em**

tamb**ém**

Tudo b**em**?

Sim, eu tamb**ém**.

Muito bem! Agora escute ... e repita!

- *Boa tarde, Vera!*
- *Boa tarde, Sérgio. Tudo bem?*
- *Tudo bem! E você?*
- *Tudo bem, obrigada.*
- *Vera, o que é isto?*
  Um rádio ou um gravador?
- *É um gravador.*
- *É americano?*
- *Não. É brasileiro.*
  E esta fita também é brasileira.
- *E aquele jornal, Vera?*
  Também é brasileiro?
- *Não, não é brasileiro.*
- *É americano?*
- *Também não. É um jornal de Aveiro.*
- *Aveiro? Onde fica Aveiro?*
- *Fica em Portugal.*
- *Ah, é uma cidade portuguesa ...*
  E como é Aveiro?
- *É uma cidade muito pequena.*

Bem, este é o fim da fita. É o fim da fita número um. Até logo!

Até logo!

Até logo ... e obrigado!

Obrigada!

FITA NÚMERO 2

Escute! O Sr. Paulo Monteiro está na Fermont. A Fermont é uma empresa brasileira muito grande e fica em São Paulo.

Paulo: *Alô!*

Célia: *Alô! Paulo?*

Paulo: *Sim ...*
Célia: *É a Célia.*
Paulo: *Célia? Célia Siqueira, do Banco do Brasil?*
Célia: *Não! É a Célia, a sua irmã!*
Paulo: *Tudo bem, Célia? Você está aqui em São Paulo?*
Célia: *Não, não. Estou no Rio.*

Responda!

A D. Célia está em São Paulo?	Não, ela não está em São Paulo.
Ela está em Brasília ou no Rio?	Ela está no Rio.
E onde o Sr. Paulo está?	Ele está em São Paulo.
São Paulo é uma cidade ou um país?	É uma cidade.
A Fermont também é uma cidade?	Não, não é uma cidade.
É um banco ou uma empresa?	É uma empresa.
Onde fica a Fermont?	Fica em São Paulo.

Muito bem! Agora escute!

Ferraz: *Bom dia, Paulo!*
Paulo: *Bom dia, Ferraz!*
Ferraz: *Paulo, esta é a D. Andrea, a esposa do Marcos Perez.*
Paulo: *Muito prazer!*
Andrea: *O prazer é meu.*
Paulo: *E como está o Marcos?*
Andrea: *Está bem, obrigada. Agora ele está em Madri – a mãe dele é de lá.*

Responda!

A D. Andrea é a esposa do Sr. Monteiro ou do Sr. Perez?	Ela é a esposa do Sr. Perez.
O Sr. Perez está na sala do Sr. Monteiro agora?	Não, ele não está na sala do Sr. Monteiro agora.
Onde ele está?	Ele está em Madri.
A esposa dele também está lá?	Não, ela não está lá.
Ela está em São Paulo?	Sim, ela está em São Paulo.
De que nacionalidade é a mãe do Sr. Perez?	Ela é espanhola.
Como? Ela é espanhola ou italiana?	Ela é espanhola.

Muito bem!

Repita!

A mãe do Sr. Perez é de Madri.
Ela é espanhola.

O Sr. Sato é de Tóquio. *Responda!* Ele é ...	Ele é japonês.
A minha amiga é de Londres.	Ela é inglesa.
A namorada do Hans é de Berlim.	Ela é alemã.
Eu sou de São Paulo.	Você é brasileira.

Ótimo! Agora escute!

Paulo: *Sente-se, D. Andrea!*
Andrea: *Obrigada.*
Paulo: *Um cigarro?*
Andrea: *Ah, sim. Muito obrigada. Onde está o cinzeiro?*
Paulo: *Está lá, em cima daquela mesa.*

Responda!

A D. Andrea está em pé ou sentada?	Ela está sentada.
Ela está sentada na sala do Sr. Monteiro?	Sim, ela está sentada na sala do Sr. Monteiro.
Como? Ela está sentada na sala dela ou do Sr. Monteiro?	Ela está sentada na sala do Sr. Monteiro.
O cinzeiro está embaixo da mesa?	Não, ele não está embaixo da mesa.
Onde está o cinzeiro?	Está em cima da mesa.
Muito bem! Escute!	
O cinzeiro não está embaixo da mesa. Onde está o cinzeiro?	
O fósforo não está na caixa. *Pergunte!* Onde está o ...?	Onde está o fósforo?
Londres não fica nos Estados Unidos. Onde ...?	Onde fica Londres?
Este não é o Marcos Silva. Quem ...?	Quem é este?
O isqueiro não é da D. Andrea.	De quem é o isqueiro?
Eu não sou a Cláudia Monteiro.	Quem é você?
Muito bem! Escute!	
O Sr. Paulo Monteiro é brasileiro?	É.
A D. Andrea está na sala dele?	Está.
Agora responda!	
Madri fica na Espanha?	Fica.
O Marcos Perez está em Madri?	Está.
A mãe dele é de lá?	É.

Você é aluno da Berlitz?	Sou.
A Berlitz é uma escola?	É.
Lisboa fica em Portugal?	Fica.
Isto é uma fita de português?	É.
E você é aluno de português?	Sou.
Eu sou brasileira?	É.
O Paulo Monteiro também é brasileiro?	É.
O Brasil fica na América do Sul?	Fica.

Muito bem! Agora, escute e repita!

o

menin**o**

filh**o**

Monteir**o**

O menin**o** é filh**o** d**o** Sr. Monteir**o**.

o

isqueir**o**

pequen**o**

bols**o**

direit**o**

O isqueir**o** pequen**o** está n**o** bols**o** direit**o**.

em

hom**em**

em pé

empresa

Este hom**em** está **em** pé na **em**presa.

eiro

dinh**eiro**

cinz**eiro**

O dinh**eiro** está embaixo do cinz**eiro**.

eiro

isqu**eiro**

Mont**eiro**

brasil**eiro**

O isqu**eiro** da Sra. Mont**eiro** é brasil**eiro**.

Muito bem! Agora, escute e repita!

– *Bom dia, Paulo!*

- *Bom dia, Ferraz!*
- *Paulo, esta é a D. Andrea, a esposa do Marcos Perez.*
- *Muito prazer!*
- *O prazer é meu.*
- *E como está o Marcos?*
- *Está bem, obrigada.*
  Agora ele está em Madri – a mãe dele é de lá.
- *Sente-se, D. Andrea!*
- *Obrigada.*
- *Um cigarro?*
- *Ah, sim. Muito obrigada.*
  Onde está o cinzeiro?
- *Está lá, em cima daquela mesa.*

Muito bem! Este é o fim da fita. É o fim da fita número dois. Até logo ... e obrigada!

FITA NÚMERO 3

Escute!

(relógio grande)

Isto é um relógio?	Sim, é um relógio.
É um relógio grande ou um relógio de pulso?	É um relógio grande.
Escute!	
(três batidas)	
Agora são quatro horas?	Não, agora não são quatro horas.
Que horas são?	São três horas.
(duas batidas)	
E agora, são 3 horas?	Não, agora não são 3 horas.
Que horas são?	São duas horas.
(uma batida)	
Que horas são agora?	É uma hora.
É uma hora em ponto, não é?	Sim, é uma hora em ponto.
(grilos, corujas)	
Que horas são agora? Meia-noite ou meio-dia?	Agora é meia-noite.

Muito bem! Escute! A Iara sai do trabalho às seis e meia, mais ou menos. Agora ela fala com um senhor na Av. Paulista.

Iara:	*Com licença?*
Senhor:	*Pois não?*
Iara:	*O senhor tem horas, por favor?*
Senhor:	*Agora são vinte para as sete.*
Iara:	*Obrigada. Ahn ... o senhor sabe a que horas o restaurante japonês aqui da Paulista abre?*
Senhor:	*Acho que abre às sete.*
Iara:	*Tudo bem, obrigada.*
Senhor:	*Não há de quê.*

Agora responda!

A Iara está no trabalho?	Não, ela não está no trabalho.
Ela está na rua ou no ônibus?	Ela está na rua.
Ela vai para casa agora?	Não, ela não vai para casa agora.
Ela vai a um restaurante, certo?	Certo! Ela vai a um restaurante.
Ela vai a um restaurante francês?	Não, ela não vai a um restaurante francês.
A que tipo de restaurante ela vai?	Ela vai a um restaurante japonês.
Em que avenida o restaurante fica?	Fica na Av. Paulista.
Ah! A Iara vai a um restaurante japonês na Av. Paulista, certo?	Certo! Ela vai a um restaurante japonês na Av. Paulista.
O restaurante está aberto ou fechado?	O restaurante está fechado.
Ele está fechado agora, mas abre às sete horas, certo?	Certo! Ele está fechado agora, mas abre às sete horas.

Muito bem! Escute! Agora são sete e dez e o restaurante está aberto. A Iara está sentada à mesa.

Garçom:	*Pois não, senhora?*
Iara:	*O cardápio, por favor.*
Garçom:	*OK.*
Iara:	*Por favor ... o restaurante tem telefone?*
Garçom:	*Tem, sim. No corredor.*
Iara:	*Obrigada.*

Responda!

Agora o restaurante está aberto ou fechado?	Ele está aberto.
A Iara está na rua?	Não, ela não está na rua.
Onde ela está?	Ela está no restaurante.
Ela está em pé ou sentada?	Ela está sentada.

Ela está sentada a uma mesa no restaurante, certo? — Certo! Ela está sentada a uma mesa no restaurante.

O restaurante tem telefone? — Sim, o restaurante tem telefone.

O telefone fica na mesa ou no corredor? — Fica no corredor.

Certo! Agora escute!

Sérgio: *Alô!*

Iara: *Alô, Sérgio? É a Iara! Tudo bem?*

Sérgio: *Oi, Iara! Tudo bem?*

Iara: *Tudo. Eu estou aqui, no restaurante japonês da Av. Paulista. Você não vem para cá?*

Sérgio: *Não sei ... Agora estou com um cliente e acho que saio do trabalho às oito. Que tal uma cerveja na minha casa às nove, nove e meia?*

Responda!

O Sérgio está no restaurante com a Iara? — Não, ele não está no restaurante com ela.

Ele está em casa ou no trabalho? — Ele está no trabalho.

Ele está com a secretária ou com um cliente? — Ele está com um cliente.

Ah! Ele está no escritório com um cliente, certo? — Certo! Ele está no escritório com um cliente.

Escute!

Sérgio: *Que tal uma cerveja na minha casa às nove, nove e meia?*

Iara: *Uma cerveja às nove? ... Tudo bem! Mas como eu vou para a sua casa?*

Sérgio: *De ônibus ou de táxi.*

Iara: *Hummm ... ônibus, não. Onde eu pego um táxi?*

Sérgio: *Na Av. Paulista.*

Responda!

A Iara vai para a casa dela ou para a casa do Sérgio? — Ela vai para a casa do Sérgio.

Ela vai para lá de ônibus? — Não, ela não vai para lá de ônibus.

Como ela vai? — Ela vai de táxi.

Onde ela pega um táxi? — Ela pega um táxi na Av. Paulista.

Você também pega um táxi com ela? — Não, eu não pego um táxi com ela.

Ah, a Iara pega um táxi, mas você não, certo? — Certo! A Iara pega um táxi, mas eu não.

Certo!

Agora repita!	
A Iara pega um táxi.	
Mas eu não pego um táxi.	
Ela vai para a casa do Sérgio. *Responda!* Mas eu não ...	Mas eu não vou para a casa do Sérgio.
A secretária vem para cá de manhã. Mas eu não ...	Mas eu não venho para cá de manhã.
O Sérgio fecha a sala às oito.	Mas eu não fecho a sala às oito.
O meu cliente tem um relógio brasileiro.	Mas eu não tenho um relógio brasileiro.
A Iara põe o dinheiro na carteira.	Mas eu não não ponho o dinheiro na carteira.

Muito bem! Escute!

Iara: *Tudo bem, Sérgio. Às nove, na sua casa. Tchau!*
Sérgio: *Tchau, Iara!*

Agora responda!	
A Iara vai para a minha casa?	Não, ela não vai para a sua casa.
Ela vai para a casa dela ou do Sérgio?	Ela vai para a casa do Sérgio.
Ela vai para lá às dez horas?	Não, ela não vai para lá às dez horas.
A que horas ela vai para lá?	Ela vai para lá às nove horas.
Ela vai para lá às nove da manhã ou da noite?	Ela vai para lá às nove da noite.
Ah! Ela vai para a casa do Sérgio de táxi às nove da noite, certo?	Certo! Ela vai para a casa do Sérgio de táxi às nove da noite.
Muito bem!	
Repita!	
Ela não vai para lá às dez.	
A que horas ela vai para lá?	
Eu não saio de casa às nove. *Pergunte!* A que horas ...?	A que horas você sai de casa?
O avião não vem do Rio. De onde ...?	De onde ele vem?
O Sr. Monteiro não lê o jornal. O que ...?	O que ele lê?
A Iara não pega o táxi de manhã.	Quando ela pega o táxi?
Eu não vou para o banco.	Para onde você vai?
Eu não vou para casa de trem.	Como você vai para casa?

Isto não é vinho tinto. Que tipo de vinho é este?

Ótimo! Agora escute e repita!

- *Com licença?*
- *Pois não?*
- *O senhor tem horas, por favor?*
- *Agora são vinte para as sete.*
- *Obrigada.*
  Ahn ... o senhor sabe a que horas o restaurante japonês aqui da Paulista abre?
- *Acho que abre às sete.*
- *Tudo bem, obrigada.*
- *Não há de quê.*
- *Alô!*
- *Alô, Sérgio? É a Iara! Tudo bem?*
- *Oi, Iara! Tudo bem?*
- *Tudo. Eu estou aqui, no restaurante japonês da Av. Paulista.*
  Você não vem para cá?
- *Não sei ... Agora estou com um cliente*
  e acho que saio do trabalho às oito.
  Que tal uma cerveja na minha casa às nove, nove e meia?
- *Uma cerveja às nove? ... Tudo bem!*
  Mas como eu vou para a sua casa?
- *De ônibus ou de táxi.*
- *Hummm ... ônibus, não. Onde eu pego um táxi?*
- *Na Av. Paulista.*
- *Tudo bem, Sérgio. Às nove, na sua casa. Tchau!*
- *Tchau, Iara!*

Ótimo! Às nove horas a Iara está na casa do Sérgio ... e agora você está no fim desta fita, a fita número três. Até logo ... e obrigado!

FITA NÚMERO 4

O Sr. Paulo Monteiro entra no escritório e fala com a Iara, a secretária.

Paulo: *Bom dia, Iara.*
Iara: *Bom dia, Sr. Monteiro.*
Paulo: *Esta carta é para mim?*
Iara: *É. E aquele pacote é para a sua esposa.*
Paulo: *Obrigado.*

Responda!

O Sr. Monteiro está em casa?	Não, ele não está em casa.
Ele está no trabalho ou no banco?	Ele está no trabalho.
Ele fala espanhol com a secretária?	Não, ele não fala espanhol com a secretária.
Que idioma ele fala com ela?	Ele fala português com ela.
A carta é para a secretária?	Não, não é para a secretária.
Para quem é a carta?	É para o Sr. Monteiro.
O pacote também é para ele?	Não, o pacote não é para ele.
É para a filha ou para a esposa dele?	É para a esposa dele.

Muito bem! Agora escute! O Sr. Monteiro pega a carta e o pacote e vai para a sala dele. Lá ele escreve uma carta para um cliente, o Sr. Carlos Moura, mas não tem o endereço dele.

Paulo: *Iara, você tem o endereço da casa do Sr. Carlos Moura?*

Iara: *Um momento, por favor ... Não, não tenho.*

Paulo: *Não? Mas você sabe onde ele trabalha?*

Iara: *Ah, sim. É na Av. Brasil, número 400, aqui em São Paulo. O nome da empresa é ABL.*

Responda!

O Sr. Monteiro pega a carta?	Sim, ele pega a carta.
Ele pega a carta e vai para a sala dele ou para a rua?	Ele pega a carta e vai para a sala dele.
Ele escreve uma carta para o Sr. Moura?	Sim, ele escreve uma carta para o Sr. Moura.
O Sr. Monteiro sabe onde ele mora?	Não, ele não sabe onde ele mora.
A Iara sabe onde ele mora ou onde ele trabalha?	Ela sabe onde ele trabalha.

Muito bem!

Repita!

O Sr. Monteiro entra no restaurante?
Não, não entra.

Ele entra no escritório?
Entra.

Agora responda!

Ele fala inglês com a Iara?
Não, não fala.

Ele fala português com ela?
Fala.

O Sr. Monteiro trabalha no Banco do Brasil?	Não, não trabalha.
Ele trabalha na Fermont?	Trabalha.
O Sr. Monteiro escreve uma carta?	Escreve.
Ele sabe o endereço da ABL?	Não, não sabe.
A Iara tem o endereço da ABL?	Tem.

Agora escute!

Paulo: *Av. Brasil, número 400. Você sabe em que andar é o escritório dele?*

Iara: *É no quarto andar.*

Paulo: *Tudo bem. Obrigado, Iara.*

Responda!

A Iara trabalha comigo ou com o Sr. Monteiro?	Ela trabalha com o Sr. Monteiro.
O Sr. Moura também trabalha com ele?	Não, o Sr. Moura não trabalha com ele.
O Sr. Moura trabalha em São Paulo ou no Rio?	Ele trabalha em São Paulo.
O escritório dele fica num prédio?	Sim, fica num prédio.
Em que andar fica?	Fica no quarto andar.

Repita!

Em que andar fica o escritório?

Você sabe em que andar fica o escritório?

Em que rua fica o prédio dele? *Pergunte!* Você sabe em que rua ...?	Você sabe em que rua fica o prédio dele?
Qual é o endereço dele? *Pergunte!* Você sabe ...?	Você sabe qual é o endereço dele?
Para onde o diretor vai amanhã? Você ...?	Você sabe para onde o diretor vai amanhã?
Quando ele pega o avião para o Rio?	Você sabe quando ele pega o avião para o Rio?
Onde ele espera o táxi?	Você sabe onde ele espera o táxi?

Muito bem! Agora o Sr. Monteiro fala com o Jurandir. O Jurandir também trabalha na Fermont.

Paulo: *Jurandir?*

Jurandir: *Sim, senhor?*

Paulo: *Esta carta é para o diretor da ABL. Você sabe onde fica?*

Jurandir: *Acho que sei. É na Av. Brasil, não é?*

Paulo: *Certo! O prédio fica ao lado de um teatro.*

Jurandir: *E em frente a uma estação de metrô. Ótimo! Vou para lá de metrô.*

Agora responda!

O Jurandir trabalha na ABL?	Não, ele não trabalha na ABL.
Ele trabalha com o Sr. Monteiro na Fermont, certo?	Certo! Ele trabalha com o Sr. Monteiro na Fermont.
O Jurandir vai para casa agora?	Não, ele não vai para casa agora.
Para onde ele vai?	Ele vai para a ABL.
O prédio da ABL fica na Av. Brasil?	Sim, fica na Av. Brasil.
Fica ao lado de um teatro ou de um cinema?	Fica ao lado de um teatro.
O Jurandir vai para a ABL a pé?	Não, ele não vai para lá a pé.
Como ele vai para lá?	Ele vai para lá de metrô.

Muito bem! Agora escute e repita!

– *Iara? Você tem o endereço da casa do Sr. Carlos Moura?*
– *Um momento, por favor ...*
  Não, não tenho.
– *Não? Mas você sabe onde ele trabalha?*
– *Ah, sim. É na Av. Brasil, número 400, aqui em São Paulo.*
  O nome da empresa é ABL.
– *Av. Brasil, número 400.*
  Você sabe em que andar é o escritório dele?
– *É no quarto andar.*
– *Tudo bem. Obrigado, Iara.*

Ótimo! Muito bem! Este é o fim desta fita, a fita número quatro. Até logo ... e obrigada!

FITA NÚMERO 5

A Sra. Cláudia Monteiro e a filha dela, Júlia, estão numa loja de roupas, a Bom Tom. Há muitas pessoas na loja e um vendedor vem falar com elas.

Vendedor: *Pois não?*

Cláudia: *Boa tarde! Eu gostaria de ver uma calça, por favor.*

Responda!

A Sra. Monteiro e a filha estão no banco?	Não, elas não estão no banco.
Elas estão numa loja ou numa banca de jornal?	Elas estão numa loja.
Em que tipo de loja elas estão?	Elas estão numa loja de roupas.

Ah! A Sra. Monteiro está numa loja de roupas com a filha, certo? — Certo! A Sra. Monteiro está numa loja de roupas com a filha.

Quem vem falar com elas? — Um vendedor vem falar com elas.

Escute!

Cláudia: *Boa tarde! Eu gostaria de ver uma calça, por favor.*

Vendedor: *Que tal esta verde?*

Cláudia: *Hummm ... É bonita, mas não gosto de roupas verdes. Você tem preta?*

Vendedor: *Tenho, sim. Aqui! Eu também tenho esta camisa ... para usar com a calça.*

Responda!

A Sra. Monteiro vê roupas ou sapatos na loja? — Ela vê roupas na loja.

Que roupas ela vê na loja? Uma camisa? — Sim. Ela vê uma camisa na loja.

Ela também vê calças? — Sim. Ela também vê calças.

As duas calças são verdes? — Não, as duas calças não são verdes.

Uma delas é verde e a outra é preta, certo? — Certo! Uma delas é verde e a outra é preta.

Como? Que cor são as calças? — Uma delas é verde e a outra é preta.

Repita!

Uma calça é verde. A outra é preta.
Uma delas é verde e a outra é preta.

Um terno é do Brasil. O outro é da Itália.
Um deles é do Brasil e o outro é da Itália.

Uma gravata é vermelha. A outra é azul.
Responda! Uma delas ... — Uma delas é vermelha e a outra é azul.

Um casaco custa muito. O outro custa pouco.
Um deles ... — Um deles custa muito e o outro custa pouco.

Uma camisa é bonita. A outra é feia. — Uma delas é bonita e a outra é feia.

Muito bem! Agora escute!

Cláudia: *Quanto custa a calça?*

Vendedor: *O preço está aqui na etiqueta ... Quinze mil cruzeiros. E a camisa é ... vinte mil.*

Cláudia: *Vinte mil? Tudo isso?*

Vendedor: *É uma camisa italiana, muito boa!*

Cláudia:	*Mas é muito cara! Você não tem alguma coisa mais barata?*
Vendedor:	*Desculpe! Não tenho nada mais barato.*

Agora responda!

A camisa é brasileira?	Não, ela não é brasileira.
De onde ela é? Do Brasil ou da Itália?	Ela é da Itália.
Ah, é uma camisa italiana muito cara, certo?	Certo! É uma camisa italiana muito cara.
A Sra. Monteiro gostaria de comprar alguma coisa mais barata?	Sim, ela gostaria de comprar alguma coisa mais barata.
E a loja tem alguma coisa mais barata?	Não, a loja não tem nada mais barato.
A loja não tem nada mais barato, certo?	Certo! A loja não tem nada mais barato.

Muito bem!

Agora repita!

A loja tem alguma coisa mais barata?
Não, a loja não tem nada mais barato.

Há alguém na loja à meia-noite?
Não, não há ninguém na loja à meia-noite.

Há alguém no banco à noite? *Responda!* Não, não há ...	Não, não há ninguém no banco à noite.
Eu tenho alguma coisa na mão? Não, você não tem ...	Não, você não tem nada na mão.
Você compra alguma coisa naquela loja?	Não, eu não compro nada naquela loja.
O Jurandir mora com alguém?	Não, ele não mora com ninguém.
Você vê alguém na rua?	Não, eu não vejo ninguém na rua.

Muito bem! Agora escute! Na loja, a Sra. Monteiro fala com o vendedor. A camisa é muito cara!

Cláudia:	*Você não tem alguma coisa mais barata?*
Vendedor:	*Desculpe! Não tenho nada mais barato. Um momento! Tenho, sim! Aqui: duas camisas. Uma italiana e outra brasileira. Que tal?*
Cláudia:	*Hummm ... Todas as italianas são caras. Vou levar a brasileira. E a calça preta também.*
Vendedor:	*Mais alguma coisa?*
Cláudia:	*Só isso, obrigada.*

Responda!
A loja tem outras camisas mais baratas? — Sim, a loja tem outras camisas mais baratas.

De onde são as outras duas camisas? São da Argentina? — Não, não são da Argentina.

Uma delas é da Itália e a outra é do Brasil, certo? — Certo! Uma delas é da Itália e a outra é do Brasil.

O que a Sra. Monteiro vai comprar? Ela vai comprar uma camisa? — Sim, ela vai comprar uma camisa.

Ela vai levar uma camisa italiana ou uma brasileira? — Ela vai levar uma brasileira.

Você fala com um vendedor quando vai a uma loja? — Sim, eu falo com um vendedor quando vou a uma loja.

E eu? — Você também fala com um vendedor quando vai a uma loja.

Ah! E quando nós vamos a uma loja, falamos com um vendedor, certo? — Certo! Quando nós vamos a uma loja, falamos com um vendedor.

Muito bem!

Repita!
Eu falo com um vendedor.
Nós falamos com um vendedor.

Eu converso na loja.
Responda! Nós ... — Nós conversamos na loja.

Eu pergunto o preço.
Nós ... — Nós perguntamos o preço.

Eu vejo o preço na etiqueta. — Nós vemos o preço na etiqueta.

Eu tenho dinheiro no bolso. — Nós temos dinheiro no bolso.

Muito bem! Agora escute outra vez. Escute ... e repita!

– *Pois não?*
– *Boa tarde! Eu gostaria de ver uma calça, por favor.*
– *Que tal esta verde?*
– *Hummm ... É bonita, mas não gosto de roupas verdes.*
  Você tem preta?
– *Tenho, sim. Aqui!*
  Eu também tenho esta camisa ... para usar com a calça.
– *Quanto custa a calça?*
– *O preço está aqui na etiqueta ... Quinze mil cruzeiros.*
  E a camisa é ... vinte mil.
– *Vinte mil? Tudo isso?*

– *É uma camisa italiana, muito boa!*

Perfeito! Muito bem! Nós estamos agora no fim desta fita, a fita número cinco! Até logo ... e obrigado!

FITA NÚMERO 6

O Sérgio está num aeroporto em São Paulo e vê a Ana, uma moça que trabalha com ele. Os dois esperam o avião e conversam no restaurante do aeroporto.

Sérgio: *Para onde é que você vai, Ana?*
Ana: *Eu vou para Brasília. E você?*
Sérgio: *Para fora do país. Vou para Lyon.*

Agora responda às perguntas!

A Ana estuda com o Sérgio?	Não, ela não estuda com ele.
Ela trabalha com ele?	Sim, ela trabalha com ele.
Ah! A Ana é uma moça que trabalha com o Sérgio, certo?	Certo! Ela é uma moça que trabalha com Sérgio.
O que eles fazem no restaurante do aeroporto? Esperam o avião?	Sim, eles esperam o avião.
Eles vão para a mesma cidade ou para cidades diferentes?	Eles vão para cidades diferentes.
Um deles vai para fora do país?	Sim, um deles vai para fora do país.
Quem vai para fora do país? O Sérgio ou a Ana?	O Sérgio vai para fora do país.
Para que cidade o Sérgio vai?	Ele vai para Lyon.

Ótimo! Escute!

Ana: *Lyon? Não conheço ... Onde é que fica essa cidade?*
Sérgio: *Na França.*
Ana: *Puxa, que legal! E Lyon fica longe de Paris?*
Sérgio: *Não, não fica muito longe. São 460km de Lyon até a capital.*

Responda!

A Ana conhece Lyon?	Não, ela não conhece Lyon.
Lyon fica na França, certo?	Certo! Lyon fica na França.
Lyon fica muito longe de Paris?	Não, não fica muito longe de Paris.

Perfeito! Escute!

Ana: *E Lyon é grande, Sérgio?*
Sérgio: *É, sim.*
Ana: *Você sabe qual é a população de lá?*

Sérgio: *É de mais de um milhão de habitantes.*
Ana: *E de Paris?*
Sérgio: *Ah, Paris é muito grande. Tem mais de oito milhões de habitantes.*

Responda!

Lyon é uma cidade que fica na França ou no Brasil?	É uma cidade que fica na França.
A Ana conhece Lyon?	Não, ela não conhece Lyon.
Quem é que vai para lá? O Sérgio ou a Ana?	O Sérgio vai para lá.
E ele sabe qual é a população da cidade?	Sim, ele sabe qual é a população da cidade.
Quantos habitantes tem Lyon?	Lyon tem mais de um milhão de habitantes.
E Paris?	Paris tem mais de oito milhões de habitantes.

Muito bem!

Repita!
Paris tem oito milhões de habitantes.
Lyon tem um milhão de habitantes.
Paris tem mais habitantes do que Lyon.

Esta banca tem cem revistas. Aquela tem cinqüenta. *Responda!* Esta banca tem ...	Esta banca tem mais revistas do que aquela.
A Ana toma três xícaras de café. A Iara só toma uma. A Ana ...	A Ana toma mais xícaras de café do que a Iara.
O Sr. Monteiro põe 100.000 no banco e 1.000 na carteira.	Ele põe mais dinheiro no banco do que na carteira.
A Sônia escreve dez cartas. A Iara escreve uma.	A Sônia escreve mais cartas do que a Iara .

Muito bem! Agora escute o que a Ana pergunta para o Sérgio!

Ana: *E você sabe falar francês? Eu não falo nada em francês ...*
Sérgio: *Não sei falar muito bem, não. Não é fácil entender francês. Mas, quando as pessoas não falam muito rápido, eu as entendo. Eu também pergunto e respondo algumas coisas.*

Responda!

A Ana fala francês?	Não, ela não fala francês.
E o Sérgio? Ele fala muito bem ou só um pouco?	Ele fala só um pouco.

Ele entende as pessoas que falam rápido?
Não, ele não entende as pessoas que falam rápido.

Mas ele entende as pessoas que falam devagar, certo?
Certo! Ele entende as pessoas que falam devagar.

Muito bem!

Agora repita!

O Sérgio entende as pessoas que falam devagar.
Ele as entende.

Ele conhece a capital da França.
Ele a conhece.

O Sérgio e a Ana esperam o avião.
Responda! Eles ...
Eles o esperam.

A secretária lê as cartas.
Ela ...
Ela as lê.

Eu escuto a fita de português.
Eu a escuto.

O menino compra bombons na escola.
Ele os compra na escola.

O meu filho lê dois jornais de manhã.
Ele os lê de manhã.

Eu uso o meu lápis para escrever.
Eu o uso para escrever.

Eu conheço a minha vizinha.
Eu a conheço.

Muito bem! Escute!

Ana: *E o francês que as pessoas falam em Lyon é muito diferente do francês da capital?*

Sérgio: *Um pouco. Na capital as pessoas falam mais rápido. Rápido demais para eu entender.*

Responda!

O francês de Lyon é igual ao francês de Paris?
Não. O francês de Lyon não é igual ao francês de Paris.

É um pouco diferente, certo?
Certo! É um pouco diferente.

Onde é que as pessoas falam mais rápido? Em Paris ou em Lyon?
As pessoas falam mais rápido em Paris.

E o Sérgio entende o francês de Paris muito bem?
Não, ele não entende o francês de Paris muito bem.

O francês de Paris é rápido demais para ele entender, certo?
Certo! O francês de Paris é rápido demais para ele entender.

Muito bem!

Repita!

Ele não entende o francês de Paris.
É muito rápido.
O francês de Paris é rápido demais para ele entender.

Ele não vai para o trabalho a pé.
É muito longe.
O trabalho é longe demais para ele ir a pé.

Ele não usa esta camisa.
É muito grande.
Responda! Esta camisa é ... — Esta camisa é grande demais para ele usar.

Eu não compro carros alemães.
São muito caros.
Os carros alemães são ... — Os carros alemães são caros demais para eu comprar.

Eu não entendo chinês. É muito difícil.
Chinês é ... — Chinês é difícil demais para eu entender.

A Iara não usa roupas italianas.
São muito caras. — Roupas italianas são caras demais para ela usar.

Muito bem! Agora escute de novo! Escute ... e repita!

– *Para onde é que você vai, Ana?*
– *Eu vou para Brasília. E você?*
– *Para fora do país. Vou para Lyon.*
– *Puxa, que legal!*
  E você sabe falar francês?
  Eu não falo nada em francês ...
– *Não sei falar muito bem, não. Não é fácil entender francês.*
– *E o francês que as pessoas falam em Lyon é muito diferente do francês da capital?*
– *Um pouco. Na capital as pessoas falam mais rápido.*
  Rápido demais para eu entender.

Ótimo! Este é o fim da conversa entre o Sérgio e a Ana. E também é o fim desta fita, a fita número seis. Até logo ... e obrigada!

FITA NÚMERO 7

Escute! O Sr. Paulo e a esposa, D. Cláudia, tomam o café da manhã juntos.

Paulo: *Você sabe que horas são, Cláudia?*
Cláudia: *São sete e quinze.*
Paulo: *Hummm ... e hoje é terça ou quarta?*
Cláudia: *Quarta-feira.*

Responda!
Hoje é sábado? — Não, hoje não é sábado.
Que dia é hoje? Terça ou quarta-feira? — Hoje é quarta-feira.
Que horas são? São sete horas em ponto? — Não, não são sete horas em ponto.

São sete e quinze da manhã, certo? | Certo! São sete e quinze da manhã.

O Sr. Paulo e a D. Cláudia almoçam ou tomam o café da manhã? | Eles tomam o café da manhã.

Ah! O Sr. Paulo e a D. Cláudia tomam o café da manhã juntos às sete e quinze, certo? | Certo! Eles tomam o café da manhã juntos às sete e quinze.

Certo! Agora escute!

Cláudia: *Mais suco, Paulo?*
Paulo: *Não, obrigado.*
Cláudia: *Hummm! Este suco de abacaxi está delicioso!*
Paulo: *Eu não costumo tomar suco de manhã. Eu prefiro suco de laranja – é a minha fruta predileta.*

Responda!
O Sr. Paulo prefere suco de laranja ou de abacaxi? | Ele prefere suco de laranja.

A fruta predileta dele é laranja, certo? | Certo! A fruta predileta dele é laranja.

E ele geralmente toma suco de laranja? | Sim, ele geralmente toma suco de laranja.

Ah! Ele costuma tomar suco de laranja, certo? | Certo! Ele costuma tomar suco de laranja.

Repita!
Ele geralmente toma suco de laranja.
Ele costuma tomar suco de laranja.

A D. Cláudia geralmente come queijo no café da manhã.
Responda! Ela costuma comer ... | Ela costuma comer queijo no café da manhã.

Eu geralmente me levanto às sete e meia.
Eu costumo ... | Eu costumo me levantar às sete e meia.

Nós geralmente vamos dormir antes das dez. | Nós costumamos ir dormir antes das dez.

O Sr. Paulo geralmente volta para casa depois das seis. | Ele costuma voltar para casa depois das seis.

Muito bem! Escute! Agora são oito horas. Todos os dias, depois de tomar o café da manhã e escovar os dentes, o Sr. Paulo sai de casa e vai para o trabalho. Ele gosta de entrar cedo no escritório.

Paulo: *Tchau, Cláudia!*
Cláudia: *Até logo, Paulo!*

Responda! O Sr. Paulo sai de casa às nove horas?	Não, ele não sai de casa às nove horas.
A que horas ele sai de casa?	Ele sai de casa às oito horas.
Depois de tomar o café da manhã ele costuma escovar os dentes?	Sim, depois de tomar o café da manhã ele costuma escovar os dentes.
Ah! Primeiro ele toma o café da manhã e, depois, escova os dentes, certo?	Certo! Primeiro ele toma o café da manhã e, depois, escova os dentes.
Ele gosta de entrar cedo ou tarde no escritório?	Ele gosta de entrar cedo no escritório.
E ele gosta de sair de casa às sete ou às oito?	Ele gosta de sair de casa às oito.
Certo!	
Repita! Ele sai às oito. Ele gosta de sair às oito.	
Ele almoça fora. Ele gosta de almoçar fora.	
Eu tomo suco de laranja. *Responda!* Eu gosto de tomar ...	Eu gosto de tomar suco de laranja.
A D. Cláudia assiste ao noticiário à noite. Ela gosta ...	Ela gosta de assistir ao noticiário à noite.
Você faz um lanche em casa. Você ...	Você gosta de fazer um lanche em casa.
Nós sempre comemos frutas.	Nós gostamos de comer frutas.
O André e a Júlia tomam leite de manhã.	Elas gostam de tomar leite de manhã.

Muito bem! Agora vamos até o escritório do Sr. Paulo! Só a Iara está lá. Alguém entra no escritório.

Daniel: *Com licença? Aqui é o escritório do Sr. Paulo Monteiro?*

Iara: *É, sim. Mas ele não está.*

Daniel: *A que horas ele costuma vir?*

Iara: *Às oito e meia, geralmente. Às vezes ele vem mais cedo. O senhor prefere esperar ou voltar mais tarde?*

Daniel: *Eu espero, obrigado.*

Iara: *O seu nome, por favor?*

Daniel: *Daniel Farias.*

Responda!

Alguém entra no escritório do Sr. Monteiro?	Sim, alguém entra no escritório dele.
Quem entra lá? O Sr. Monteiro ou o Sr. Farias?	O Sr. Farias entra lá.
Ele está lá para falar com o Sr. Monteiro, certo?	Certo! Ele está lá para falar com o Sr. Monteiro.
O Sr. Monteiro está no escritório agora?	Não, ele não está lá agora.
O Sr. Daniel prefere voltar mais tarde ou esperar?	Ele prefere esperar.
Como? O que ele prefere fazer?	Ele prefere esperar.

Muito bem! Escute! Oito e meia: o Sr. Paulo entra no escritório.

Paulo: *Bom dia, Iara.*
Iara: *Bom dia. Sr. Paulo, este é o Sr. Daniel Farias.*
Paulo: *Muito prazer.*
Daniel: *Igualmente.*
Paulo: *Vamos para a minha sala, Sr. Daniel?*
Daniel: *Obrigado.*

Responda!

O Sr. Paulo entra no escritório?	Sim, ele entra no escritório.
Há alguém que o espera no escritório?	Sim, há alguém que o espera lá.
Quem o espera? Eu ou o Sr. Farias?	O Sr. Farias o espera.
Como? Qual é o nome da pessoa que o espera?	O nome da pessoa que o espera é Daniel Farias.
O Sr. Paulo conhece o Sr. Farias?	Não, ele não o conhece.
Como? Ele o conhece ou não?	Ele não o conhece.
Para onde eles vão? Para a sala de reuniões ou para a sala do Sr. Paulo?	Eles vão para a sala do Sr. Paulo.

Agora escute e repita!

– *Com licença? Aqui é o escritório do Sr. Paulo Monteiro?*
– *É, sim. Mas ele não está.*
– *A que horas ele costuma vir?*
– *Às oito e meia, geralmente.*
Às vezes ele vem mais cedo.
O senhor prefere esperar ou voltar mais tarde?
– *Eu espero, obrigado.*
– *O seu nome, por favor?*
– *Daniel Farias.*

Muito bem! Excelente! A gente está agora no fim desta fita, a fita número sete. Até logo ... e obrigado!

FITA NÚMERO 8

Escute! O Sr. Ferraz trabalha com o Sr. Monteiro na Fermont. A Iara é a secretária do Sr. Monteiro e a Sandra é a secretária do Sr. Ferraz. A Sandra está começando hoje na Fermont e a Iara está ensinando algumas coisas a ela.

Iara: *Sandra, esta é a minha sala ... e a sua é esta aqui.*

Responda!

A Iara é a secretária do Sr. Ferraz ou do Sr. Monteiro?
Ela é a secretária do Sr. Monteiro.

Ela está começando hoje na Fermont?
Não, ela não está começando hoje.

Quem é que está começando hoje? A Sandra?
Sim, a Sandra está começando hoje.

A Iara está falando ao telefone agora?
Não, ela não está falando ao telefone agora.

Ela está ensinando algumas coisas à Sandra, certo?
Certo! Ela está ensinando algumas coisas à Sandra.

A Sandra está ensinando ou aprendendo coisas?
Ela está aprendendo coisas.

Ah! A Iara está ensinando e a Sandra está aprendendo, certo?
Certo! A Iara está ensinando e a Sandra está aprendendo.

Muito bem! Escute!

Sandra: *Qual é o horário das secretárias, Iara?*

Iara: *Eu entro às oito horas e geralmente saio às seis da tarde. Às vezes eu chego um pouco adiantada.*

Responda!

A Iara está respondendo às perguntas da Sandra?
Sim, ela está respondendo às perguntas da Sandra.

E a Sandra? Está respondendo ou fazendo perguntas?
Ela está fazendo perguntas.

A Sandra está fazendo perguntas e a Iara está respondendo às perguntas dela, certo?
Certo! A Sandra está fazendo perguntas e a Iara está respondendo às perguntas dela.

Muito bem! Agora escute!

Sandra: *E quando você almoça, Iara?*

Iara: *Tem um restaurante aqui no prédio que fica aberto do meio-dia às duas horas. Eu costumo almoçar do meio-dia até a uma e meia. Depois eu lhe mostro o restaurante.*

Responda!

A Iara está falando do restaurante? — Sim, ela está falando do restaurante.

O restaurante fica no prédio da Fermont? — Sim, fica no prédio da Fermont.

Ah! A Iara costuma almoçar no restaurante que fica no prédio da Fermont, certo? — Certo! Ela costuma almoçar no restaurante que fica no prédio da Fermont.

Quanto tempo dura o almoço dela, uma hora ou uma hora e meia? — O almoço dela dura uma hora e meia.

Ela está almoçando no restaurante agora? — Não, ela não está almoçando lá agora.

Mas, às vezes, ela almoça lá, não é? — É! Às vezes ela almoça lá.

Muito bem!

Repita!

Ela não está almoçando lá agora.
Mas, às vezes, ela almoça lá.

Eu não estou lendo o jornal agora.
Responda! Mas, às vezes, eu ... — Mas, às vezes, eu leio o jornal.

Nós não estamos ouvindo música agora. Mas, às vezes ... — Mas, às vezes, nós ouvimos música.

Nós não estamos tomando café agora. Mas ... — Mas, às vezes, nós tomamos café.

A D. Cláudia não está conversando no telefone agora. — Mas, às vezes, ela conversa no telefone.

A secretária não está escrevendo cartas agora. — Mas, às vezes, ela escreve cartas.

Muito bem! Escute!

Iara: *Sandra, esta é a sala do Sr. Ferraz. Ele costuma conversar com os clientes aqui.*

Sandra: *As reuniões também são aqui?*

Iara: *Não, não. A empresa tem uma sala só para reuniões, que são à tarde geralmente.*

Responda!

Onde a Iara e a Sandra estão agora, na sala do Sr. Ferraz? — Sim, agora elas estão na sala do Sr. Ferraz.

Elas estão assistindo a uma reunião lá? — Não, elas não estão assistindo a uma reunião lá.

O Sr. Ferraz tem reuniões na sala dele? — Não, ele não tem reuniões na sala dele.

A empresa tem uma sala só para reuniões, certo? — Certo! A empresa tem uma sala só para reuniões.

E as reuniões geralmente são de manhã ou à tarde? — As reuniões geralmente são à tarde.

O Sr. Ferraz está assistindo a uma reunião agora? — Não, ele não está assistindo a uma reunião agora.

Mas, às vezes, ele assiste às reuniões, não é? — É! Às vezes ele assiste às reuniões.

Muito bem!

Repita!
Às vezes ele assiste às reuniões.
Mas ele não está assistindo a uma reunião agora.

Às vezes ele conversa com clientes.
Responda! Mas ele não está ... — Mas ele não está conversando com clientes agora.

Às vezes o diretor lê uma revista.
Mas ele não ... — Mas ele não está lendo uma revista agora.

Às vezes eu escuto música em casa.
Mas ... — Mas eu não estou escutando música em casa agora.

Às vezes nós conversamos ao telefone. — Mas nós não estamos conversando ao telefone agora.

Certo! Agora escute!

Iara: *A empresa tem uma sala só para reuniões, que são à tarde geralmente.*

Sandra: *E quanto tempo duram as reuniões?*

Iara: *Hummm ... nunca duram menos de duas horas. Sempre começam na hora e, às vezes, terminam à noite.*

Responda!

As reuniões sempre começam na hora na Fermont? — Sim, elas sempre começam na hora.

E duram mais de duas horas? — Sim, duram mais de duas horas.

Ah! As reuniões sempre começam na hora e duram mais de duas horas, certo? — Certo! As reuniões sempre começam na hora e duram mais de duas horas.

As reuniões nunca começam atrasadas? — Não, as reuniões nunca começam atrasadas.

Às vezes elas terminam à noite? — Sim, às vezes elas terminam à noite.

Agora escute!

Iara: *Muitas cartas chegam para o Sr. Ferraz. É importante colocar as cartas na mesa dele. As cartas do Sr. Paulo, você dá para mim, certo?*

Sandra: *Tudo bem.*

Iara: *Você gostaria de fazer alguma outra pergunta?*

Sandra: *Acho que não. Obrigada, Iara!*

Responda!

Muitas cartas chegam para o Sr. Ferraz?	Sim, muitas cartas chegam para ele.
É importante colocar as cartas na pasta ou na mesa dele?	É importante colocar as cartas na mesa dele.
Para quem a Sandra dá as cartas do Sr. Paulo, para mim?	Não, ela não as dá para você.
Ela as dá para a Iara, certo?	Certo, ela as dá para a Iara.

Muito bem! Agora escute a conversa mais uma vez. Desta vez escute ... e repita!

– *Qual é o horário das secretárias, Iara?*

– *Eu entro às oito horas e geralmente saio às seis da tarde.*

– *E quando você almoça, Iara?*

– *Eu costumo almoçar do meio-dia até a uma e meia.*
Sandra, esta é a sala do Sr. Ferraz.

– *As reuniões também são aqui?*

– *Não, não. A empresa tem uma sala só para as reuniões, que são à tarde geralmente.*

– *E quanto tempo duram as reuniões?*

– *Hummm ... nunca duram menos de duas horas.*

– *Muitas cartas chegam para o Sr. Ferraz.*
É importante colocar as cartas na mesa dele.

– *Tudo bem.*

Ótimo! Muito bem! Estamos chegando ao fim da conversa entre a Sandra e a Iara. E também chegamos ao fim desta fita, a fita número oito. Até logo ... e obrigada!

FITA NÚMERO 9

Escute! O Sérgio pretende viajar a passeio para a Europa e vai a uma agência de viagens. Lá uma funcionária o atende.

Funcionária: *Bom dia!*

Sérgio: *Bom dia!*
Funcionária: *Pois não?*

Responda!

Onde está o Sérgio agora, num restaurante?	Não, ele não está num restaurante.
Ele está numa agência de viagens, certo?	Certo! Ele está numa agência de viagens.
Ele pretende viajar para a Ásia?	Não, ele não pretende viajar para a Ásia.
Para onde ele pretende viajar?	Ele pretende viajar para a Europa.
Ele vai viajar a negócios ou a passeio?	Ele vai viajar a passeio.

Muito bem! Escute! Agora o Sérgio e a funcionária estão conversando.

Sérgio: *Eu gostaria de fazer uma viagem para Londres.*
Funcionária: *Certo. Quando o senhor pretende viajar?*
Sérgio: *Na semana que vem ... daqui a dez dias.*

Responda!

O Sérgio vai viajar para Paris na semana que vem?	Não, ele não vai viajar para Paris na semana que vem.
Para que cidade da Europa ele vai viajar?	Ele vai viajar para Londres.
Ele vai viajar daqui a cinco ou dez dias?	Ele vai viajar daqui a dez dias.
O Sérgio está fazendo uma viagem agora?	Não, ele não está fazendo uma viagem agora.
Mas ele vai fazer uma viagem na semana que vem, certo?	Certo! Ele vai fazer uma viagem na semana que vem.

Muito bem!

Repita!

O Sérgio não está fazendo uma viagem agora.
Mas ele vai fazer uma viagem na semana que vem.

Ele não está pegando o avião agora. *Responda!* Mas ele vai ...	Mas ele vai pegar o avião na semana que vem.
A funcionária não está vendendo a passagem. Mas ela ...	Mas ela vai vender a passagem na semana que vem.
O Sérgio não está viajando agora.	Mas ele vai viajar na semana que vem.
Ele não está chegando a Londres agora.	Mas ele vai chegar a Londres na semana que vem.
Ele não está comprando coisas em Londres.	Mas ele vai comprar coisas em Londres na semana que vem.

Muito bem! Agora escute!

Funcionária:	*Que classe o senhor prefere?*
Sérgio:	*Você tem classe executiva?*
Funcionária:	*Um minuto ... Sinto muito, mas, para esse dia, só de primeira classe ou classe econômica.*
Sérgio:	*Puxa, que pena! Bom, vou comprar passagem de classe econômica.*

Responda!

O Sérgio vai comprar uma passagem?	Sim, ele vai comprar uma passagem.
E ele prefere viajar de classe executiva?	Sim, ele prefere viajar de classe executiva.
Mas ele vai comprar uma passagem de classe executiva?	Não, ele não vai comprar uma passagem de classe executiva.
Ah! Ele vai comprar uma passagem, mas não vai comprar uma passagem de classe executiva, certo?	Certo! Ele vai comprar uma passagem, mas não vai comprar uma passagem de classe executiva.
Que tipo de passagem ele vai comprar?	Ele vai comprar uma passagem de classe econômica.
A funcionária está usando um computador?	Sim, ela está usando um computador.
Ela está digitando ou escrevendo a lápis?	Ela está digitando.
Como? O que ela está fazendo?	Ela está digitando.

Muito bem! Agora escute!

Funcionária:	*O senhor vai voltar de Londres?*
Sérgio:	*Não. Primeiro, eu vou conhecer outros países e, depois, voltar para o Brasil de Lisboa.*
Funcionária:	*Quanto tempo o senhor vai ficar na Europa?*
Sérgio:	*Um mês.*

Responda!

O Sérgio vai voltar para o Brasil da Inglaterra?	Não, ele não vai voltar para o Brasil da Inglaterra.
De que país ele vai voltar?	Ele vai voltar de Portugal.
Ele vai ficar só em Londres um mês?	Não, ele não vai ficar só em Londres.
Ele vai conhecer outros países, certo?	Certo! Ele vai conhecer outros países.

Ele vai voltar para o Brasil de Londres? Não, ele não vai voltar para o Brasil de Londres.

De onde ele vai voltar? Ele vai voltar de Lisboa.

Quanto tempo ele vai ficar na Europa? Ele vai ficar um mês na Europa.

Hummm! Ele vai ficar um mês na Europa e conhecer mais de dois países, certo? Certo! Ele vai ficar um mês na Europa e conhecer mais de dois países.

Excelente! Agora escute!

Funcionária: *OK! O avião vai sair às vinte e três horas e vai chegar a Londres às dezesseis e trinta.*

Sérgio: *E para voltar?*

Funcionária: *Para voltar, o senhor vai sair de Lisboa ao meio-dia e vai chegar aqui às vinte e uma horas.*

Sérgio: *Certo!*

Responda!

O Sérgio vai sair do Brasil à noite ou de manhã? Ele vai sair à noite.

Ele também vai chegar à Europa à noite? Não, ele não vai chegar lá à noite.

Ele vai chegar a Londres de manhã ou à tarde? Ele vai chegar a Londres à tarde.

De que país ele vai voltar? Ele vai voltar de Portugal.

Ele vai chegar ao Brasil de manhã ou à noite? Ele vai chegar ao Brasil à noite.

Ah! Ele vai sair de Portugal ao meio-dia e chegar ao Brasil à noite, certo? Certo! Ele vai sair de Portugal ao meio-dia e chegar ao Brasil à noite.

Muito bem! Agora escute e repita!

– *Pois não?*
– *Eu gostaria de fazer uma viagem para Londres.*
– *Certo. Quando o senhor pretende viajar?*
– *Na semana que vem ... daqui a dez dias.*
– *O senhor vai voltar de Londres?*
– *Não. Primeiro, eu vou conhecer outros países e, depois, voltar para o Brasil de Lisboa.*
– *Quanto tempo o senhor vai ficar na Europa?*
– *Um mês.*

Muito bem! O Sérgio vai fazer uma viagem daqui a pouco e esta fita, a fita número nove, também vai terminar daqui a pouco. Até logo ... e obrigado!

FITA NÚMERO 10

Escute! A Vera pretende abrir uma conta corrente e, então, vai ao Banco União. As pessoas que querem abrir uma conta precisam falar com o gerente. Depois de entrar no banco, ela vai até a mesa do gerente para falar com ele.

Gerente: *Bom dia! Pois não?*

Vera: *Bom dia! Eu gostaria de abrir uma conta corrente ...*

Responda!

A Vera entra no banco ou no escritório dela? — Ela entra no banco.

Ela pretende abrir uma conta lá? — Sim, ela pretende abrir uma conta lá.

Que tipo de conta ela quer abrir? Uma poupança ou uma conta corrente? — Ela quer abrir uma conta corrente.

Com quem ela precisa falar para abrir a conta? Com o gerente? — Sim, ela precisa falar com o gerente para abrir a conta.

Primeiro, ela entra no banco, depois vai até a mesa do gerente, não é? — É! Primeiro, ela entra no banco, depois vai até a mesa do gerente.

Muito bem! Agora escute: a Vera e o gerente estão conversando.

Vera: *Eu gostaria de abrir uma conta corrente ...*

Gerente: *Pois não. Eu vou precisar de um documento. Pode ser a sua carteira de identidade.*

Responda!

A Vera está conversando com um caixa do banco? — Não, ela não está conversando com um caixa do banco.

Com quem ela está conversando? — Ela está conversando com o gerente.

Ele lhe pede um documento ou uma carta? — Ele lhe pede um documento.

A Vera pode abrir uma conta sem um documento? — Não. Ela não pode abrir uma conta sem um documento.

Hummm! Ela precisa de um documento para abrir a conta, não é? — É! Ela precisa de um documento para abrir a conta.

Certo!

Repita!

Ela não pode abrir uma conta sem um documento.
Ela precisa de um documento para abrir uma conta.

Eu não posso usar o carro sem a carteira de motorista.
Eu preciso da carteira de motorista para usar o carro.

Eu não posso sair do país sem o passaporte. *Responda!* Eu preciso do ...	Eu preciso do passaporte para sair do país.
O gerente não pode ler o jornal sem os óculos.	Ele precisa dos óculos para ler o jornal.
Nós não podemos verificar o saldo sem o número da conta.	Nós precisamos do número da conta para verificar o saldo.
A secretária não pode enviar uma carta sem o endereço.	Ela precisa do endereço para enviar uma carta.

Muito bem! Escute!

Gerente: *A senhora também precisa preencher esta ficha.*

Vera: *Tudo bem. E quando eu posso pegar o meu talão de cheques?*

Gerente: *Daqui a uma semana. A senhora vai receber uma ligação do banco e depois vai poder pegar os talões e o cartão magnético. E a senhora também precisa mostrar um documento para retirar os talões.*

Responda!

A Vera quer retirar talões de cheques?	Sim, ela quer retirar talões de cheques.
Mas ela pode retirar os talões hoje?	Não, ela não pode retirar os talões hoje.
Quanto tempo ela precisa esperar?	Ela precisa esperar uma semana.
Ela precisa esperar uma semana para retirar os talões de cheques, certo?	Certo! Ela precisa esperar uma semana para retirar os talões de cheques.
A Vera pode retirar os talões sem mostrar um documento?	Não, ela não pode retirar os talões sem mostrar um documento.
Então, ela precisa mostrar um documento para retirar os talões, não é?	É! Ela precisa mostrar um documento para retirar os talões.

Muito bem!

Repita!

Ela não pode pegar os talões sem mostrar um documento.
Ela precisa mostrar um documento para pegar os talões.

Eu não posso sacar dinheiro sem usar o cartão magnético.
Eu preciso usar o cartão magnético para sacar dinheiro.

A Vera não pode verificar o saldo sem ir ao banco. *Responda!* Ela precisa ir ...	Ela precisa ir ao banco para verificar o saldo.
Você não pode abrir uma poupança sem fazer um depósito.	Você precisa fazer um depósito para abrir uma poupança.

Eu não posso ir ao médico sem marcar uma hora. — Eu preciso marcar uma hora para ir ao médico.

Você não pode comprar cheques de viagem sem mostrar o passaporte. — Você precisa mostrar o passaporte para comprar cheques de viagem.

Muito bem! Escute!

Gerente: *A senhora também tem que fazer um depósito.*

Vera: *Posso depositar um cheque de outro banco?*

Gerente: *Pode.*

Vera: *Você pode me dizer quando eu preciso fazer o depósito?*

Gerente: *Hoje, até as quatro e meia.*

Responda!

A Vera precisa depositar ou retirar dinheiro? — Ela precisa depositar dinheiro.

Ela pode depositar um cheque de outro banco? — Sim, ela pode depositar um cheque de outro banco.

Ela vai descontar ou depositar o cheque? — Ela vai depositar o cheque.

Ela vai fazer um depósito, certo? — Certo! Ela vai fazer um depósito.

Certo! Escute!

Vera: *Uma pergunta: para que eu posso usar o meu cartão magnético?*

Gerente: *A senhora pode usar o cartão para sacar dinheiro no caixa automático e verificar o saldo.*

Responda!

A Vera pode usar o cartão para sacar dinheiro? — Sim, ela pode usar o cartão para sacar dinheiro.

Ela também pode usar o cartão no caixa automático? — Sim, ela também pode usar o cartão no caixa automático.

Ela vai usar cheques no caixa automático? — Não, ela não vai usar cheques no caixa automático.

O que ela vai usar no caixa automático? — Ela vai usar o cartão magnético no caixa automático.

Muito bem! Escute!

Vera: *Então, eu posso fazer o depósito agora?*

Gerente: *Sim! A senhora pode ir a um dos caixas agora.*

Vera: *Então, muito obrigada!*

Gerente: *Não há de quê.*

Responda!

A Vera pede para sacar dinheiro? — Não, ela não pede para sacar dinheiro.

Ela pede para fazer um depósito, certo?	Certo! Ela pede para fazer um depósito.
Ela vai fazer o depósito para abrir uma conta corrente ou uma poupança?	Ela vai fazer o depósito para abrir uma conta corrente.
Ela vai fazer o depósito com o gerente?	Não, ela não vai fazer o depósito com o gerente.
Com quem ela vai fazer o depósito?	Ela vai fazer o depósito com um dos caixas.

Muito bem! Agora escute a conversa de novo. Desta vez escute ... e repita!

– *Eu gostaria de abrir uma conta corrente ...*
– *Pois não! Eu vou precisar de um documento.*
– *Tudo bem. E quando eu posso pegar o meu talão de cheques?*
– *Daqui a uma semana.*
– *Posso depositar um cheque de outro banco?*
– *Pode.*
– *Você pode me dizer quando eu preciso fazer o depósito?*
– *Hoje, até as quatro e meia.*
– *Então, eu posso fazer o depósito agora?*
– *Sim. A senhora pode ir a um dos caixas agora.*

Ótimo! A Vera vai abrir uma conta e nós vamos terminar esta fita. Sim, este é o fim da fita número dez. Até logo ... e obrigada!

FITA NÚMERO 11

Escute!

M. Teresa: *Táxi! Táxi! ... Boa tarde. Eu não sou de São Paulo e preciso ir a uma loja de roupas, a Bom Tom. O senhor a conhece?*

Motorista: *Bom Tom? Hummm ... conheço! Fica na Av. Brasil. A senhora é do Rio, não é?*

M. Teresa: *Sou. Eu moro lá, e vim a São Paulo para assistir a uma reunião. Ela terminou hoje ao meio-dia e agora vou comprar algumas roupas.*

Responda!

A Maria Teresa foi ao Rio?	Não, ela não foi ao Rio.
A que cidade ela foi?	Ela foi a São Paulo.
Ela assistiu a uma reunião em São Paulo?	Sim, ela assistiu a uma reunião em São Paulo.
O que ela fez depois da reunião? Pegou um táxi?	Sim, ela pegou um táxi depois da reunião.

Muito bem! Escute!

Motorista: *A senhora está aqui há muito tempo?*
M. Teresa: *Não. Cheguei há dois dias.*
Motorista: *Vai voltar para o Rio agora?*
M. Teresa: *Não. Eu vou ficar até amanhã.*

Responda!

A Maria Teresa chegou a São Paulo há dois meses? — Não, ela não chegou a São Paulo há dois meses.

Há quanto tempo ela chegou a São Paulo? Há dois dias? — Sim, ela chegou a São Paulo há dois dias.

Então, ela não está em São Paulo há muito tempo, certo? — Certo! Ela não está em São Paulo há muito tempo.

Ela vai voltar para o Rio agora? — Não, ela não vai voltar para o Rio agora.

Ela vai a um banco ou a uma loja de roupas antes de voltar para o Rio? — Ela vai a uma loja de roupas antes de voltar para o Rio.

Muito bem! Escute! Depois de alguns minutos, o táxi chegou à loja.

Motorista: *É aqui, senhora.*
M. Teresa: *Ah, sim. Obrigada. Quanto é?*
Motorista: *Três mil cruzeiros.*
M. Teresa: *O senhor tem troco para uma nota de dez mil?*
Motorista: *Tenho, sim.*
M. Teresa: *Obrigada. Até logo!*

Responda!

Quanto foi o táxi? Foi três mil cruzeiros? — Sim, o táxi foi três mil cruzeiros.

A Maria Teresa deu cinco mil ou dez mil cruzeiros para o homem do táxi? — Ela lhe deu dez mil cruzeiros.

Ela recebeu o troco? — Sim, ela recebeu o troco.

Não entendi! Quem é que recebeu o troco? Você? — Não, eu não recebi o troco.

Muito bem! Ótimo!

Repita!

Ela recebeu o troco.
Mas eu não recebi o troco.

Ela pegou o táxi.
Responda! Mas eu não ... — Mas eu não peguei o táxi.

Ela foi à loja de roupas.
Mas eu ... — Mas eu não fui à loja de roupas.

Ela chegou lá às duas horas.	Mas eu não cheguei lá às duas horas.
O meu amigo veio aqui ontem.	Mas eu não vim aqui ontem.
O meu irmão deu uma festa no ano passado.	Mas eu não dei uma festa no ano passado.

Muito bem! Perfeito! Escute! A Maria Teresa pegou o troco, saiu do táxi e entrou na loja.

Vendedora: *Pois não?*
M. Teresa: *Eu gostaria de ver algumas blusas, por favor.*
Vendedora: *Claro! Que tal esta branca?*
M. Teresa: *É bonita, mas não gosto de branco. Você tem azul?*
Vendedora: *Claro! Que tal?*
M. Teresa: *Hummm ... gostei! Vou levar esta azul.*

Responda!

A Maria Teresa saiu da loja ou entrou na loja?	Ela entrou na loja.
Quem foi falar com ela? Uma vendedora?	Sim, uma vendedora foi falar com ela.
A vendedora lhe disse "pois não", certo?	Certo! Ela lhe disse "pois não".
Ela lhe mostrou uma ou duas blusas?	Ela lhe mostrou duas blusas.
De que blusa a Maria Teresa gostou? Da azul?	Sim, ela gostou da azul.

Muito bem! Agora escute!

Vendedora: *Como a senhora vai pagar?*
M. Teresa: *Vocês aceitam cartão de crédito? Eu geralmente pago com o cartão ...*
Vendedora: *Claro! A senhora assina aqui, por favor?*
M. Teresa: *Pronto! Até logo! E obrigada!*
Vendedora: *Até logo! E volte sempre!*

Responda!

A Maria Teresa pagou com cheque?	Não, ela não pagou com cheque.
Ela pagou com cartão de crédito, certo?	Certo! Ela pagou com cartão de crédito.
A vendedora aceitou o cartão dela?	Sim, ela o aceitou.
A Maria Teresa geralmente paga com cheque ou com cartão?	Ela geralmente paga com cartão.
Então, ela pagou a blusa com cartão, certo?	Certo! Ela pagou a blusa com cartão.

Muito bem!

Agora repita!

Ela geralmente paga com cartão.
Ontem ela pagou com cartão.

Eu geralmente assisto a reuniões.
Ontem eu assisti a uma reunião.

O João geralmente pega táxi.

Responda! Ontem ele ... — Ontem ele pegou um táxi.

Eu geralmente vou para o trabalho de metrô.
Ontem eu ... — Ontem eu fui para o trabalho de metrô.

Você geralmente chega às nove horas. — Ontem você chegou às nove horas.

Eu geralmente atendo os clientes na minha sala. — Ontem eu atendi os clientes na minha sala.

A vendedora geralmente sai às sete. — Ontem ela saiu às sete.

Você geralmente vem para casa depois do trabalho. — Ontem você veio para casa depois do trabalho.

Eu geralmente digo "bom dia" quando chego. — Ontem eu disse "bom dia" quando cheguei.

Muito bem! Agora escute a conversa na loja e depois repita!

– *Eu gostaria de ver algumas blusas, por favor.*
– *Claro! Que tal esta branca?*
– *É bonita, mas não gosto de branco. Você tem azul?*
– *Claro! Que tal?*
– *Hummm ... gostei! Vou levar esta azul.*
– *Como a senhora vai pagar?*
– *Vocês aceitam cartão de crédito?*
– *Claro! A senhora assina aqui, por favor?*
– *Pronto! Até logo e obrigada!*
– *Até logo! E volte sempre!*

Excelente! Então, chegamos ao fim da conversa na Bom Tom e também chegamos ao fim desta fita, a fita número onze. Até logo ... e obrigado!

FITA NÚMERO 12

Escute! Amanhã é sexta-feira, sete de setembro, feriado no Brasil. As pessoas vão ter um longo fim de semana! A D. Letícia tem um irmão, e está ligando para conversar sobre o feriado.

Cláudio: *Alô!*

Letícia: *Alô! Cláudio? É a Letícia. Tudo bem?*

Cláudio: *Oi, Letícia! Tudo bem?*

Responda!

Amanhã é feriado no Brasil? — Sim, amanhã é feriado no Brasil.

Amanhã é sexta-feira ou domingo? — Amanhã é sexta-feira.

Ah! Então hoje é quinta-feira e amanhã é sexta-feira, certo? — Certo! Hoje é quinta-feira e amanhã é sexta-feira.

A D. Letícia é irmã do Sr. Cláudio? — Sim, ela é irmã dele.

Ela ligou para o Sr. Cláudio ou mandou-lhe uma carta? — Ela ligou para ele.

Muito bem! Escute!

Claúdio: *Oi, Letícia! Tudo bem?*

Letícia: *Estou ligando para lhe perguntar o que você vai fazer neste feriado.*

Cláudio: *Acho que não vou fazer nada. Vou ficar em casa. Eu quero descansar.*

Letícia: *O que aconteceu? Normalmente você viaja nos feriados ...*

Cláudio: *Não é verdade! Faz seis meses que eu não saio da cidade.*

Responda!

A D. Letícia está ligando para conversar sobre o feriado ou o trabalho? — Ela está ligando para conversar sobre o feriado.

Ela está ligando para perguntar o que o Sr. Cláudio vai fazer no feriado, certo? — Certo! Ela está ligando para perguntar o que o Sr. Cláudio vai fazer no feriado.

E o que é que ele vai fazer? Ele vai viajar ou vai ficar em casa? — Ele vai ficar em casa.

Ele não sai da cidade há seis meses ou há um ano? — Ele não sai da cidade há seis meses.

Então, faz seis meses que ele não sai da cidade, não é? — É! Faz seis meses que ele não sai da cidade.

Muito bem!

Repita!

Ele não sai da cidade há seis meses.
Faz seis meses que ele não sai da cidade.

Ele não viaja há mais de um mês.
Faz mais de um mês que ele não viaja.

Eu não fumo há três anos.
Responda! Faz três anos que ... — Faz três anos que eu não fumo.

Eu não vejo o Cláudio há dez dias. Faz dez dias ...	Faz dez dias que eu não vejo o Cláudio.
Nós não vamos ao teatro há mais de um mês. Faz mais ...	Faz mais de um mês que nós não vamos ao teatro.
A D. Letícia não faz compras há mais de um mês.	Faz mais de um mês que a D. Letícia não faz compras.

Muito bem! Agora escute!

Cláudio: *E você, Letícia? Vai fazer alguma viagem?*
Letícia: *Eu e o Ferraz vamos a Buenos Aires.*
Cláudio: *Buenos Aires? Eu estive lá há um ano.*

Responda!

A D. Letícia vai ficar em casa no feriado?	Não, ela não vai ficar em casa no feriado.
Ela vai viajar para Buenos Aires, não é?	É! Ela vai viajar para Buenos Aires.
O Sr. Cláudio também vai a Buenos Aires?	Não, ele não vai a Buenos Aires.
Ele esteve lá há um ou dois anos?	Ele esteve lá há um ano.
Então, ele visitou a Argentina no ano passado, certo?	Certo! Ele visitou a Argentina no ano passado.

Muito bem! Agora escute!

Letícia: *Você trouxe muitas coisas de Buenos Aires?*
Cláudio: *Bom, eu geralmente trago muitas coisas de lá ... Mas no ano passado só trouxe dois casacos.*

Responda!

O Sr. Cláudio trouxe alguma coisa de Buenos Aires no ano passado?	Sim, ele trouxe alguma coisa de Buenos Aires.
O que ele trouxe? Sapatos ou casacos?	Ele trouxe casacos.
Quantos casacos ele trouxe de lá? Dois?	Sim, ele trouxe dois casacos de lá.
Então, ele não trouxe muitas roupas, certo?	Certo! Ele não trouxe muitas roupas.
Mas geralmente ele traz muitas ou poucas roupas de Buenos Aires?	Geralmente ele traz muitas roupas de Buenos Aires.
Então, geralmente ele traz muitas roupas de Buenos Aires, mas no ano passado ele não trouxe muitas roupas, não é?	É! Geralmente ele traz muitas roupas de Buenos Aires, mas, no ano passado, ele não trouxe muitas roupas.

Muito bem!

Repita!
Ele geralmente traz muitas roupas.
Mas no ano passado ele não trouxe muitas roupas.

Ele geralmente compra três casacos. *Responda!* Mas no ano passado ele não ...	Mas no ano passado ele não comprou três casacos.
Eu geralmente faço viagens longas. Mas no ano passado ...	Mas no ano passado eu não fiz viagens longas.
Nós geralmente vemos os nossos amigos na Argentina.	Mas no ano passado nós não vimos os nossos amigos na Argentina.

Muito bem! Agora escute!

Cláudio: *Aonde mais vocês vão?*
Letícia: *A nenhuma outra cidade. Só Buenos Aires.*
Cláudio: *Buenos Aires é muito bonita. E você pode fazer ótimas compras lá.*
Letícia: *Eu sei. Bem, acho que não vou vê-lo até a viagem. Eu lhe mando um postal de lá.*
Cláudio: *Obrigado, Letícia. E boa viagem!*

Responda!

A D. Letícia vai conhecer outras cidades?	Não, ela não vai conhecer outras cidades.
Ela vai ficar só em Buenos Aires, certo?	Certo! Ela vai ficar só em Buenos Aires.
O Sr. Cláudio fez compras quando esteve em Buenos Aires?	Sim, ele fez compras quando esteve em Buenos Aires.
Ele vai receber uma carta ou um postal de Buenos Aires?	Ele vai receber um postal de Buenos Aires.
Ele vai recebê-lo daqui a alguns dias, não é?	É! Ele vai recebê-lo daqui a alguns dias.
Como? Quando ele vai recebê-lo?	Ele vai recebê-lo daqui a alguns dias.

Certo!

Repita!
Ele vai receber um postal.
Quando ele vai recebê-lo?

Eu vou comprar uma blusa.
Onde você vai comprá-la?

O Sr. Cláudio vai trazer os documentos. *Pergunte!* Para que ...?	Para que ele vai trazê-los?

Eu vou deixar um recado. Para quem ...?	Para quem você vai deixá-lo?
Os gerentes vão levar a copiadora. Por que ...?	Por que eles vão levá-la?
A secretária vai digitar estas cartas. Daqui a quanto tempo ...?	Daqui a quanto tempo ela vai digitá-las?

Muito bem! Agora escute ... e repita!

– *Alô! Cláudio? É a Letícia. Tudo bem?*
– *Oi, Letícia! Tudo bem?*
– *Estou ligando para lhe perguntar o que você vai fazer neste feriado.*
– *Acho que não vou fazer nada.*
Vou ficar em casa.
– *Eu e o Ferraz vamos a Buenos Aires.*
– *Buenos Aires? Eu estive lá há um ano.*
– *Você trouxe muitas coisas de Buenos Aires?*
– *Bom, eu geralmente trago muitas coisas de lá ...*
Mas no ano passado só trouxe dois casacos.

Muito bem! Daqui a pouco a viagem da D. Letícia vai começar. E daqui a pouco esta fita, a fita número doze, vai terminar. Sim! Este é o fim da fita doze. Até logo ... e obrigada!

FITA NÚMERO 13

Escute! A Iara tem uma irmã que se chama Selma e mora em Campinas, uma cidade perto de São Paulo. A Selma faz aniversário no dia 3 de outubro. Agora a Iara está no correio para enviar-lhe um presente.

Iara: Eu gostaria de enviar este pacote para Campinas, por favor.

Responda!

A Iara e a Selma moram em cidades diferentes?	Sim, elas moram em cidades diferentes.
A Iara mora em São Paulo e a Selma mora em Campinas, certo?	Certo! A Iara mora em São Paulo e a Selma mora em Campinas.
Campinas é uma cidade que fica longe ou perto de São Paulo?	Campinas é uma cidade que fica perto de São Paulo.
Quem fez aniversário? A Selma?	Sim, a Selma fez aniversário.
E a Iara comprou um presente para mim ou para a Selma?	Ela comprou um presente para a Selma.
Por que ela comprou um presente para a Selma? Porque ela fez aniversário?	Sim, ela lhe comprou um presente porque ela fez aniversário.

E a Iara foi a Campinas para lhe dar o presente? — Não, a Iara não foi a Campinas para lhe dar o presente.

O que ela fez com o presente? Ela o enviou pelo correio? — Sim, ela o enviou pelo correio.

Muito bem! Escute!

Iara: *Eu gostaria de enviar este pacote para Campinas, por favor.*

Funcionário: *Certo! Mas você não escreveu o CEP. Sem o CEP, a correspondência demora mais tempo para chegar.*

Iara: *Ah, desculpe. Você poderia me dizer qual é o CEP de Campinas, por favor?*

Funcionário: *Claro! É 13.100.*

Responda!

A Iara escreveu o CEP no pacote? — Não, ela não escreveu o CEP no pacote.

Mas é importante colocar o CEP, não é? — É! É importante colocar o CEP.

Quando não colocamos o CEP, a correspondência demora mais ou menos para chegar? — Quando não colocamos o CEP, a correspondência demora mais para chegar.

Como? O que acontece quando não colocamos o CEP? — Quando não colocamos o CEP, a correspondência demora mais para chegar.

A Iara perguntou o CEP de Campinas? — Sim, ela perguntou o CEP de Campinas.

O funcionário do correio disse o CEP de Campinas à Iara? — Sim, ele lhe disse o CEP de Campinas.

E qual é o CEP de lá? É 13.100? — Sim, o CEP de lá é 13.100.

A Iara disse: "Você poderia me dizer qual é o CEP de Campinas?"? — Sim, ela disse: "Você poderia me dizer qual é o CEP de Campinas?".

Certo!

Agora repita!

"Qual é o CEP de Campinas?"

Você poderia me dizer qual é o CEP de Campinas?

"Onde fica o correio?"

Pergunte! Você poderia me dizer ...? — Você poderia me dizer onde fica o correio?

"Quanto pesam os pacotes?"

Você poderia ... — Você poderia me dizer quanto pesam os pacotes?

"Quando o telegrama vai chegar?" — Você poderia me dizer quando o telegrama vai chegar?

"Quem é o remetente desta carta?" — Você poderia me dizer quem é o remetente desta carta?

Muito bem! Escute!

Iara: *Quanto eu tenho que pagar?*

Funcionário: *Um momento, eu ainda não pesei o pacote. Hummm ... Oitocentos gramas – são cinco mil cruzeiros. Os seus selos.*

Iara: *Obrigada!*

Responda!

A Iara faz uma pergunta ao funcionário do correio? — Sim, ela lhe faz uma pergunta.

Ela lhe pergunta quanto tem que pagar, certo? — Certo! Ela lhe pergunta quanto tem que pagar.

O funcionário precisa pesar o pacote? — Sim, ele precisa pesá-lo.

O pacote pesa mais ou menos de um quilo? — O pacote pesa menos de um quilo.

Quanto pesa o pacote? Oitocentos gramas? — Sim, o pacote pesa oitocentos gramas.

O funcionário dá postais ou selos para a Iara? — Ele lhe dá selos.

Então, primeiro ele pesa o pacote e, depois, dá os selos para a Iara, não é? — É! Primeiro ele pesa o pacote e, depois, dá os selos para a Iara.

A Iara já pagou os selos? — Não, ela ainda não os pagou.

Repita!

A Iara já pagou os selos?
Não, ela ainda não os pagou.

Você já comprou os postais?
Não, eu ainda não os comprei.

A Iara já enviou o pacote?
Responda! Não, ela ainda não ... — Não, ela ainda não o enviou.

O carteiro já entregou a correspondência?
Não, ele ... — Não, ele ainda não a entregou.

Eu já mostrei os meus postais a você? — Não, você ainda não os mostrou a mim.

Você já recebeu o meu telegrama? — Não, eu ainda não o recebi.

Vocês já puseram as cartas no correio? — Não, nós ainda não as pusemos no correio.

Muito bem! Escute!

Iara: *Daqui a quanto tempo a pessoa vai receber o pacote?*

Funcionário: *É urgente?*

Iara: *É, sim.*

Funcionário: *Então, daqui a dois dias o pacote já vai estar lá.*

Responda!

O pacote que a Iara está enviando é urgente? — Sim, o pacote que ela está enviando é urgente.

Como? Que pacote é urgente? — O pacote que a Iara está enviando é urgente.

O pacote vai chegar amanhã? — Não, ele não vai chegar amanhã.

Ele vai chegar daqui a dois meses ou dois dias? — Ele vai chegar daqui a dois dias.

Então, a Selma vai recebê-lo depois de amanhã, certo? — Certo! Ela vai recebê-lo depois de amanhã.

Muito bem! Agora você vai ouvir e repetir!

– *Eu gostaria de enviar este pacote para Campinas, por favor.*
– *Certo! Mas você não escreveu o CEP.*
Sem o CEP, a corespondência demora mais tempo para chegar.
– *Ah, desculpe. Você poderia me dizer qual é o CEP de Campinas, por favor?*
– *Claro! É 13.100.*
– *Obrigada! Daqui a quanto tempo a pessoa vai receber o pacote?*
– *É urgente?*
– *É, sim!*
– *Então, daqui a dois dias o pacote já vai estar lá.*

Certo! Daqui a dois dias o pacote da Iara vai chegar à casa da Selma ... e daqui a pouco nós vamos chegar ao fim desta fita. Sim! Este é o fim da fita treze. Muito obrigado ... e até logo!

FITA NÚMERO 14

Escute! A D. Letícia fez uma viagem a Buenos Aires no feriado de sete de setembro. Ela já voltou e está ligando para o Sr. Cláudio.

Cláudio: *Alô!*
Letícia: *Alô, Cláudio? É a Letícia.*
Cláudio: *Oi, Letícia! Já voltou?*

Responda!

A D. Letícia viajou no feriado? — Sim, ela viajou no feriado.

Ela viajou no feriado de sete de setembro ou sete de novembro? — Ela viajou no feriado de sete de setembro.

Ela saiu do Brasil? — Sim, ela saiu do Brasil.

Aonde ela foi? A Santiago? — Não, ela não foi a Santiago.

A que cidade ela foi?	Ela foi a Buenos Aires.
Então, a D. Letícia saiu do Brasil e foi a Buenos Aires no feriado de sete de setembro, certo?	Certo! A D. Letícia saiu do Brasil e foi a Buenos Aires no feriado de sete de setembro.
Ela ligou para alguém quando voltou?	Sim, ela ligou para alguém quando voltou.
Para quem ela ligou? Para mim ou para o Sr. Cláudio?	Ela ligou para o Sr. Cláudio.

Muito bem! Escute!

Cláudio: *Oi, Letícia! Já voltou? Como foi a viagem?*

Letícia: *Foi bastante agradável ... atchim! Mas eu acho que peguei uma gripe ... atchim!*

Cláudio: *Ahn ... Você está se sentindo mal?*

Responda!

A D. Letícia gostou da viagem?	Sim, ela gostou da viagem.
Ela disse que a viagem foi horrível ou agradável?	Ela disse que a viagem foi agradável.
O que a D. Letícia fez quando falou ao telefone? Ela espirrou?	Sim. Ela espirrou quando falou ao telefone.
Ela espirrou porque pegou uma gripe, certo?	Certo! Ela espirou porque pegou uma gripe.
As pessoas se sentem bem ou mal quando estão com gripe?	As pessoas se sentem mal quando estão com gripe.

Certo! Escute!

Cláudio: *Ahn ... Você está se sentindo mal?*

Letícia: *Não estou me sentindo muito bem, não ... atchim! Estou com tosse e não paro de espirrar.*

Cláudio: *Você já tomou a temperatura?*

Letícia: *Já. Estou com um pouco de febre. E dor de cabeça ... Eu sempre fico com febre quando pego uma gripe.*

Responda!

A D. Letícia pegou uma gripe?	Sim, ela pegou uma gripe.
Então, ela não está se sentindo bem, certo?	Certo! Ela não está se sentindo bem.
Ela está com dor de dente ou dor de cabeça?	Ela está com dor de cabeça.
Então, ela não está se sentindo bem porque pegou uma gripe e está com dor de cabeça, não é?	É! Ela não está se sentindo bem porque pegou uma gripe e está com dor de cabeça.
Ela está com febre alta?	Não. Ela não está com febre alta.

Muito bem!

Repita!

Ela não está com febre alta.
Ela está com febre baixa.

Ela não está se sentindo bem.
Ela está se sentindo mal.

Nós não ficamos com frio no verão.

Responda! Nós ficamos com ... — Nós ficamos com calor no verão.

O céu não está nublado.

O céu ... — O céu está limpo.

Eu não estou com calor agora. — Eu estou com frio agora.

A temperatura não está abaixo de zero. — A temperatura está acima de zero.

Certo! Escute!

Letícia: *Eu sempre fico com febre quando pego uma gripe.*

Cláudio: *Você está com febre? E não está tomando nenhum remédio?*

Letícia: *Eu já fui ao médico e ele me receitou um remédio. Hoje à tarde eu vou à farmácia para comprá-lo.*

Responda!

A D. Letícia precisa tomar um remédio? — Sim, ela precisa tomar um remédio.

Quem lhe receitou o remédio? O médico? — Sim, o médico lhe receitou o remédio.

E ela já está tomando o remédio? — Não, ela ainda não está tomando o remédio.

Por que ela ainda não está tomando o remédio? Porque ainda não o comprou? — Sim, ela não está tomando o remédio porque ainda não o comprou.

Então, o médico lhe receitou um remédio, mas ela não o está tomando porque ainda não o comprou, certo? — Certo! O médico lhe receitou um remédio, mas ela não o está tomando porque ainda não o comprou.

Ela ficou com dor de dente ou com febre? — Ela ficou com febre.

Ela sempre fica com febre quando pega uma gripe? — Sim, ela sempre fica com febre quando pega uma gripe.

Muito bem!

Repita!

Ela pegou uma gripe e ficou com febre.
Ela sempre fica com febre quando pega uma gripe.

O inverno já começou e ficou frio.
Sempre fica frio quando o inverno começa.

Eu trabalhei muito e fiquei cansada.
Responda! Eu sempre ...

Eu sempre fico cansado quando trabalho muito.

Vai chover e o céu ficou nublado.
O céu ...

O céu sempre fica nublado quando vai chover.

O João tomou um remédio e ficou melhor.

O João sempre fica melhor quando toma um remédio.

O verão começou e o tempo ficou agradável.

O tempo sempre fica agradável quando o verão começa.

Muito bem! Agora vamos escutar!

Cláudio: *O que o médico lhe disse, Letícia?*

Letícia: *Disse que não é nada grave e que eu vou melhorar com o remédio ... atchim! Eu vou tomar o remédio e ficar de cama.*

Cláudio: *Isso mesmo! Amanhã eu ligo para saber como você está. Melhoras!*

Responda!

O médico disse que a D. Letícia está com uma doença grave?

Não, ele não disse que a D. Letícia está com uma doença grave.

Ele disse que ela vai melhorar ou piorar com o remédio?

Ele disse que ela vai melhorar com o remédio.

O que a D. Letícia vai fazer hoje? Vai ficar de cama ou fazer uma viagem?

Ela vai ficar de cama hoje.

Ah! Então, hoje ela vai tomar o remédio e, depois, vai ficar de cama, não é?

É! Hoje ela vai tomar o remédio e, depois, vai ficar de cama.

Muito bem! Agora escute de novo o que eles falaram ao telefone ... Escute e repita!

– *Alô, Cláudio? É a Letícia.*
– *Oi, Letícia! Já voltou?*
  Como foi a viagem?
– *Foi bastante agradável.*
  Mas eu acho que peguei uma gripe.
– *Você já tomou a temperatura?*
– *Já. Estou com um pouco de febre e dor de cabeça.*
– *Você está com febre?*
  E não está tomando nenhum remédio?
– *Eu já fui ao médico e ele me receitou um remédio.*

Muito bem! A D. Letícia pegou uma gripe e precisa descansar. Você também pode descansar porque esta fita, a fita número catorze, terminou. Até logo ... e obrigada!

FITA NÚMERO 15

Escute! A Maria Teresa é do Rio de Janeiro, mas está em São Paulo falando com um guarda.

M. Teresa: *Por favor!*

Guarda: *Pois não?*

M. Teresa: *Eu não sou daqui de São Paulo e estou perdida. O senhor poderia me dar uma informação?*

Responda!

A Maria Teresa está perdida?	Sim, ela está perdida.
Ela está perdida no Rio ou em São Paulo?	Ela está perdida em São Paulo.
Ela vai pedir informações a um garçom?	Não, ela não vai pedir informações a um garçom.
A quem ela vai pedir informações?	Ela vai pedir informações a um guarda.
Ah! Então, ela está perdida em São Paulo e vai pedir informações a um guarda, certo?	Certo! Ela está perdida em São Paulo e vai pedir informações a um guarda.

Muito bem! Agora escute!

M. Teresa: *Eu não sou daqui de São Paulo e estou perdida. O senhor poderia me dar uma informação?*

Guarda: *Claro!*

M. Teresa: *Como eu chego à Rua Primavera?*

Responda!

A Maria Teresa explica ao guarda que não é de São Paulo?	Sim, ela lhe explica que não é de São Paulo.
Ela lhe diz que está perdida, não é?	É! Ela lhe diz que está perdida.
Ela quer chegar à Av. Paulista?	Não, ela não quer chegar à Av. Paulista.
Aonde ela quer chegar?	Ela quer chegar à Rua Primavera.
Ela precisa pedir informações para chegar lá?	Sim, ela precisa pedir informações para chegar lá.

Muito bem! Escute!

Guarda: *Rua Primavera ...? Não conheço ... Fica perto de alguma estação do metrô, ou de alguma avenida?*

M. Teresa: *Eu sei que tem uma avenida perto ... Av. Angélica! E também tem um teatro, mas não consigo me lembrar do nome ...*

Guarda: *Teatro Carmen Miranda, não é? Já sei onde fica!*

Responda!

A Rua Primavera fica perto de uma avenida?	Sim, fica perto de uma avenida.
Ela se chama Av. América ou Av. Angélica?	Ela se chama Av. Angélica.
A Maria Teresa se lembra do nome da avenida, certo?	Certo! Ela se lembra do nome da avenida.
Mas ela se lembra do nome do teatro?	Não, ela não se lembra do nome do teatro.
Ela não consegue se lembrar do nome do teatro, não é?	É! Ela não consegue se lembrar do nome do teatro.

Muito bem!

Repita!

A Maria Teresa não se lembra do nome.
Ela não consegue se lembrar do nome.

Eu não me lembro do número do hotel. *Responda!* Eu não consigo ...	Eu não consigo me lembrar do número do hotel.
Nós não achamos a avenida. Nós não ...	Nós não conseguimos achar a avenida.
Eu não entendo Matemática.	Eu não consigo entender Matemática.
O guarda não se lembra das informações.	Ele não consegue se lembrar das informações.

Muito bem! Escute!

Guarda: *A Rua Primavera fica um pouco longe, hein? Você vira na próxima à direita e segue em frente oito quarteirões.*

M. Teresa: *Oito?*

Guarda: *É! O teatro fica na esquina da Av. Angélica com a sua rua, a Primavera.*

M. Teresa: *Certo! Entendi!*

Responda!

O guarda diz que a Rua Primavera fica perto ou longe?	Ele diz que a Rua Primavera fica longe.
Ele vai levar a Maria Teresa à Rua Primavera?	Não, ele não vai levá-la à Rua Primavera.
Mas ele lhe diz como chegar lá?	Sim, ele lhe diz como chegar lá.
Ela entendeu as informações que o guarda lhe deu?	Sim, ela entendeu as informações que o guarda lhe deu.

Então, agora ela sabe como chegar à Rua Primavera, certo?

Certo! Agora ela sabe como chegar à Rua Primavera.

Muito bem! Agora escute um pouco mais!

M. Teresa: *Mas a rua fica longe! Tem algum ônibus para lá?*

Guarda: *Você pode pegar o Vila Schaummann.*

M. Teresa: *Eu vou anotar para não esquecer. Schaummann ... Escreve-se com "x"?*

Guarda: *Não! Não é uma palavra portuguesa.*

Responda!

A Maria Teresa prefere ir a pé ou de ônibus?

Ela prefere ir de ônibus.

Que ônibus ela pode pegar? O Vila Brasil ou o Vila Schaummann?

Ela pode pegar o Vila Schaummann.

Ela vai anotar o nome do ônibus?

Sim, ela vai anotar o nome do ônibus.

Ela vai anotá-lo para não esquecê-lo, certo?

Certo! Ela vai anotá-lo para não esquecê-lo.

Schaummann é uma palavra portuguesa?

Não, não é uma palavra portuguesa.

Escreve-se *Schaummann* com "x"?

Não. Não se escreve *Schaummann* com "x".

Muito bem!

Repita!

Escreve-se *Schaummann* com "x"?
Não! Não se escreve *Schaummann* com "x".

Escreve-se *Brasil* com "z"?
Não! Não se escreve *Brasil* com "z".

Fala-se espanhol no Brasil?
Responda! Não! Não se fala ...

Não! Não se fala espanhol no Brasil.

Falam-se duas línguas no Brasil?
Não! ...

Não! Não se falam duas línguas no Brasil.

Toma-se vinho no café da manhã?

Não! Não se toma vinho no café da manhã.

Vendem-se cheques de viagem na Berlitz?

Não! Não se vendem cheques de viagem na Berlitz.

Pede-se o cardápio depois da conta?

Não! Não se pede o cardápio depois da conta.

Muito bem! Escute!

M. Teresa: *Como se escreve Schaummann?*

Guarda:	*S–C–H–A–U–M–M–A–N–N.*
M. Teresa:	*Tudo bem! Muito obrigada!*
Guarda:	*Não há de quê.*

Responda!

A Maria Teresa sabe escrever *Schaummann*?	Não, ela não sabe escrever *Schaummann*.
Ela pergunta ao guarda como se escreve?	Sim, ela lhe pergunta como se escreve.
Então, ela não sabe escrever *Schaummann* e pergunta ao guarda como se escreve, certo?	Certo! Ela não sabe escrever *Schaummann* e pergunta ao guarda como se escreve.

Muito bem! Excelente! Agora vamos escutar tudo de novo! Desta vez, escute e repita!

– *Eu não sou daqui de São Paulo e estou perdida.*
O senhor poderia me dar uma informação?
– *Claro!*
– *Como eu chego à Rua Primavera?*
– *Rua Primavera? Não conheço ...*
– *Eu sei que tem uma avenida perto ... Av. Angélica!*
E também tem um teatro, mas não consigo me lembrar do nome ...
– *Teatro Carmen Miranda, não é? Já sei onde fica!*
Você vira na próxima à direita
e segue em frente oito quarteirões.
– *Oito?*
– *É! O teatro fica na esquina da Av. Angélica com a sua rua, a Primavera.*
– *Tem algum ônibus para lá?*
– *Você pode pegar o Vila Schaummann.*

Muito bem! A Maria Teresa vai pegar o ônibus ... e nós vamos terminar por aqui. É isso! Chegamos ao fim desta fita, a fita número quinze. Até logo ... e obrigado!

FITA NÚMERO 16

Escute! Agora o Sr. Paulo está na recepção de um hotel na cidade de Salvador, na Bahia.

Recepcionista:	*Boa tarde, senhor.*
Paulo:	*Boa tarde. Eu fiz uma reserva para a minha família. O meu nome é Paulo Monteiro.*
Recepcionista:	*Um momento, por favor. O senhor confirmou a reserva?*

Paulo:	*Não! É necessário confirmar a reserva aqui?*
Recepcionista:	*É, sim. Mas eu já achei a sua reserva. Tudo bem!*

Agora responda!

O Sr. Paulo fez uma reserva só para ele?	Não, ele não fez uma reserva só para ele.
Ele fez a reserva para a família dele, não é?	É! Ele fez a reserva para a família dele.
Ele disse o nome ou a profissão à recepcionista?	Ele disse o nome à recepcionista.
Ele confirmou a reserva com ela?	Não, ele não a confirmou com ela.
Mas é necessário confirmar a reserva, certo?	Certo! É necessário confirmá-la.

Muito bem!

Repita!

Ele não confirmou a reserva.
Mas é necessário confirmá-la!

Eu não reservei o quarto. *Responda!* Mas é necessário ...	Mas é necessário reservá-lo!
Os turistas não pagaram o tour. Mas é necessário ...	Mas é necessário pagá-lo!
Ninguém fechou a conta.	Mas é necessário fechá-la!
Eu não revelei os filmes.	Mas é necessário revelá-los!

Muito bem! Vamos escutar mais um pouco!

Recepcionista:	*Mas eu já achei a sua reserva. Tudo bem! Hummm ... Um quarto de casal e mais uma pessoa, certo?*
Paulo:	*Não! Eu acho que houve um engano. Eu reservei um quarto para quatro pessoas.*
Recepcionista:	*Tudo bem, eu posso mudar. Quanto tempo o senhor passará em Salvador?*
Paulo:	*Dez dias.*

Muito bem!

Responda!

O Sr. Paulo reservou um quarto para duas pessoas?	Não, ele não reservou um quarto para duas pessoas.
Ele reservou um quarto para três ou quatro pessoas?	Ele reservou um quarto para quatro pessoas.
Houve um engano na reserva dele?	Sim, houve um engano na reserva dele.
É possível mudá-la?	Sim, é possível mudá-la.

Então, houve um engano na reserva do Sr. Paulo, mas é possível mudá-la, não é?	É! Houve um engano na reserva do Sr. Paulo, mas é possível mudá-la.
Como? A recepcionista já mudou a reserva ou vai mudá-la?	Ela vai mudá-la.
Ah! Ela mudará a reserva agora, certo?	Certo! Ela a mudará agora.
Muito bem!	
Repita!	
Ela ainda não mudou a reserva. Mas ela a mudará agora.	
Ele ainda não preencheu a ficha. Mas ele a preencherá agora.	
Nós ainda não fizemos o *tour*. *Responda!* Mas nós ...	Mas nós o faremos agora.
Ela ainda não tirou as fotos. Mas ...	Mas ela as tirará agora.
Você ainda não fechou a conta.	Mas você a fechará agora.
Muito bem! Escute!	

Recepcionista: *O senhor poderia preencher esta ficha, por favor?*

Paulo: *Certo! Hummm ... uma informação, por favor: o hotel tem serviço de guias turísticos?*

Recepcionista: *Tem, sim. O senhor pode fazer alguns passeios ...*

Paulo: *Onde?*

Recepcionista: *Itaparica! É um ponto turístico muito bom. É o melhor ponto turístico da Bahia!*

Muito bem.	
Responda!	
O Sr. Paulo pediu informações sobre os serviços do hotel?	Sim, ele pediu informações sobre os serviços do hotel.
O hotel tem serviço de guias, não é?	É! O hotel tem serviço de guias.
E o que os guias fazem? Fazem passeios com os turistas?	Sim, os guias fazem passeios com os turistas.
Itaparica é um ponto turístico muito bom?	Sim, Itaparica é um ponto turístico muito bom.
Fica em São Paulo ou na Bahia?	Fica na Bahia.
É o melhor ponto turístico da Bahia, certo?	Certo! É o melhor ponto turístico da Bahia.
Perfeito!	

Repita!
É um ponto turístico muito bom e fica na Bahia.
É o melhor ponto turístico da Bahia.

O nosso hotel é muito bom e fica em Salvador.	
Responda! É o melhor ...	É o melhor hotel de Salvador.
Aquele restaurante é muito ruim e fica em São Paulo.	
É o ...	É o pior restaurante de São Paulo.
São Paulo é uma cidade muito grande e fica no Brasil.	É a maior cidade do Brasil.
O Brasil é um país muito grande e fica na América do Sul.	É o maior país da América do Sul.
O nosso hotel é muito pequeno e fica em Campinas.	É o menor hotel de Campinas.

Muito bem! Escute de novo!

Paulo: *Onde eu posso pegar informações sobre os passeios?*
Recepcionista: *Aqui na recepção.*
Paulo: *Certo! Eu farei o passeio amanhã, com a minha família ... Bom, já preenchi a ficha.*
Recepcionista: *Obrigada. A sua chave: quarto 502. O porteiro vai levar as suas malas.*

Responda!

O Sr. Paulo se interessou pelos passeios?	Sim, ele se interessou pelos passeios.
Onde é que ele pode pegar informações sobre os passeios?	Ele pode pegar informações sobre os passeios na recepção.
Como? O que é que ele pode pegar na recepção?	Ele pode pegar informações sobre os passeios na recepção.

Muito bem! Agora você escutará toda a conversa no hotel e repetirá!
- *Boa tarde, senhor.*
- *Boa tarde. Eu fiz uma reserva para a minha família. O meu nome é Paulo Monteiro.*
- *Quanto tempo o senhor passará em Salvador?*
- *Dez dias.*
- *O senhor poderia preencher esta ficha, por favor?*
- *Certo! O hotel tem serviço de guias turísticos?*
- *Tem, sim. O senhor pode fazer alguns passeios ...*
- *Onde?*

– *Itaparica! É o melhor ponto turístico da Bahia!*
– *Onde eu posso pegar informações sobre os passeios?*
– *Aqui na recepção.*

Muito bem! Então, o Sr. Paulo ficará em Salvador com a família. A viagem deles está começando ... e a nossa fita está terminando! Isso mesmo! Este é o fim da fita número dezesseis. Até a próxima ... e obrigada!

FITA NÚMERO 17

Escute! A Sandra é a secretária do Sr. Ferraz, na Fermont. Agora ela está conversando com um amigo, o Sílvio.

Sílvio: *Sandra, já faz uma semana que você está nesse emprego. Como andam as coisas lá?*

Sandra: *Muito bem! Eu me interesso bastante pelo trabalho.*

Responda!

A Sandra é gerente de um banco?	Não, ela não é gerente de um banco.
Ela tem o cargo de presidente ou de secretária?	Ela tem o cargo de secretária.
Ah, a Sandra trabalha como secretária, não é?	É! Ela trabalha como secretária.
Em que empresa a Sandra trabalha como secretária? Na Fermont?	Sim, ela trabalha como secretária na Fermont.
Ela se interessa bastante pelo trabalho?	Sim, ela se interessa bastante pelo trabalho.

Muito bem! Agora escute um pouco mais!

Sílvio: *Como se chama a empresa? Eu me esqueci ...*

Sandra: *Fermont.*

Sílvio: *Então, você gosta da Fermont?*

Sandra: *Bastante.*

Responda!

O Sílvio se esqueceu do nome da empresa?	Sim, ele se esqueceu do nome da empresa.
Então, ele não se lembrou do nome, não é?	É! Ele não se lembrou do nome.
E qual é o nome da empresa?	O nome da empresa é Fermont.
A Sandra gosta da Fermont?	Sim, ela gosta da Fermont.
O Sílvio lhe perguntou se ela gosta da Fermont, certo?	Certo! Ele lhe perguntou se ela gosta da Fermont.

Agora repita!
"Você gosta da *Fermont*?"
Ele lhe perguntou se ela gosta da *Fermont*.
"Você gosta do seu emprego?"
Ele lhe perguntou se ela gosta do emprego dela.

"Você trabalha lá há um mês?" *Responda!* Ele lhe perguntou se ...	Ele lhe perguntou se ela trabalha lá há um mês.
"Você entra no trabalho às nove?" Ele lhe perguntou ...	Ele lhe perguntou se ela entra no trabalho às nove.
"Você usa um computador?"	Ele lhe perguntou se ela usa um computador.
"O seu serviço é difícil?"	Ele lhe perguntou se o serviço dela é difícil.

Certo! Escute!

Sílvio: *O seu serviço é difícil, Sandra?*
Sandra: *Não, não é difícil.*

Responda!

O Sílvio fez uma pergunta à Sandra?	Sim, ele fez uma pergunta à Sandra.
Ele perguntou se o serviço dela é fácil ou difícil?	Ele perguntou se o serviço dela é difícil.
E o que foi que ela disse? Que não era muito difícil?	Sim, ela disse que não era muito difícil.
Desculpe, não entendi! O que foi que ela disse?	Ela disse que não era muito difícil.

Muito bem! Escute!

Sílvio: *O que você tem que fazer no serviço?*
Sandra: *Hummm ... Organizar arquivos ... digitar relatórios ... Mas alguns relatórios são em inglês, e eu não me lembro de nada do que aprendi. Preciso fazer um curso!*

Responda!

A Sandra tem que digitar relatórios no serviço?	Sim, ela tem que digitar relatórios no serviço.
Ela tem que digitá-los em inglês ou em espanhol?	Ela tem que digitá-los em inglês.
Mas ela se lembra do que aprendeu em inglês?	Não, ela não se lembra do que aprendeu em inglês.
Então, ela precisa fazer um curso, não é?	É! Ela precisa fazer um curso.
Ela precisa fazer um curso de inglês ou japonês?	Ela precisa fazer um curso de inglês.

Então, é preciso que ela faça um curso de inglês, certo?

Certo! É preciso que ela faça um curso de inglês.

Ótimo!

Repita!

Ela precisa fazer um curso.

É preciso que ela faça um curso.

Eu preciso digitar uma carta.

Responda! É preciso que eu ...

É preciso que eu digite uma carta.

O Sr. Paulo precisa ir à Fermont.

É preciso ...

É preciso que ele vá à Fermont.

O presidente precisa tomar uma decisão.

É preciso que ele tome uma decisão.

Eu preciso anotar o telefone.

É preciso que eu anote o telefone.

Você precisa trazer as cartas.

É preciso que você traga as cartas.

Eu preciso fazer um depósito.

É preciso que eu faça um depósito.

Certo! Agora escute!

Sílvio: *É possível conseguir uma promoção na empresa?*

Sandra: *É, sim. E também um bom aumento no salário. Mas só daqui a algum tempo.*

Responda!

O Sílvio perguntou à Sandra se é possível conseguir uma promoção?

Sim, ele lhe perguntou se é possível conseguir uma promoção.

E ela disse que é possível ou impossível consegui-la?

Ela disse que é possível consegui-la.

O que mais é possível conseguir? Um aumento no salário?

Sim, é possível conseguir um aumento no salário.

Então, é possível conseguir uma promoção e um aumento no salário, certo?

Certo! É possível conseguir uma promoção e um aumento no salário.

A Sandra pode conseguir uma promoção na semana que vem?

Não, ela não pode conseguir uma promoção na semana que vem.

Quando ela poderá recebê-la? Daqui a algum tempo?

Sim, ela poderá recebê-la daqui a algum tempo.

Excelente! Escute!

Sílvio: *E como são as pessoas que trabalham com você?*

Sandra: *Eu gosto da maioria delas.*

Sílvio: *Então, a gente precisa fazer um brinde. Ao seu emprego!*

Sandra: *Tintim!*

Responda!

A Sandra disse que não gosta de ninguém da empresa? — Não, ela não disse que não gosta de ninguém da empresa.

Ela disse que gosta da maioria das pessoas de lá, não é? — É! Ela disse que gosta da maioria das pessoas de lá.

A Sandra e o Sílvio fazem um brinde ao emprego ou ao aniversário da Sandra? — Eles fazem um brinde ao emprego da Sandra.

O que eles dizem quando fazem o brinde? Dizem "tintim" ou "melhoras"? — Eles dizem "tintim" quando fazem o brinde.

Não entendi! O que é que eles dizem quando fazem o brinde? — Eles dizem "tintim" quando fazem o brinde.

Muito bem! Agora você vai escutar ... e repetir!

– *Sandra, já faz uma semana que você está nesse emprego. Como andam as coisas lá?*
– *Muito bem! Eu me interesso bastante pelo trabalho.*
– *O seu serviço é difícil, Sandra?*
– *Não, não é difícil.*
– *O que você tem que fazer no serviço?*
– *Organizar arquivos ... digitar relatórios ...*
– *É possível conseguir uma promoção na empresa?*
– *É, sim. E também um bom aumento no salário. Mas só daqui a algum tempo.*
– *E como são as pessoas que trabalham com você?*
– *Eu gosto da maioria delas.*
– *Então, a gente precisa fazer um brinde. Ao seu emprego!*
– *Tintim!*

Ótimo! Perfeito! Bom, vamos fazer um brinde ao emprego da Sandra ... E um brinde ao fim desta fita, a fita número dezessete! Tintim!
Tintim!
Até a próxima ... e obrigado!

FITA NÚMERO 18

Escute! O Sr. Paulo Monteiro está em casa agora. Ele está fazendo uma ligação para Lisboa.

Edna: *Alô!*
Paulo: *Alô! Eu gostaria de falar com o Eduardo, por favor.*
Edna: *Ele não está.*

Responda!

O Sr. Paulo Monteiro fez uma ligação?	Sim, ele fez uma ligação.
Ele fez uma ligação para Coimbra?	Não, ele não fez uma ligação para Coimbra.
Então, para onde ele fez uma ligação?	Ele fez uma ligação para Lisboa.
Ele quer falar comigo ou com o Sr. Eduardo?	Ele quer falar com o Sr. Eduardo.
O Sr. Eduardo atendeu o telefone?	Não, ele não atendeu o telefone.
Por que ele não atendeu o telefone? Porque não está em casa?	Sim, ele não atendeu o telefone porque não está em casa.
Então, o Sr. Paulo não conseguiu falar com o Sr. Eduardo, certo?	Certo! O Sr. Paulo não conseguiu falar com ele.

Muito bem! Agora escute!

Paulo: *Quem está falando, por favor?*

Edna: *É a esposa dele.*

Paulo: *Oi, Edna! É o Paulo, irmão do Eduardo. Eu estou falando do Brasil!*

Edna: *Oi, Paulo! Que bom ouvi-lo! Tudo bem?*

Paulo: *Tudo bem! Eu estou ligando porque recebi a carta do Eduardo ontem.*

Responda!

O Sr. Paulo falou com o irmão dele?	Não, ele não falou com o irmão dele.
Ele falou com você ou com a D. Edna?	Ele falou com a D. Edna.
Quem é a D. Edna? Ela é a esposa do Sr. Eduardo?	Sim, ela é a esposa dele.
O Sr. Paulo recebeu uma carta ou um postal do Sr. Eduardo?	Ele recebeu uma carta dele.
E por que é que o Sr. Paulo lhe telefonou? Porque recebeu a carta?	Sim, ele lhe telefonou porque recebeu a carta.
Como? Por que é que o Sr. Paulo lhe telefonou?	Ele lhe telefonou porque recebeu a carta.

Ótimo! Agora escute!

Edna: *Você já está de férias, Paulo?*

Paulo: *Não. Eu vou tirar férias em julho.*

Edna: *Ah! Você poderia passar as férias aqui em Portugal!*

Responda!

O Sr. Paulo está de férias?	Não, ele não está de férias.
Ele vai tirar férias em janeiro ou em julho?	Ele vai tirar férias em julho.
Como? Em que mês ele vai tirar férias?	Ele vai tirar férias em julho.

A D. Edna convidou o Sr. Paulo a passar as férias em Portugal? — Sim, ela o convidou a passar as férias em Portugal.

Então, ela quer que o Sr. Paulo passe as férias em Portugal, não é? — É! Ela quer que o Sr. Paulo passe as férias em Portugal.

Muito bem!

Repita!
"Você poderia passar as férias em Portugal!"
Ela quer que ele passe as férias em Portugal.

"Você poderia visitar Portugal em julho!"
Responda! Ela quer que ele ... — Ela quer que ele visite Portugal em julho.

"Você poderia fazer as reservas!" — Ela quer que ele faça as reservas.

"Você poderia conhecer as praias de Portugal!" — Ela quer que ele conheça as praias de Portugal.

"Você poderia ficar na minha casa!" — Ela quer que ele fique na casa dela.

Certo! Escute!

Paulo: *Férias em Portugal? Gostei da idéia! Parece que o tempo é bom em julho, não é?*

Edna: *É, sim. É verão em julho.*

Paulo: *E em dezembro? É muito frio?*

Edna: *É. Em dezembro não é mais verão aqui.*

Paulo: *Eu vou conversar com a Cláudia sobre a viagem. Depois, eu ligo de novo.*

Edna: *Tudo bem. A gente está esperando.*

Agora responda!

O Sr. Paulo gostou da idéia de passar as férias em Portugal? — Sim, ele gostou da idéia de passar as férias em Portugal.

Ele vai ligar de novo para o irmão ou vai escrever-lhe? — Ele vai ligar de novo para o irmão.

Com quem ele vai conversar antes de ligar? Com a D. Cláudia? — Sim, ele vai conversar com a D. Cláudia antes de ligar.

Ele vai conversar sobre a viagem, certo? — Certo! Ele vai conversar sobre a viagem.

A viagem será em julho ou em dezembro? — A viagem será em julho.

Em julho, o tempo é bom em Portugal, não é? — É! Em julho o tempo é bom em Portugal.

Por que o tempo é bom em julho? Porque é verão? — Sim, o tempo é bom em julho porque é verão.

Em Portugal ainda é verão em dezembro? — Não, em Portugal não é mais verão em dezembro.

Muito bem!

Repita!

Ainda é verão em dezembro?

Não, não é mais verão em dezembro.

O João ainda pretende viajar?

Responda! Não, ele não ... — Não, ele não pretende mais viajar.

Vocês ainda vão ao Rio?

Não, nós ... — Não, nós não vamos mais ao Rio.

A Maria ainda está trabalhando? — Não, ela não está mais trabalhando.

Ainda está chovendo? — Não, não está mais chovendo.

O gerente ainda quer que eu vá ao banco? — Não, ele não quer mais que você vá ao banco.

Muito bem! Ótimo! Agora você vai escutar tudo ... e repetir!

– *Eu gostaria de falar com o Eduardo, por favor.*
– *Ele não está.*
– *Quem está falando, por favor?*
– *É a esposa dele.*
– *Oi, Edna! É o Paulo, irmão do Eduardo!*
  Eu estou falando do Brasil.
– *Oi, Paulo! Que bom ouvi-lo! Tudo bem?*
– *Tudo bem! Eu estou ligando porque recebi a carta do Eduardo ontem.*
– *Você já está de férias, Paulo?*
– *Não. Eu vou tirar férias em julho.*
– *Você poderia passar as férias aqui em Portugal!*
– *Férias em Portugal? Gostei da idéia!*

Muito bem! O Sr. Paulo e a D. Edna ainda estão conversando sobre as férias em Portugal ... e agora nós temos que terminar a nossa conversa nesta fita, a fita número dezoito. Até logo ... e obrigada!

FITA NÚMERO 19

Escute! O Sérgio e o Ricardo estão assistindo a um jogo de futebol pela televisão.

Locutor: *Termina o jogo no estádio do Maracanã. Três para o Paulista! Um para o Vitória! Foi um jogo emocionante, meus amigos!*

Sérgio: *Uau! Três a um para o Paulista!*

Responda!

O Sérgio e o Ricardo assistiram a um jogo de basquete? — Não, eles não assistiram a um jogo de basquete.

Eles assistiram a um jogo de vôlei ou de futebol? — Eles assistiram a um jogo de futebol.

O jogo já terminou, certo? — Certo! O jogo já terminou.

O jogo foi zero a zero? — Não, o jogo não foi zero a zero.

Quanto foi o jogo? Foi três a um? — Sim, o jogo foi três a um.

Foi três a um para o Paulista ou para o Vitória? — Foi três a um para o Paulista.

Então, o Paulista ganhou o jogo, não é? — É! O Paulista ganhou o jogo.

Ótimo! Agora escute!

Sérgio: *O que você achou do jogo, Ricardo?*

Ricardo: *Foi genial!*

Sérgio: *Também acho! Você se lembra dos nossos jogos, lá na faculdade?*

Ricardo: *Lógico! A gente tinha o melhor time da faculdade!*

Responda!

O Sérgio e o Ricardo também jogavam futebol? — Sim, eles também jogavam futebol.

Onde eles jogavam? No clube ou na faculdade? — Eles jogavam na faculdade.

Eles estavam no mesmo time, certo? — Certo! Eles estavam no mesmo time.

O time deles era ruim? — Não, o time deles não era ruim.

Era o melhor ou o pior time da faculdade? — Era o melhor time da faculdade.

O Sérgio se lembra dos jogos da faculdade? — Sim, ele se lembra dos jogos da faculdade.

Ele perguntou ao Ricardo se ele se lembrava dos jogos, não é? — É! Ele perguntou ao Ricardo se ele se lembrava dos jogos.

Como? O que ele perguntou? — Ele perguntou se ele se lembrava dos jogos.

Perfeito!

Agora repita!

"Você se lembra dos jogos?"

Ele perguntou se ele se lembrava dos jogos.

"Você também joga futebol?"

Responda! Ele perguntou se ele ... — Ele perguntou se ele também jogava futebol.

"Os jogos passam na televisão?" Ele perguntou ...	Ele perguntou se os jogos passavam na televisão.
"A Maria faz ginástica?"	Ele perguntou se a Maria fazia ginástica.
"O Paulo é aluno da faculdade?"	Ele perguntou se o Paulo era aluno da faculdade.
"Tem algum ônibus para a Av. Brasil?"	Ele perguntou se tinha algum ônibus para a Av. Brasil.

Certo! Escute um pouco mais da conversa!

Sérgio: *Os alunos podiam fazer muitas coisas na faculdade depois das aulas. A gente jogava vôlei, nadava ... A piscina era ótima, lembra-se?*

Ricardo: *É! Eu adorava nadar e tomar sol. Agora eu não tomo mais sol. Nunca tenho tempo para ir ao clube.*

Responda!

Os alunos podiam jogar vôlei na faculdade?	Sim, os alunos podiam jogar vôlei na faculdade.
O que mais eles faziam? Nadavam ou esquiavam?	Eles nadavam.
Então, a faculdade tinha uma piscina, certo?	Certo! A faculdade tinha uma piscina.
O que o Sérgio disse sobre a piscina? Que era ótima?	Sim, ele disse que a piscina era ótima.
O Ricardo gostava de nadar na piscina e tomar sol?	Sim, ele gostava de nadar na piscina e tomar sol.
Ele ainda toma sol?	Não. Ele não toma mais sol.
Mas antes ele tomava sol, não é?	É! Antes ele tomava sol.

Isso mesmo! Muito bem!

Agora repita!

Ele não toma mais sol.
Antes ele tomava sol.

O Sérgio não nada mais. *Responda!* Antes ele ...	Antes ele nadava.
Eu não assisto mais à televisão. Antes ...	Antes eu assistia à televisão.
Eu não venho para cá de carro.	Antes eu vinha para cá de carro.
As crianças não gostam mais de acampar.	Antes elas gostavam de acampar.
Eu não me divirto mais no clube.	Antes eu me divertia no clube.
Não passam mais comerciais bons.	Antes passavam comerciais bons.

Nós não somos mais funcionários da Fermont.	Antes nós éramos funcionários da Fermont.

Ótimo! Vamos escutar!

Sérgio: *Você não vai mais ao clube para nadar?*
Ricardo: *Há dois meses que eu não vou ao clube.*
Sérgio: *Puxa! Antes você ia ao clube todos os fins de semana!*

Responda!

O Ricardo ainda vai ao clube?	Não, ele não vai mais ao clube.
Ele não vai ao clube há dois meses ou dois anos?	Ele não vai ao clube há dois meses.
Então, ele não foi ao clube na semana passada, certo?	Certo! Ele não foi ao clube na semana passada.
Antes ele ia ao clube todos os dias?	Não, ele não ia ao clube todos os dias.
Quando ele ia ao clube? Todos os fins de semana?	Sim, ele ia ao clube todos os fins de semana.

Certo! Agora você vai escutar a conversa mais uma vez. Desta vez você vai escutar ... e repetir!

– *O que você achou do jogo, Ricardo?*
– *Foi genial!*
– *Também acho! Você se lembra dos nossos jogos, lá na faculdade?*
– *Lógico! A gente tinha o melhor time da faculdade!*
– *Os alunos podiam fazer muitas coisas na faculdade depois das aulas.*
  A gente jogava vôlei, nadava ...
  A piscina era ótima, lembra-se?
– *É ... eu adorava nadar e tomar sol.*

Muito bem! Ótimo! O Sérgio e o Ricardo ainda têm que conversar sobre muitas coisas que faziam na faculdade. Mas nós não temos mais nada a conversar porque esta fita, a fita número dezenove, já está terminando. Então, obrigado ... e até logo!

FITA NÚMERO 20

Escute! O Sr. Paulo Monteiro teve uma reunião com uma executiva da Fermont, a D. Marisa.

Paulo: *Eu gostaria de discutir algumas coisas com você, Marisa.*
Marisa: *O quê? Os negócios com outros países?*
Paulo: *Sim. E também a produção da empresa.*

Responda!

O Sr. Paulo teve uma reunião com você?
Não, ele não teve uma reunião comigo.

Ele teve uma reunião com uma executiva da Fermont, certo?
Certo! Ele teve uma reunião com uma executiva da Fermont.

O que eles discutiram? Os negócios da empresa?
Sim, eles discutiram os negócios da empresa.

Ah! Os negócios da empresa foram discutidos, não é?
É! Os negócios da empresa foram discutidos.

O que mais foi discutido? O nome ou a produção da empresa?
A produção da empresa também foi discutida.

Então, os negócios e a produção da empresa foram discutidos na reunião, certo?
Certo! Os negócios e a produção da empresa foram discutidos na reunião.

Muito bem! Escute!

Paulo: *Primeiro, eu quero lhe entregar estes relatórios.*

Marisa: *Obrigada.*

Paulo: *Vamos começar falando sobre os negócios com os outros países da América Latina.*

Marisa: *Eu estou vendo nos relatórios que os nossos negócios foram muito bem-sucedidos.*

Paulo: *Claro! Eles aumentaram nossos lucros em 60%!*

Responda!

O Sr. Paulo começou a reunião falando sobre os funcionários?
Não, ele não começou a reunião falando sobre os funcionários.

Ele começou a reunião falando sobre os computadores ou os negócios?
Ele começou a reunião falando sobre os negócios.

Com que países foram feitos esses negócios? Com países da América Latina?
Sim, esses negócios foram feitos com países da América Latina.

Os negócios com outros países foram bem-sucedidos, certo?
Certo! Os negócios com outros países foram bem-sucedidos.

A D. Marisa viu essa informação na agenda dela ou nos relatórios?
Ela viu essa informação nos relatórios.

Quando o Sr. Paulo entregou os relatórios? Na reunião?
Sim, ele os entregou na reunião.

Então, os relatórios foram entregues na reunião, não é?
É! Os relatórios foram entregues na reunião.

Certo!

Agora repita!
O Sr. Paulo entregou os relatórios.
Os relatórios foram entregues.

A secretária enviou o fax.
O fax foi enviado.

A empresa exportou os produtos.
Responda! Os produtos foram ... — Os produtos foram exportados.

Eu devolvi o dinheiro.
O dinheiro ... — O dinheiro foi devolvido.

A Iara abriu a carta. — A carta foi aberta.

Nós escrevemos os relatórios. — Os relatórios foram escritos.

O gerente fez bons negócios. — Bons negócios foram feitos.

Você pagou o empréstimo. — O empréstimo foi pago.

Eu pus o dinheiro na poupança. — O dinheiro foi posto na poupança.

Muito bem! Vamos voltar à reunião. Escute!

Paulo: *Com esse sucesso, eu tenho pensado bastante ... Acho que nós podemos tentar exportar para a Europa.*

Marisa: *Para exportar para a Europa, nós devemos melhorar a qualidade dos produtos.*

Paulo: *Isso mesmo! Um negócio com a Europa pode ser algo bem lucrativo ...*

Marisa: *Concordo!*

Responda!

O Sr. Paulo pretende fazer negócios com o Japão? — Não, ele não pretende fazer negócios com o Japão.

Ele pretende fazer negócios com a Europa, certo? — Certo! Ele pretende fazer negócios com a Europa.

Em que tipo de negócio ele tem pensado? Em importar ou exportar? — Ele tem pensado em exportar.

Para exportar, a empresa deve piorar a qualidade dos produtos? — Não. Para exportar, a empresa não deve piorar a qualidade dos produtos.

O que a empresa deve fazer para exportar? — A empresa deve melhorar a qualidade dos produtos para exportar.

Perfeito! Escute!

Paulo: *Segundo as estatísticas do ano passado, a maioria da mercadoria produzida foi exportada.*

Marisa: *E ainda exportam-se muitos produtos. Nós podemos aumentar a produção ... e os lucros!*

Responda!	
As estatísticas foram feitas há dez anos?	Não, elas não foram feitas há dez anos.
Quando elas foram feitas?	Elas foram feitas no ano passado.
Segundo as estatísticas, a maioria da mercadoria produzida foi importada ou exportada?	Segundo as estatísticas, a maioria da mercadoria produzida foi exportada.
Ainda exportam-se muitos produtos?	Sim, ainda exportam-se muitos produtos.
Muitos produtos ainda são exportados, certo?	Certo! Muitos produtos ainda são exportados.
Muito bem!	
Agora repita! Exportam-se muitos produtos. Muitos produtos são exportados.	
Transfere-se um funcionário por mês. Um funcionário é transferido por mês.	
Contratam-se mil pessoas por ano. *Responda!* Mil pessoas são ...	Mil pessoas são contratadas por ano.
Produz-se suco de frutas no Brasil. Suco de frutas ...	Suco de frutas é produzido no Brasil.
Vendem-se carros importados aqui.	Carros importados são vendidos aqui.
Fala-se só uma língua no Brasil.	Só uma língua é falada no Brasil.
Discute-se a qualidade dos produtos.	A qualidade dos produtos é discutida.

Ótimo! Agora você vai escutar toda a conversa! Desta vez você vai escutar ... e repetir!

- *Vamos começar falando sobre os negócios com os outros países da América Latina.*
- *Eu estou vendo nos relatórios que os nossos negócios foram muito bem-sucedidos!*
- *Claro! Eles aumentaram nossos lucros em 60%!*
  Com esse sucesso, eu tenho pensado bastante ...
  Acho que nós podemos tentar exportar para a Europa.
- *Para exportar para a Europa,*
  nós devemos melhorar a qualidade dos produtos.
- *Isso mesmo! Um negócio com a Europa pode ser algo bem lucrativo ...*
- *Concordo!*

Excelente! Bom, o Sr. Paulo vai tentar fazer negócios com a Europa e aumentar os lucros. Nós queremos que ele tenha sucesso e que você também tenha sucesso ... nos seus estudos! Obrigada ... e até a próxima!

FITA NÚMERO 21

Escute! A Iara e o Sérgio estão conversando sobre uma viagem.

Iara: *Sérgio, você já viajou várias vezes, certo? Você poderia me ensinar o que fazer no aeroporto?*

Sérgio: *Ah, você vai viajar ... Para onde?*

Iara: *Para os Estados Unidos.*

Sérgio: *É a primeira vez?*

Iara: *É, sim.*

Responda!

A Iara pediu informações ao Sérgio? — Sim, ela lhe pediu informações.

Ela pediu-lhe informações porque ele já viajou várias vezes, não é? — É! Ela pediu-lhe informações porque ele já viajou várias vezes.

Ela lhe pediu informações sobre o aeroporto ou sobre a passagem? — Ela lhe pediu informações sobre o aeroporto.

Então, ela não sabe o que fazer no aeroporto, certo? — Certo! Ela não sabe o que fazer no aeroporto.

Perfeito! Agora escute!

Sérgio: *E quando é que você viaja, Iara?*

Iara: *No dia doze.*

Sérgio: *É mesmo? Então, é daqui a três dias!*

Iara: *Isso mesmo! Mas eu não sei o que fazer quando chegar ao aeroporto ...*

Responda!

A Iara irá à estação de trem quando viajar? — Não, ela não irá à estação de trem quando viajar.

Ela irá ao aeroporto quando viajar, certo? — Certo! Ela irá ao aeroporto quando viajar.

Daqui a quanto tempo ela viajará? Daqui a três dias? — Sim, ela viajará daqui a três dias.

Então, ela chegará ao aeroporto daqui a três dias, não é? — É! Ela chegará ao aeroporto daqui a três dias.

Ela sabe o que fazer lá? — Não, ela não sabe o que fazer lá.

Então, ela não sabe o que fazer quando chegar ao aeroporto, certo? — Certo! Ela não sabe o que fazer quando chegar ao aeroporto.

Muito bem!

Agora repita!

Ela chegará lá, mas não sabe o que fazer.
Ela não sabe o que fazer quando chegar lá.

Eu embarcarei, mas não sei o que fazer.
Responda! Eu não sei o que fazer quando ... — Eu não sei o que fazer quando embarcar.

A turista despachará a bagagem, mas não sabe aonde ir.
Ela não sabe aonde ... — Ela não sabe aonde ir quando despachar a bagagem.

O passageiro receberá a ficha, mas não sabe o que preencher. — Ele não sabe o que preencher quando receber a ficha.

Eu irei à Polícia Federal, mas não sei o que falar. — Eu não sei o que falar quando for à Polícia Federal.

Certo! Agora escute!

Sérgio: *Viajar é muito fácil. Quando chegar ao aeroporto, você deve procurar o balcão da companhia aérea.*

Iara: *E se estiver fechado?*

Sérgio: *Você espera abrir. Geralmente o despacho é aberto duas horas antes do vôo.*

Responda!

A Iara deve procurar um banco quando chegar ao aeroporto? — Não, ela não deve procurar um banco quando chegar ao aeroporto.

Ela deve procurar o balcão da companhia aérea quando chegar lá, certo? — Certo! Ela deve procurar o balcão da companhia aérea quando chegar lá.

Se o balcão estiver fechado, ela deve ir embora ou esperar abrir? — Se o balcão estiver fechado, ela deve esperar abrir.

O que se faz no balcão? O despacho? — Sim, faz-se o despacho no balcão.

Quando o despacho é aberto? Uma ou duas horas antes do vôo? — O despacho é aberto duas horas antes do vôo.

Então, se a Iara chegar três horas antes do vôo, o despacho estará fechado, não é? — É! Se a Iara chegar três horas antes do vôo, o despacho estará fechado.

Ótimo! Agora escute mais um pouco da conversa!

Iara: *O que eu faço quando o balcão abrir?*

Sérgio: *No balcão, você vai despachar as malas com um funcionário da companhia aérea. Quando ele lhe der o cartão de embarque, você deverá embarcar.*

Responda!

No balcão, o funcionário dará algo à Iara?	Sim, no balcão o funcionário dará algo à Iara.
O que ele lhe dará? Uma passagem ou um cartão de embarque?	Ele lhe dará um cartão de embarque.
A Iara já recebeu o cartão?	Não, ela ainda não recebeu o cartão.
Então, ela ainda não embarcou, certo?	Certo! Ela ainda não embarcou.
Por que ela não embarcou? Porque ainda não recebeu o cartão?	Sim, ela não embarcou porque ainda não recebeu o cartão.
Quando ela receber o cartão, ela embarcará, não é?	É! Quando ela receber o cartão, ela embarcará.

Certo! Muito bem!

Repita!
Ela ainda não recebeu o cartão.
Quando ela receber o cartão, ela embarcará.

Ela ainda não chegou ao balcão. *Responda!* Quando ela chegar ...	Quando ela chegar ao balcão, ela embarcará.
Ela ainda não recebeu as informações. Quando ela ...	Quando ela receber as informações, ela embarcará.
Ela ainda não despachou a bagagem.	Quando ela despachar a bagagem, ela embarcará.
O funcionário ainda não a atendeu.	Quando ele a atender, ela embarcará.
Ela ainda não foi ao portão.	Quando ela for ao portão, ela embarcará.

Certo! Vamos escutar mais um pouco do que eles estão falando!

Iara: *E quando eu desembarcar?*
Sérgio: *Você vai passar pela Imigração e mostrar o passaporte.*
Iara: *E a bagagem?*
Sérgio: *É possível que a sua bagagem seja examinada na alfândega.*

Responda!

A Iara vai passar pela Imigração quando desembarcar?	Sim, ela vai passar pela Imigração quando desembarcar.
Ela vai mostrar a carteira de identidade na Imigração?	Não, ela não vai mostrar a carteira de identidade na Imigração.
O que ela vai mostrar?	Ela vai mostrar o passaporte.
É possível que a bagagem dela seja examinada?	Sim, é possível que a bagagem dela seja examinada.

Onde é possível que ela seja examinada? Na Imigração ou na alfândega?	É possível que ela seja examinada na alfândega.

Isso mesmo! Ótimo! Agora queremos que você escute a conversa de novo. Desta vez escute ... e repita!

– *Viajar é muito fácil.*
  Quando chegar ao aeroporto, você deve procurar o balcão da companhia aérea.
– *E se estiver fechado?*
– *Você espera abrir.*
  Geralmente o despacho é aberto duas horas antes do vôo.
– *O que eu faço quando o balcão abrir?*
– *No balcão você vai despachar as malas com um funcionário da companhia aérea.*
  Quando ele lhe der o cartão de embarque, você deverá embarcar.

Muito bom! Excelente! Bom, a Iara vai viajar daqui a três dias e agora nós vamos terminar esta fita, a fita vinte e um. Até logo ... e obrigado!

FITA NÚMERO 22

Escute! A Solange e o Renato estão procurando um apartamento ou uma casa para morar. Então, compraram um jornal para tentar encontrar um bom lugar.

Solange: *Hummm ... o que você acha, Renato? Um sobrado em Pinheiros, com quatro quartos, três banheiros ...*

Renato: *Quatro quartos? É grande demais! Eu não vou alugar uma casa que tenha quatro quartos!*

Agora responda!

A Solange se interessou por uma casa térrea ou um sobrado?	Ela se interessou por um sobrado.
E quantos quartos o sobrado tem?	O sobrado tem quatro quartos.
Ela pediu a opinião do Renato sobre o sobrado?	Sim, ela pediu a opinião do Renato sobre o sobrado.
E o que ele disse? Que o sobrado era grande ou pequeno demais?	Ele disse que o sobrado era grande demais.
Como? O que é que ele disse?	Ele disse que o sobrado era grande demais.
Então, ele não vai alugar um sobrado que tenha quatro quartos, certo?	Certo! Ele não vai alugar um sobrado que tenha quatro quartos.
Como? Se o sobrado tiver quatro quartos, ele vai alugá-lo ou não?	Se o sobrado tiver quatro quartos, ele não vai alugá-lo.

Ótimo!
Repita!
Ele não vai alugar um sobrado que tenha quatro quartos.
Se o sobrado tiver quatro quartos, ele não vai alugá-lo.

Ele não vai alugar um apartamento que fique fora da cidade.
Responda! Se o apartamento ficar ...
Se o apartamento ficar fora da cidade, ele não vai alugá-lo.

Ele não vai alugar uma casa que tenha mais de dois quartos.
Se a casa ...
Se a casa tiver mais de dois quartos, ele não vai alugá-la.

Ele não vai alugar um apartamento que seja muito caro.
Se ...
Se o apartamento for muito caro, ele não vai alugá-lo.

Ele não vai alugar uma casa que custe muito caro.
Se a casa custar muito caro, ele não vai alugá-la.

Certo! Agora vamos escutar um pouco mais da conversa!

Solange: *E que tal esta casa? "Linda casa térrea, sala de estar e sala de jantar com móveis."*

Renato: *E se nós não gostarmos dos móveis? Não vamos poder trocá-los ...*

Solange: *É verdade!*

Responda!
E agora? A Solange achou uma casa térrea ou um sobrado?
Agora ela achou uma casa térrea.

A casa tem duas salas, não é?
É! A casa tem duas salas.

Como? Quantas salas a casa tem?
A casa tem duas salas.

A casa já tem móveis?
Sim, a casa já tem móveis.

Então, a Solange achou uma casa que já tem móveis, certo?
Certo! A Solange achou uma casa que já tem móveis.

Perfeito! Agora escute!

Renato: *Solange, achei um apartamento! É ótimo! Dois quartos, cozinha com fogão!*

Solange: *É mesmo?! Que bom!*

Responda!
O Renato achou uma casa boa?
Não, ele não achou uma casa boa.

O que ele achou? Um apartamento bom?
Sim, ele achou um apartamento bom.

Há uma cozinha lá, não é?
É! Há uma cozinha lá.

A cozinha tem uma televisão ou um fogão? — A cozinha tem um fogão.

Então, o Renato achou um apartamento onde há uma cozinha com fogão, certo? — Certo! Ele achou um apartamento onde há uma cozinha com fogão.

Muito bem! Agora escute um pouco mais!

Solange: *Onde fica o prédio?*

Renato: *Fica a um quarteirão da estação Jardim América. Perto do metrô!*

Solange: *Genial! E é caro?*

Renato: *Não! A gente pode alugá-lo já!*

Responda!

O prédio fica perto do aeroporto? — Não, não fica perto do aeroporto.

Fica perto do metrô, não é? — É! Fica perto do metrô.

A Solange e o Renato querem morar lá? — Sim, eles querem morar lá.

O prédio onde eles querem morar fica longe ou perto do metrô? — O prédio onde eles querem morar fica perto do metrô.

Ah, o prédio no qual eles querem morar fica perto do metrô, certo? — Certo! O prédio no qual eles querem morar fica perto do metrô.

Muito bem!

Agora repita!

O prédio onde eles querem morar fica perto do metrô.
O prédio no qual eles querem morar fica perto do metrô.

O sobrado onde eu moro fica no centro.
O sobrado no qual eu moro fica no centro.

A casa onde meus pais moram é térrea.
Responda! A casa na qual ... — A casa na qual os meus pais moram é térrea.

O cômodo onde recebemos amigos é a sala de estar.
O cômodo ... — O cômodo no qual recebemos amigos é a sala de estar.

Os restaurantes onde eu costumo almoçar são caros. — Os restaurantes nos quais eu costumo almoçar são caros.

A avenida onde eu trabalho é muito grande. — A avenida na qual eu trabalho é muito grande.

As cidades onde eu passei as férias são lindas. — As cidades nas quais eu passei as férias são lindas.

Ótimo! Muito bom, mesmo! Agora você escuta tudo de novo e repete!

– *O que você acha, Renato?*
Um sobrado em Pinheiros, com quatro quartos, três banheiros ...

– *Quatro quartos? É grande demais!*
Eu não vou alugar uma casa que tenha quatro quartos!

– *Solange, achei um apartamento! É ótimo!*
– *É mesmo?! Que bom! Onde fica o prédio?*
– *Fica a um quarteirão da estação Jardim América. Perto do metrô!*
– *Genial! E é caro?*
– *Não! A gente pode alugá-lo já!*

Muito bem! Ótimo! A Solange e o Renato já acharam o apartamento que queriam. E nós já chegamos ao fim desta fita, a fita número vinte e dois. Até logo ... e obrigada!

FITA NÚMERO 23

Escute! Ontem a D. Cláudia foi ao banco e deixou o carro na rua. Quando voltava para o carro, ela viu um guarda.

Cláudia: *Ei! Seu Guarda! O senhor está me dando uma multa?*
Guarda: *Isso mesmo!*

Responda!

A D. Cláudia foi ao banco de ônibus?	Não, ela não foi ao banco de ônibus.
Como ela foi ao banco?	Ela foi ao banco de carro.
Ela deixou o carro no estacionamento ou na rua?	Ela deixou o carro na rua.
Quem ela viu quando voltava para o carro? Um guarda?	Sim, ela viu um guarda quando voltava para o carro.
O guarda estava lhe dando uma multa?	Sim, ele estava lhe dando uma multa.
Ah! Quando a D. Cláudia voltava para o carro, viu um guarda lhe dando uma multa, certo?	Certo! Quando a D. Cláudia voltava para o carro, viu um guarda lhe dando uma multa.

Ótimo! Agora escute!

Cláudia: *O senhor está me dando uma multa?*
Guarda: *Isso mesmo!*
Cláudia: *Mas é proibido estacionar aqui? Eu não sabia ...*
Guarda: *Se não fosse proibido, eu não lhe daria uma multa, senhora.*

Responda!

A D. Cláudia levou uma multa?	Sim, ela levou uma multa.
Por que ela levou uma multa? Porque estacionou num lugar proibido?	Sim, ela levou uma multa porque estacionou num lugar proibido.

Como? Por que ela levou uma multa?	Ela levou uma multa porque estacionou num lugar proibido.
Ela sabia que é proibido estacionar lá?	Não, ela não sabia que é proibido estacionar lá.
Então, é proibido estacionar lá e ela levou uma multa, não é?	É! É proibido estacionar lá e ela levou uma multa.
Se não fosse proibido estacionar lá, ela levaria uma multa?	Não, se não fosse proibido estacionar lá, ela não levaria uma multa.

Isso mesmo!

Agora repita!

É proibido estacionar lá.

Se não fosse proibido estacionar lá, ela não levaria uma multa.

Ela tem um carro. *Responda!* Se ela não tivesse ...	Se ela não tivesse um carro, ela não levaria uma multa.
Ela deixa o carro na calçada. Se ela não ...	Se ela não deixasse o carro na calçada, ela não levaria uma multa.
Ela trabalha no centro. Se ela ...	Se ela não trabalhasse no centro, ela não levaria uma multa.
Ela vai para o trabalho de carro.	Se ela não fosse para o trabalho de carro, ela não levaria uma multa.
Ela não anda de ônibus.	Se ela andasse de ônibus, ela não levaria uma multa.
Ela não tem a carteira de motorista.	Se ela tivesse a carteira de motorista, ela não levaria uma multa.

Certo! Agora escute!

Guarda: *A senhora também estacionou o carro em cima da faixa de pedestres.*

Cláudia: *Mas se o banco tivesse estacionamento, eu deixaria o carro lá sempre!*

Guarda: *Sinto muito. Não posso fazer nada!*

Responda!

A D. Cláudia deixou o carro em cima da calçada?	Não, ela não deixou o carro em cima da calçada.
Ela deixou o carro em cima da faixa de pedestres, certo?	Certo! Ela deixou o carro em cima da faixa de pedestres.
É permitido ou proibido deixar o carro em cima da faixa de pedestres?	É proibido deixar o carro em cima da faixa de pedestres.

Como? O que é proibido? — É proibido deixar o carro em cima da faixa de pedestres.

Então, a D. Cláudia levou uma multa porque deixou o carro em cima da faixa de pedestres, não é? — É! A D. Cláudia levou uma multa porque deixou o carro em cima da faixa de pedestres.

Perfeito! Agora escute o que aconteceu!

Cláudia: *O senhor não poderia esquecer essa multa?*

Guarda: *Desculpe, senhora. Impossível!*

Cláudia: *Tudo bem. Ah, não! O carro não quer funcionar! Hoje não é o meu dia! Que raiva!*

Responda!

O guarda vai esquecer a multa? — Não, ele não vai esquecê-la.

Ele disse que é possível ou impossível esquecê-la? — Ele disse que é impossível esquecê-la.

O que ela fez depois? Entrou no carro? — Sim, depois ela entrou no carro.

Mas o carro não queria funcionar, certo? — Certo! O carro não queria funcionar.

A D. Cláudia ficou contente ou com raiva? — Ela ficou com raiva.

Ela ficou com raiva porque o carro não queria funcionar, não é? — É! Ela ficou com raiva porque o carro não queria funcionar.

Muito bom, mesmo! Agora você vai escutar tudo de novo. Desta vez você vai escutar ... e repetir!

– *Ei! Seu Guarda! O senhor está me dando uma multa?*
– *Isso mesmo!*
– *Mas é proibido estacionar aqui? Eu não sabia ...*
– *Se não fosse proibido, eu não lhe daria uma multa, senhora.*
  A senhora também estacionou o carro em cima da faixa de pedestres.
– *Mas se o banco tivesse estacionamento, eu deixaria o carro lá sempre!*
– *Sinto muito. Não posso fazer nada!*
– *O senhor não poderia esquecer essa multa?*
– *Desculpe, senhora. Impossível!*
– *Tudo bem ...*
  Ah, não! O carro não quer funcionar!
  Hoje não é o meu dia! Que raiva!

Perfeito! Excelente! A D. Cláudia precisa consertar o carro, e nós precisamos acabar esta fita. É! É isso mesmo! Este é o fim da fita vinte e três. Até logo ... e obrigado!

FITA NÚMERO 24

Escute! O Sr. Paulo estava no clube e viu uma amiga.

Paulo: *Telma!*

Telma: *Paulo! Há quanto tempo!*

Paulo: *Eu não sabia que você também jogava tênis aqui!*

Responda!

O Sr. Paulo estava no escritório? — Não, ele não estava no escritório.

Ele estava no clube ou na praia? — Ele estava no clube.

Quem ele viu no clube? Uma amiga? — Sim, ele viu uma amiga no clube.

Então, ele viu a D. Telma, uma amiga, quando estava no clube, não é? — É! Ele viu a D. Telma, uma amiga, quando estava no clube.

A D. Telma jogava futebol no clube? — Não, ela não jogava futebol no clube.

O que ela jogava? — Ela jogava tênis.

Mas o Sr. Paulo não sabia que ela jogava tênis, certo? — Certo! Ele não sabia que ela jogava tênis.

Ótimo! Agora escute um pouco mais da conversa!

Paulo: *Você ainda trabalha com investimentos lá no Banco União?*

Telma: *Não! Agora eu e o Marcos estamos trabalhando juntos numa empresa.*

Paulo: *Marcos? Quem é o Marcos?*

Telma: *Você não o conhece. É um amigo com quem estudei na faculdade.*

Responda!

A D. Telma ainda trabalha com investimentos? — Sim, ela ainda trabalha com investimentos.

Ela trabalha com o Sr. Paulo? — Não, ela não trabalha com o Sr. Paulo.

Com quem ela trabalha? Com o Sr. Marcos? — Sim, ela trabalha com o Sr. Marcos.

O Sr. Marcos é irmão ou amigo da D. Telma? — Ele é amigo da D. Telma.

Com quem ele estudou na faculdade? Com a D. Telma? — Sim, ele estudou com a D. Telma na faculdade.

Então, o Sr. Marcos é um amigo com quem a D. Telma estudou na faculdade, certo? — Certo! O Sr. Marcos é um amigo com quem a D. Telma estudou na faculdade.

Muito bem! Ótimo!

Agora repita!
O Sr. Marcos é um amigo. A D. Telma estudou com ele.
É um amigo com quem a D. Telma estudou.

A D. Telma é uma amiga. O Sr. Paulo saía com ela.
Responda! É uma amiga com quem ...
É uma amiga com quem o Sr. Paulo saía.

O João é um vizinho. Nós conversamos com ele.
É um vizinho ...
É um vizinho com quem nós conversamos.

O Sr. Vieira é um conhecido. Eu falo com ele às vezes.
É um conhecido com quem eu falo às vezes.

A Iara é uma secretária. A Sandra trabalha com ela.
É uma secretária com quem a Sandra trabalha.

Certo! Escute!

Paulo: *Você e o Marcos têm uma empresa?*

Telma: *Temos. O Marcos está lidando com os clientes. E eu estou trabalhando com investimentos.*

Responda!
A D. Telma e o Sr. Marcos têm um restaurante?
Não, eles não têm um restaurante.

Eles têm uma empresa, certo?
Certo! Eles têm uma empresa.

O Sr. Marcos está lidando com investimentos ou com os clientes?
Ele está lidando com os clientes.

E quem é que está trabalhando com investimentos?
A D. Telma está trabalhando com investimentos.

Ela disse que estava trabalhando com investimentos?
Sim, ela disse que estava trabalhando com investimentos.

Muito bem!

Repita!
"Eu estou trabalhando com investimentos."
Ela disse que estava trabalhando com investimentos.

"O Marcos está lidando com os clientes."
Responda! Ela disse que o Marcos estava ...
Ela disse que o Marcos estava lidando com os clientes.

"Eu estou tentando vender ações."
Ela disse que ...
Ela disse que estava tentando vender ações.

"O João está supervisionando o trabalho."
Ela disse que o João estava supervisionando o trabalho.

"Os gerentes estão investindo em ações."
Ela disse que os gerentes estavam investindo em ações.

"Eu estou me interessando por Economia."	Ela disse que estava se interessando por Economia.

Certo! Agora escute!

Paulo: *Qual é a sua opinião sobre investimentos atualmente?*

Telma: *Talvez as ações sejam o melhor negócio do momento.*

Responda!

O Sr. Paulo pediu a opinião da D. Telma?	Sim, ele pediu a opinião dela.
Ele lhe pediu uma opinião sobre esportes?	Não, ele não lhe pediu uma opinião sobre esportes.
Sobre o que ele lhe fez uma pergunta? Sobre investimentos?	Sim, ele lhe fez uma pergunta sobre investimentos.
Ela disse que o melhor investimento eram as ações?	Sim, ela disse que o melhor investimento eram as ações.
Como? O que ela disse?	Ela disse que o melhor investimento eram as ações.

Perfeito! Agora escute!

Paulo: *Você acha que o governo vai resolver o problema da inflação?*

Telma: *Talvez. Mas os juros dos bancos estão muito altos. Isso é um problema grave no País ...*

Responda!

A D. Telma acha que talvez o governo vá resolver o problema da inflação?	Sim, ela acha que talvez o governo vá resolvê-lo.
Ela também falou sobre os juros dos bancos ou das lojas?	Ela também falou sobre os juros dos bancos.
O que ela disse sobre os juros dos bancos? Que estavam muito altos?	Sim, ela disse que os juros dos bancos estavam muito altos.
Ela também disse que isso era um problema grave?	Sim, ela também disse que isso era um problema grave.
Ah! A D. Telma disse que os juros dos bancos estavam muito altos e que isso era um problema grave, certo?	Certo! A D. Telma disse que os juros dos bancos estavam muito altos e que isso era um problema grave.

Muito bem! Agora você ouvirá toda a conversa mais uma vez. Desta vez escute ... e repita!

– *Paulo! Há quanto tempo!*
– *Eu não sabia que você também jogava tênis aqui!*
Você ainda trabalha com investimentos lá no Banco União?
– *Não! Agora eu e o Marcos estamos trabalhando juntos numa empresa.*
– *Marcos? Quem é o Marcos?*

- *Você não o conhece.*
  É um amigo com quem estudei na faculdade.
- *Você e o Marcos têm uma empresa?*
- *Temos. O Marcos está lidando com os clientes.*
  E eu estou trabalhando com investimentos.
- *Qual é a sua opinião sobre investimentos atualmente?*
- *Talvez as ações sejam o melhor negócio do momento.*
- *Você acha que o governo vai resolver o problema da inflação?*
- *Talvez. Mas os juros dos bancos estão muito altos.*
  Isso é um problema grave no País ...

Ótimo! Excelente! Então, o Sr. Paulo e a D. Telma ainda vão conversar mais sobre investimentos, mas nós, nós vamos terminar a nossa conversa por aqui. Chegamos ao fim desta fita, a fita número vinte e quatro. E também chegamos ao fim deste programa: Português 1. Muito obrigada ... e parabéns!!!

Viana do Castelo
Bragança
Braga
Rio Dour
Vila Real
Porto
Rio Douro
Oceano Atlântico
Viseu
Guarda
Aveiro
Coimbra
PORTUGAL
Castel Branco
Leiria
Santarém
Portalegre
Lisboa
Rio Tejo
Setúbal
Evora
Beja
Rio Guadiana
Faro
ESPANHA
Rio Tejo
Rio Guadiana